LES SACRIFIÉS

JULIETTE MORILLOT

LES SACRIFIÉS

ÉDITIONS FRANCE LOISIRS

À mes parents

Édition du Club France Loisirs,
avec l'autorisation des Éditions Belfond

Éditions France Loisirs,
123, boulevard de Grenelle, Paris.
www.franceloisirs.com

ISBN : 978-2-298-05635-8

Mid pleasures and palaces though we may roam
Be it ever so humble, there's no place like home.

John Howard PAYNE[1]

1. « Même si nous pouvons errer à travers plaisirs et palais/Quelque modeste que ce soit, rien ne vaut être chez soi. » John Howard Payne, *Home Sweet Home*, 1822. Traduction française de Michel Remy (2011).

Avant-propos

Ce roman est une fiction inspirée d'une histoire vraie, un fait-divers qui a défrayé la chronique dans la Malaisie du début du siècle dernier, alors colonie britannique. Une Anglaise de la bonne société, Ethel Proudlock, est accusée d'avoir assassiné son amant, un ingénieur anglais, le 23 avril 1911. Le crime lui-même, puis le procès de la meurtrière, suivi de sa condamnation à mort par le sultan de Selangor, ont alors captivé le monde, de Londres à New York.

Le romancier anglais Somerset Maugham (1874-1965), de passage en Malaisie une dizaine d'années après le scandale, entendit parler de cette « affaire Proudlock ». Il mena alors une petite enquête à Kuala Lumpur et s'entretint avec Courtenay Dickinson, l'avocat d'Ethel Proudlock. En 1924, il écrivit « L'Affaire Crosbie » (« *The Letter* »), une nouvelle figurant dans le recueil *Le Sortilège malais* (*The Casuarina Tree*), publié en 1926. Afin d'éviter toute poursuite de la part du couple Proudlock, dont personne ne savait où il se trouvait, Somerset Maugham modifia les noms de ses personnages. Ethel Proudlock devint ainsi

Leslie Crosbie, et la plume talentueuse de l'écrivain fit le reste : Somerset Maugham ajouta des personnages, changea le verdict du procès et inventa un mobile au meurtre. « L'Affaire Crosbie » connut d'emblée un immense succès. D'abord jouée sur scène en 1927 au Playhouse, à Londres, elle fut adaptée au cinéma une première fois en 1929, avec Jeanne Eagles dans le rôle d'Ethel, puis en 1940 avec Bette Davis, qui reçut une nomination aux oscars pour son interprétation.

J'ai quant à moi découvert l'affaire Proudlock en 1986, alors que je venais de m'installer dans la région pour plusieurs années. Ce sont des gamins des rues qui, dans le centre de Kuala Lumpur, m'ont parlé de « la meurtrière », « l'Anglaise » qui avait tué un homme, « un autre Anglais ». Soixante-quinze années s'étaient écoulées, et pourtant personne n'avait oublié l'affaire. J'ai donc commencé mon enquête, épluché documents et extraits de journaux, recherché livres et témoignages. C'est ainsi que j'ai pu rencontrer une vieille femme prétendant être la sœur cadette de la nounou chinoise qui travaillait chez les Proudlock. Pour preuve, elle m'a montré quelques coupures de journaux et une photo jaunie de sa sœur et elle posant aux côtés d'une petite fille blonde. Peut-être la fille du couple Proudlock…

Mais je n'étais pas encore prête à écrire. Ce n'est qu'à la lecture du remarquable ouvrage d'Eric Lawlor, *Murder on the Verandah, Love and Betrayal in British Malaya*[1], qu'Ethel Proudlock a

1. Harper Collins, 1999.

pris chair en moi. Il a fallu cependant attendre encore dix ans et la magie d'Internet, qui permet notamment des recherches généalogiques poussées et l'accès aux documents de la Librairie nationale de Singapour, pour qu'enfin je me lance dans l'écriture du roman.

Comme le fit Somerset Maugham en son temps, j'ai moi aussi tenté de percer le mystère de cette affaire. Qui était Ethel Proudlock ? Qu'est-ce qui avait bien pu conduire cette jeune femme de vingt-trois ans à commettre un crime aussi brutal ? Qu'était-elle devenue après le procès ? Et sa famille ? Son époux ? Sa fille alors âgée de trois ans et demi ? On sait qu'ils sont repartis pour l'Angleterre, mais ensuite ? Devant les rumeurs jamais confirmées, les témoignages contradictoires, les pistes délaissées par l'enquête policière de l'époque et les innombrables zones d'ombre que même Eric Lawlor n'a pu élucider, j'ai décidé de me laisser guider par mon instinct de femme et mon imagination de romancière.

Ainsi, « mon » Ethel est un pur personnage de fiction, mais finalement, un siècle exactement après la fameuse nuit du crime, en offrant une dernière fois ce nouveau premier rôle à la vraie Ethel Proudlock, modeste comédienne, je ne pense pas l'avoir trahie, bien au contraire...

Juliette MORILLOT

1

Whitechapel, Connecticut
Début août 1954

Une Chevy beige immatriculée dans le New Jersey. « Un vieux modèle », a précisé Jack, le petit-fils de Marge, la voisine. Un expert en voitures capable de reconnaître tous les modèles, même la dernière Fleetline. « Facile ! L'espacement des barreaux de la grille de ventilation est plus large. » Le conducteur ? Le garçonnet n'a même pas regardé. « Mais il fumait, a-t-il dit. Papa aussi, il fume, avec le bras gauche sur la portière, et il a la marque de sa chemisette imprimée sur la peau. » Un fumeur, donc. D'ailleurs, les enquêteurs ont retrouvé des mégots de Dunhill sur la chaussée. Les traces de pneus relevées confirment aussi les dires du garçonnet. Une Chevrolet, avec trois pneus Goodyear et un plus étroit de marque inconnue. Sans doute la roue de secours. La crevaison doit être récente. Du matin même, peut-être. Mais les appels à témoins n'ont rien donné. Personne n'a vu de voiture en panne au bord de la route.

Rien.

Dorothy ne sait rien de plus. Juste que la voiture a démarré brutalement et frappé de plein fouet le vieil homme qui traversait la rue. « Ça a fait un drôle de bruit, a précisé le petit garçon, et plein de sang. » La Chevrolet a ralenti, accéléré, puis disparu. Jack a couru prévenir sa grand-mère qui accrochait du linge derrière l'escalier de la cave et, l'une après l'autre, les portes des maisons se sont ouvertes. Comme des figurines de glockenspiel, les silhouettes des habitants de la rue sont apparues.

La suite ne comporte rien de particulier qui mérite d'être raconté. Pleurs, cris, pompiers, police. Et silence...

Dorothy est rentrée en hâte de Hartford. Sa mère l'a appelée à la bibliothèque. Elle étiquetait une énième version des *Aventures de Tom Sawyer* quand Judy est venue la chercher entre les rayonnages. Rien qu'aux yeux de basset de sa supérieure, la jeune femme a compris qu'un malheur était arrivé.

L'enterrement doit avoir lieu jeudi, dans l'après-midi. Vivian l'attendait à la gare, l'air sombre, les yeux rouges. Jamais Dorothy n'aurait pensé que sa sœur viendrait la chercher, mais au lieu d'apprécier l'attention, elle s'est sentie irritée.

— Tu imagines, Dotty ? On ne le reconnaît pas ! Ils l'ont recousu et habillé comme un mort !

Vivian l'a attaquée d'emblée, sans prendre le temps de l'embrasser. Et l'a appelée Dotty, ce qu'elle déteste. Car Dotty rime avec *potty*, pot de chambre.

— Mais il *est* mort !

Quand Ethel, sa mère, lui a annoncé l'accident au téléphone, Dorothy n'a pas bronché. Les sanglots maternels et ses trémolos de chanteuse d'opérette ont en un instant asséché sa propre douleur. Mais plus tard, dans le train, la joue collée à la fenêtre, les larmes sont venues, et avec elles, par vagues, sont remontés les souvenirs. Un peu comme un siphon... Non, comme quand Pa débouchait l'évier avec la ventouse et que l'eau surgissait dans un souffle sous la pression. Dorothy a ri malgré elle. Les flaques noires sur le carrelage. La fureur de Mom dans son affreux peignoir de nylon écossais rouge et vert. Devant les regards apitoyés et légèrement inquiets des autres voyageurs – qu'est-ce que cette hystérique qui rit et pleure la seconde d'après ? –, Dorothy s'est recroquevillée sur la banquette et a fermé les yeux.

Vivian a insisté. Comme toujours.

— Oui, mais ce n'est pas lui. Ils lui ont même enlevé ses lunettes. Ils disent qu'un mort, ça n'a pas besoin de lunettes.

— Et Mom, qu'est-ce qu'elle en pense ?

Vivian a attrapé la valise de Dorothy avec autorité. Elle a toujours été la plus forte, celle qui porte, celle qui traîne et qui pousse. À quatre ans, elle nageait la tête sous l'eau, à cinq, elle extirpait les termites des poutres avec une pince à épiler, à six, elle changeait la chambre à air du vélo en moins de dix minutes, et à neuf, elle battait le fils du garagiste au bras de fer.

— Mom ? Elle tourne les pages de son carnet d'adresses. Pour les faire-part...

Dorothy a insisté pour aller d'abord au funérarium, sans passer à la maison.

— Je suis venue pour Pa, n'est-ce pas ?

Le soleil de midi a chassé les nuages du ciel. L'air brûlant brouille les contours du petit bâtiment blanc, un cube sans élégance entouré d'arbres secs et raides. Vivian, qui marche toujours plus vite que les autres, l'attend déjà, plantée devant la plaque de cuivre. Killingworth Brothers, Funeral Parlor. Dorothy voudrait se recoiffer, mais avec sa sœur impatiente comme à une veille de Noël, elle n'ose même pas s'arrêter et sortir son poudrier du sac. Dorothy ne supporte pas la négligence. Mais n'est-ce pas un cas de force majeure ? Elle n'a même pas pris le temps de prévenir sa logeuse qu'elle serait absente plusieurs jours. Si elle avait eu de l'argent sur elle à la bibliothèque, elle serait allée directement à la gare prendre son train. Mais elle est repassée par l'appartement, a arrosé la misère et choisi dans son armoire une tenue de circonstance – une blouse de crêpe bleu nuit, presque noir, et une jupe noire un peu grise.

Elle voudrait entrer seule dans le funérarium. Pourtant, à dire vrai, quand Vivian a affirmé en agrippant son bras : « Mieux vaut être à deux la première fois, c'est moins éprouvant », elle s'en est trouvée soulagée. Pa est méconnaissable. Teint cireux, rictus cynique et costume de croque-mort. Ils lui ont même peigné les cheveux en arrière avec de la pommade, comme un vieux dandy en maraude. Le cadavre sur le dais de satin pourrait fort bien être celui du garagiste, ou même celui de Mr Tomlinson, l'épicier, l'un comme l'autre de la même corpulence. Et cette fois-ci Vivian a raison. Pa ressemble maintenant à un mort, comme si la mort unifiait ceux qu'elle arrache aux leurs. Une sorte d'uniforme pour quitter le monde des vivants et entrer dans celui de l'inconnu. C'est ainsi que Pa aimait à parler de la mort. Dorothy, elle, trouve la foi bien utile.

Il faut habiller Pa d'urgence.

— On doit le changer, n'est-ce pas ? J'ai trouvé une de ses vestes dans le placard de l'entrée. Et récupéré ses lunettes. Sans lunettes, il ne trouvera pas son chemin, là-bas...

— Et Mom ?

— Elle sera d'accord. De toutes les façons, elle n'est pas en état de prendre la moindre décision.

C'est ainsi que le mort du Killingworth Parlor est redevenu Mr Jasper Proudlock, Pa, juste à temps pour ses propres funérailles. Il avait soixante-seize ans.

Dorothy a du mal à trouver le sommeil. Vivian est venue la rejoindre en chemise de nuit et a baissé la fenêtre pour avoir un peu d'air frais.

— Soit on est mangées par les moustiques, soit on meurt étouffées ! Moi, tu sais bien, les moustiques ne m'ont jamais aimée ! Ils préfèrent les peaux pâles, comme Mom et toi !

— Pa ne devait pas se sentir bien, il n'a pas installé les moustiquaires pour l'été.

Vivian s'est levée et a observé le verrou rond qui permet d'ouvrir la fenêtre et de maintenir la guillotine en position haute. Elle a indiqué du doigt deux trous dans l'encadrement.

— Si, les cadres sont certainement dehors. Pa devait être en train de changer les grillages. Il a dû être interrompu, sinon il les aurait refixés.

Vivian ne croit pas à l'accident. Pour elle, Pa a été délibérément renversé. Soit par un créancier mécontent – Pa avait des dettes, même si Mom refusait de l'admettre –, soit par un fou. Peut-être celui qui s'est échappé de l'hôpital psychiatrique de Norwich, il y a quelques semaines. Du coup, tout devient suspect.

Même les moustiquaires.

Vivian a passé la soirée avec l'officier de police. Un homme d'une cinquantaine d'années plus habitué à enquêter sur les disparitions de chiens ou de perroquets qu'à démêler les raisons d'un crime à ses yeux absurde. « Qui pourrait bien en vouloir à Jasper Proudlock, un vieil homme connu de tous à Whitechapel ? » Ou plutôt connu de personne tant il était discret, si ce n'est de ses voisins et des anciens clients de la poste, où il travaillait pour meubler ses vieux jours et offrir des fleurs à Mom... Mais se souvient-on seulement d'un visage derrière un guichet ? Ensemble, Vivian et le lieutenant Hiller ont passé en revue toutes les hypothèses, puis toutes les connaissances du couple, tandis que Dorothy aidait sa mère à établir la liste de la famille et des amis pour les funérailles. Les deux tâches se complètent admirablement, et en moins d'une heure une trentaine de noms ont été couchés sur le papier, classés par ordre alphabétique.

Toute petite, Dorothy aimait déjà numéroter et étiqueter. Elle avait un jour inventorié chacune de leurs possessions, du peigne malais sans dents de Mom au poisson rouge de Bobby. Son travail à la bibliothèque de Hartford lui va comme un gant. Vivian ne supporterait pas de travailler enfermée toute la journée entre les rayonnages de bois à remplir des fiches obscures sur les ouvrages de Mark Twain. « Mieux vaut encore être serveuse dans un bar que manger de la poussière du matin au soir. » Vivian, elle, est selon les jours artiste, photographe, journaliste ou musicienne. En attendant, elle tient la caisse du cinéma et écrit des critiques de films dans le journal gratuit de Whitechapel, le *Quinatucquet Daily*.

Dorothy a donné la liste de Mom au lieutenant Hiller. Une vingtaine de noms, suivis d'une dizaine d'adresses dans le Bedfordshire – la famille anglaise qui envoie chaque année des cartes de Noël que Mom aligne sur la cheminée –, et une adresse près de Buenos Aires, en Argentine, celle de l'oncle William.

Ethel a essayé de lui téléphoner, mais c'est dimanche et l'institution des garçons où il enseigne depuis maintenant un an est fermée pour les vacances d'été. D'une voix brisée, elle a demandé au gardien de joindre de façon urgente William Proudlock, le professeur de géographie, et de le prévenir du décès de son frère et de la date des funérailles.

— Ethel, dites-lui que c'est Ethel, que je suis désolée. Que je lui demande pardon. Que tout cela est ma faute.

Vivian est intervenue.

— Mom, oncle Will ne t'entend pas. C'est le gardien. Maintenant, raccroche, tu vois bien qu'il n'y a plus personne au bout du fil.

Et là, Mom s'est levée, a d'un coup sec du poignet resserré le lien de son peignoir et rejeté ses cheveux en arrière. Pour une femme de son âge, Ethel Proudlock a de l'allure. Si l'alcool n'avait pas tissé une toile carmin sur sa peau, elle paraîtrait dix années de moins. On devine sous les petits carreaux matelassés de sa robe de chambre une taille fine – Pa pouvait l'encercler de ses doigts – et des formes de poupée chinoise. Elle aime se comparer à une minuscule figurine allongée sur un socle de bois de rose, souvenir de sa jeunesse à Singapour, une de ces statuettes sur lesquelles les Asiatiques indiquent au médecin où elles souffrent afin de protéger leur pudeur. Autrefois, Pa la taquinait en caressant l'ivoire du bout des doigts. Ethel gigotait et gloussait, la main coquettement posée sur ses lèvres pour cacher une dent surnuméraire qui l'a toujours complexée. Un coup d'œil rapide dans le miroir a confirmé à Ethel qu'elle pouvait encore se permettre de laisser son peignoir découvrir légèrement son épaule. Il y a moins de provocation dans son geste, sinon l'assurance acquise au cours des années que les hommes, quel que soit leur âge, restent toujours sensibles à la fragilité d'une clavicule.

Vivian déteste quand sa mère joue la séductrice. Alors quand Ethel, les yeux rougis, s'est effondrée sur le divan avec des airs de tragédienne grecque, elle n'a pas résisté.

— Pardon de quoi, Mom ? Tu as choisi ta vie. Maintenant tu devrais te coucher, demain sera une longue journée.

Dorothy s'est accroupie au bord du divan. Ses longs bras se sont enroulés autour de la silhouette de sa mère qui, avec une grâce toute hollywoodienne, a fait tomber ses mules sur le sol. Dorothy ne supporte pas la franchise de sa sœur. Mom perd la tête, à quoi bon lui en vouloir ?

— Mom, ce n'est la faute de personne. C'est un fou, ou un lâche, plutôt, qui a perdu le contrôle de son véhicule. Le lieutenant Hiller va lancer les recherches.

Les obsèques ont lieu aujourd'hui, à onze heures, au cimetière St Michael. Sans doute le plus joli endroit de Whitechapel. Ethel aimait y emmener les filles quand elles étaient plus petites. Elles déchiffraient les noms sur les stèles, sous les branches des sycomores géants. Vivian s'était attachée à celle d'un marin, John Hooke, emporté en 1682 par une « brutale et violente maladie », laissant huit enfants et deux femmes, Elizha et Anna. Dorothy, elle, préférait la petite pierre levée de Sarah Meredith Blackwell, gravée d'un curieux navire à la proue de guingois. Quand elle était de bonne humeur, c'est-à-dire quand Dorothy était encore petite car alors Mom était toujours souriante, Ethel lui désignait les voiles et le pont. « C'est comme notre bateau. Tu vois, nous aussi nous avons fait le même chemin que les premiers pèlerins et traversé la mer. Tu n'as même pas été malade, tu étais forte, ma fille ! » Le souvenir traçait des papillons de joie de chaque côté des yeux de Mom. Dorothy se souvenait bien du bateau. Mais elle voyait le pont noir, les cheminées énormes comme des troncs d'arbres décapités et la masse compacte de voyageurs agglutinés contre la balustrade, l'empêchant d'apercevoir la main qui lui disait au revoir en contrebas, sur le quai. Il faisait chaud, très chaud, et Mom l'avait aussitôt entraînée dans les entrailles du navire. La cabine sentait mauvais, l'humidité, le sel et la saucisse. Mais rien que pour voir une fois de plus les papillons battre des ailes sur les tempes maternelles, Dorothy hochait la tête et, afin de ne pas mentir tout à fait, précisait : « J'ai oublié le départ, Mom, mais je me souviens bien de notre arrivée en Angleterre. Pa nous attendait sur le quai avec un énorme ours de chez Harrods. Il pleuvait. »

Maintenant, Pa va être enterré. À quelques mètres d'un marin, Paul Hawthorne, et de Sarah Meredith Blackwell, dans la partie du cimetière la plus récente, là où les stèles propres et nettes luisent au soleil. Il y a quelques tombes de soldats. Impeccables. Alignées au cordeau. L'une d'elles, avec son bouquet de fleurs fraîches, semble plus récente que les autres. La guerre de Corée a décimé les villages du Connecticut, mais la plupart des disparus sont encore là-bas, chez les Kimchi[1]. Les autres reposent au nouveau cimetière militaire de Sanderville, face à l'Atlantique. Deux guerres en si peu de temps. Tant de jeunes envoyés à la mort au nom de la liberté pour délivrer le Vieux Continent. Cinq ans plus tard à peine, d'autres étaient partis avec McArthur combattre les Chinois et les communistes en Corée. À la fin du conflit, ils n'étaient pas tous rentrés. Comme le père de Jack, dont on n'avait pas de nouvelles depuis dix-huit mois. Sa dernière lettre datait de Noël 1952. Pourtant Dorothy, elle, n'est jamais venue pleurer John, son mari. Elle se contente d'entretenir sa tombe avec sérieux. Il est mort quatre jours avant l'embarquement des troupes pour l'Angleterre et les plages de Normandie. Comme cela. Sans même lui laisser le temps de s'habituer à son nouveau nom : Mrs Miller. Dorothy et John Miller.

On avait accordé une permission familiale à John avant le grand départ. Ils étaient allés se baigner à Horseneck Beach, près de Westport. Une longue plage de sable gris épargnée par les mouches noires. Dorothy avait mis son unique maillot de bain, bleu et jaune à pois, et noué un turban autour de ses boucles. Ils s'étaient promenés les pieds dans l'eau et avaient mangé une glace, assis sur la digue. John riait quand il était

1. Nom donné par les familles américaines aux Coréens.

entré dans l'eau. Il aurait voulu que sa jolie épouse le suive, mais Dorothy n'avait pas envie de se mouiller les cheveux, et puis les vagues glacées de l'Atlantique lui donnaient la chair de poule. Allongée sur sa serviette, elle avait enfoui ses orteils dans le sable et regardé les taches noires de ses yeux pleins de soleil danser sur les pages du *Ladies Home Journal*. Quand elle avait relevé la tête, John avait disparu. Hydrocution.

Trois mois plus tard jour pour jour, en pleine nuit, une poigne invisible lui avait tordu le ventre. Un peu comme si un monstre nocturne avait décidé d'essorer ses entrailles. Dorothy était descendue sans s'affoler à la cuisine. Elle avait calmement écarté les cuisses au-dessus de la bassine à linge et regardé le liquide visqueux fuir de son ventre. Tout ce qui lui restait de John était parti cette nuit-là. Les étreintes, les rires, les disputes, et même le foulard bayadère qu'il lui avait offert pour qu'elle puisse l'agiter sur le quai quand il partirait. « Pour être sûr de te reconnaître parmi les autres ! » Le carré de mousseline avait glissé sur le sol souillé au moment où elle se relevait. Les taches de sang étaient indélébiles et Dorothy l'avait enterré dans le jardin avec cette pensée absurde de n'être pas faite pour les départs en bateau.

Aujourd'hui, avec sa blouse de crêpe bleu nuit presque noir et sa jupe noire un peu grise, elle a enfin l'air d'une veuve. Mais c'est son père qu'elle enterre, avec sa mère et sa sœur Vivian. John est rangé, étiqueté dans un coin de son cœur, suffisamment loin pour qu'elle oublie même qu'elle a été mariée.

Quelques voisins sont là, dans l'ombre des sycomores géants, des inconnus aussi, qui, semble-t-il, connaissaient bien Pa, le lieutenant Hiller, et même Jack, tiré à quatre épingles, avec Marge, sa grand-mère, coiffée d'une meringue violette.

— Mom, Bobby n'est pas là. Tu les as bien prévenus, à la ferme ?

Ethel se retourne et ses yeux sombres étreignent Dorothy.

— Dorothy, voyons, tu sais bien... C'est si loin, l'Ontario. Bien sûr que nous avons appelé. Mais Josh a dit qu'ils ne pourraient pas venir. Tu t'en doutes bien !

Dorothy secoue la tête.

— Peut-être que c'est mieux ainsi. Dans son état ! Il faut que Bobby reprenne des forces, hein, Mom ? L'air de la montagne, c'est bon pour ce qu'il a !

Ethel libère un large sourire qui découvre sa canine et lui donne un air de renarde. Dans ces moments-là, elle sait se montrer tendre. Une tendresse inquiète et lasse.

— *Sweetie*...

Dorothy regarde sa mère. Elle a si peu changé depuis ses premiers souvenirs, quand elle n'avait que trois ans, sur le pont du bateau à Penang, en Malaisie. Même silhouette juvénile et nerveuse, à la manière d'une calligraphie chinoise. Mêmes gestes rapides, et cette façon de ployer la nuque à chaque contrariété. Les années et les soucis ont froissé sa peau sur ses pommettes, mais ses yeux brillent du même éclat froid et velouté. Dorothy a eu du mal à la quitter après le décès de John pour s'installer à Hartford, et elle ne saurait dire si les sentiments que sa mère éveille parfois en elle ressemblent plus à de l'amour ou à de la haine. À dire vrai, la seule image que Dorothy voudrait garder en mémoire est celle d'Ethel assise sur les marches de la véranda au Canada. C'était il y a si longtemps ! Ils habitaient une jolie maisonnette de bois rouge dans l'Ontario. Pa, Mom, Vivian, elle, et bien sûr Bobby, né un soir de tempête de neige le jour du terrible incendie qui, en 1916, avait détruit le parlement d'Ottawa. Dorothy repérait Mom de loin en rentrant de l'école, rien qu'un point de couleur devant la ferme. Et plus elle s'approchait plus la tache grandissait, jusqu'à devenir Mom, à demi assoupie, Bobby repu dans ses bras. Dorothy posait son sac sur les pierres et l'admirait en silence. Surtout sa poitrine, blanche, nacrée. Deux mappemondes traversées de fleuves bleus. Elle enviait Bobby de cette intimité que jamais elle ne connaîtrait, mais elle n'éprouvait pas la moindre rancœur à son égard. Au contraire, elle arrachait son frère des mains maternelles et le plaçait sur son ventre. C'est comme ça qu'elle avait apprivoisé les chatons de la grange à foin. La plupart du temps, Bobby se réveillait et hurlait si fort que Mom ouvrait les yeux, hagarde.

— Rends-le-moi ou va le changer, il pleure ! Bientôt, il faudra le sevrer, l'habituer au lait de vache…

Dorothy le sait bien au fond d'elle-même. Jamais Josh et Mary n'auraient pu se libérer pour venir aux funérailles de Pa. Trop de travail à la ferme à cette période de l'année. Et puis c'est si loin, l'Ontario. Mais Bobby ?

Le pasteur est bref. En manque d'inspiration. Face au cercueil de Pa, Vivian a perdu de sa superbe. Les formes noires du feuillage renvoyées par le soleil créent sur son visage un loup d'ombre et de lumière qui lui fait cligner les yeux. À moins qu'elle ne les cligne pour ne pas pleurer. Dorothy ne peut retenir un pincement au cœur.

Dorothy, l'aînée, est de loin la plus jolie. Nourrie de compliments depuis son plus jeune âge, elle a fini par se convaincre de la justesse du jugement des autres. Loin d'en tirer vanité, elle n'a toujours vu dans la délicatesse de ses traits qu'une chance qui lui avait permis d'attirer le regard de John. À Kuala Lumpur, ses yeux bleus Wedgwood et ses cheveux mousseux remplissaient les serviteurs d'effroi. « *Tidak kukuh, tidak kukuh*[1]... » Ils l'effleuraient pour l'habiller, et quand Mom n'était pas là ils lui interdisaient de jouer dehors par peur de voir sa peau se couvrir de taches mauves si elle tombait. Courir, grimper sur une chaise ou même lancer son bilboquet était dangereux. Ses pourquoi d'enfant étaient invariablement accueillis

1. « Pas bien solide... »

par un bruissement de *tidak kukuh, tidak kukuh*...

À la naissance de Vivian, Mom et Pa ne vivaient plus à Kuala Lumpur, mais à Londres. Un appartement sans charme dont les fenêtres donnaient sur d'autres fenêtres et les portes sur des murs. Quand elle a poussé son premier vagissement, Vivian avait le dos couvert de poils, le visage couleur de mérou et des cheveux en crête de cacatoès. Dans le couloir de l'hôpital, Dorothy, qui attendait la venue de sa petite sœur en tricotant des chaînettes de laine, avait entendu les infirmières chuchoter que jamais elles n'avaient vu un bébé aussi laid. Elle ne l'avait pas répété à Mom pour ne pas la blesser, mais avait gardé cette confidence comme une arme secrète qu'un jour elle utiliserait si on lui répétait encore *tidak kukuh*. Mais Dorothy n'est plus retournée en Malaisie et jamais elle n'a pu tirer profit de son indiscrétion. Les années ont passé. Vivian a grandi, et si personne ne s'applique à l'admirer, Dorothy a dû se rendre à l'insupportable évidence que sa sœur, bien que dépourvue de tout agrément, rayonne d'une grâce unique, mélange d'insolence, de gaieté et d'imperfection. À quarante-deux ans, vêtue d'une jupe noire et d'un twin-set anthracite, sans le moindre maquillage pour camoufler les larmes de la veillée, elle irradie d'une beauté coléreuse et sans apprêt. Et quand, après quelques mots échangés avec Mom, elle s'avance un livre ouvert à la main, elle dégage une telle autorité naturelle que le pasteur Six, qui vient à peine d'achever son oraison, recule. C'est Mom qui a donné le livre à Vivian, une page marquée d'un signet d'ivoire découpé.

Pa a rencontré autrefois Kipling dans sa maison de Burwash. Il aimait raconter qu'il avait été l'un des premiers privilégiés à apprendre qu'on lui avait attribué le prix Nobel. Mais Pa n'était qu'un simple admirateur, pas un homme de lettres, et son amitié avec l'écrivain s'était conclue par l'envoi de ce recueil de poèmes dédicacé de la plume du maître :

Si tu peux conserver ton courage et ta tête
Quand tous les autres les perdent et t'en rendent responsable,
Si tu gardes confiance en toi quand chacun doute de toi
Mais sans leur en vouloir de leur manque de foi,
Si tu peux attendre sans être fatigué d'attendre
Ou entendre mentir sur toi sans mentir toi-même d'un mot,
Si tu peux te sentir haï sans haïr à ton tour
Et sans paraître trop bon ni parler comme un sage[1]*...*

1. *If you can keep your head when all about you/Are losing theirs and blaming it on you/If you can trust yourself when all men doubt you/But make allowance for their doubting too/If you can wait and not be tired by waiting/Or being lie about you, don't deal in lies/Or being hated, don't give way to hating/And yet don't look too good or talk too wise...* *If...*, Rudyard Kipling, 1910. *Si...*, traduction française par Michel Remy (2011).

Le ciel s'assombrit. De gros nuages couleur de cendres cachent l'horizon. Mom n'a pas eu la force de rester debout. Ce matin, elle a pourtant tenu à marcher jusqu'au cimetière. Seule derrière le corbillard. Elle n'a pas fléchi et a gardé jusqu'au bout le menton haut. Mais lorsqu'elle est arrivée devant cette fosse si grande qu'elle pourrait l'engloutir elle aussi, ses jambes ne la portaient plus. Alors Marge a envoyé Jack au coffee-shop. Pa allait souvent chez Goody's. Il s'asseyait près de la fenêtre, commandait un café et posait le *Quinatucquet Daily* ostensiblement replié sur la table pour mettre en évidence la signature en bas de la page : « V.P. » Vivian Proudlock. Jack est revenu une demi-heure plus tard avec une chaise. Une chaise en métal recouverte de moleskine orange qui couine à chaque mouvement. Mais Mom n'a pas bougé. Donc la chaise n'a pas grincé. Assise comme une écolière, les genoux serrés, elle a gardé la tête baissée pendant l'oraison et le défilé des bonnes âmes, qui toutes ont tenu à rappeler que Jasper Proudlock était un voisin serviable et un membre apprécié de la communauté, toujours prêt à donner un coup de main.

Ethel ferme les yeux, emportée par la voix claire de Vivian.

Si tu peux rêver sans laisser le rêve être ton maître,
Penser sans n'être qu'un penseur,
Si tu peux rencontrer triomphe après défaite

En traitant ces deux imposteurs de la même façon[1]...

Ethel pense à l'homme. Les vieux ont pour étrange caractéristique aux yeux des autres de toujours avoir été vieux. Ou vieillissants. Les pensées qui rendent Ethel Proudlock si digne et recueillie n'ont rien de celles qu'on pourrait lui attribuer. Mais peut-on, en ce moment solennel, rappeler que le défunt était un amant merveilleux ? Qu'il savait mieux que quiconque écraser son corps sous ses lèvres jusqu'à ce qu'elle gémisse et demande grâce ? Qu'un soir, à l'hôtel Raffles à Singapour, il avait poussé le verrou de la lingerie et, tandis qu'au lointain retentissaient les fox-trot de l'orchestre, il avait étouffé ses cris dans les piles de linge damassé ? Qu'il la faisait rire jusqu'à ce qu'elle s'étrangle, en proie à de furieuses crises de hoquet ? « Lève les mains et ne respire plus ! » Elle riait de plus belle, le suppliait, se dérobant à ses bras qui l'emprisonnaient. Mais jamais Jasper ne cédait. Il la voulait, elle... Ethel.

La première fois qu'elle avait croisé Jasper Proudlock, Ethel venait de fêter ses dix-neuf ans. Comme elle s'ennuyait déjà à mourir à Kuala

---

1. *If you can dream and not make dreams your master/ If you can think and not make thoughts your aim/If you can meet with Triumph and Disaster/And treat those two impostors just the same...* Traduction française par Michel Remy (2011).

Lumpur, où elle était arrivée quelques mois auparavant, sa tante Annie l'avait emmenée passer trois jours à Singapour. Ethel avait été éblouie. Une véritable cité, conçue avec autant de minutie que s'il se fût agi d'une propriété privée. D'une île de mangroves et de jungle, sir Thomas Raffles avait fait une colonie moderne et raffinée. Rien à voir avec Kuala Lumpur, le « détroit boueux », un cloaque pestilentiel au confluent du Klang et du Gombak, deux rivières jaunes aux eaux épaisses, infestées de crocodiles et de moustiques.

— Tu verras, *my dear*, on s'y fait très bien ! La ville a beaucoup changé ces derniers temps, grâce aux efforts de ce Chinois, Loke Yew. Il y a une dizaine d'années, quand je suis arrivée ici, il n'y avait rien. C'était à l'été 1896. Je débarquais tout droit de Londres, où la reine Victoria venait de fêter son jubilé de diamant ! Et que trouvai-je après les fastes de la ville ? Rien ! Rien que la forêt vierge, des marais, et pour toute société des planteurs et des ingénieurs infréquentables qui préféraient le whisky à la compagnie des humains !

Annie Charter, comme la plupart de ses compatriotes des FMS[1], avait au cours des années accumulé tant d'ennui et de morosité que la venue d'un nouveau visage était une source de distraction à laquelle elle n'aurait pour rien au monde renoncé.

1. *Federate Malay States*, Fédération des États malais.

— En deux mots, *dear*, à Kuala, tu te morfonds. Dès que l'ennui te prend, tu troques la touffeur provinciale de Kuala contre celle raffinée de Singapour ! C'est simple et rapide. Là-bas, tu dépenses l'argent de ton mari, tu t'enivres de vie décente et tu repars armée de toute la meilleure volonté du monde ! Ah oui, j'oubliais ! La gare de Kuala est à deux pas de l'Institut Victoria, avec un vrai *kaki lima* tout le long du chemin.

— *Kaki lima ?*

— En malais, cela signifie « cinq pieds », la largeur officielle des trottoirs. C'est ainsi qu'on les appelle, ici. Une bénédiction si tu ne veux pas laver tes robes chaque jour. Dis-toi bien qu'avec l'humidité elles mettent des siècles à sécher, et mon Dieu, quelle odeur !

Ethel avait souri en découvrant ses dents, la dernière mode venue d'Amérique, jugée fort grossière par sa mère. « Ferme tes lèvres quand tu souris ! Non, voyons ! Pas en cul-de-poule ! Souples ! Les lèvres doivent être serrées mais souples ! » Et, pour compenser, elle avait délicatement croisé ses chevilles – pas les jambes, ni les mollets, à croire que les jeunes filles de bonne famille ont des membres désarticulés.

— Oh, *so sweet* ! Mais tu éviteras ce sourire de gourgandine. Ou bien, avait ajouté tante Annie avec la mine réjouie d'un mulot devant un sac de grain, tu le garderas pour les soirées au Grand Hôtel. L'orchestre est fabuleux.

Sans enfants, Annie Charter ne portait aucun intérêt à la bonne éducation de sa nièce. Elle n'avait jamais souhaité se marier et plaçait son indépendance et l'enseignement de la littérature anglaise au-dessus de toute autre considération. Et si elle avait accepté ce rôle de chaperon, c'est qu'il lui donnait un certain nombre de privilèges absolument irrésistibles. L'occasion tout d'abord de laisser libre cours à ragots et médisances. Dans ce cas-là, Annie parlait d'une traite, n'attendant d'autre réponse d'Ethel qu'un simple hochement de tête. « Là-bas, tu vois, c'est Mrs Campbell, la fille de Mr Spooner, le directeur des Chemins de fer. Elle est tout à fait charmante ! Forcément, elle achète tous ses chapeaux chez John Littel, à Singapour. Par chance, cette pauvre enfant n'a pas hérité du nez de sa mère. Heureusement que les enfants ne l'embrassent pas car ils auraient plus vite fait de passer par-derrière pour atteindre ses joues ! Mais n'est-ce pas une honte ? Il paraîtrait que son jeune mari – Mr Campbell, tu me suis ? Pas Mr Spooner, lui, je comprendrais – aurait déjà pris une *nyay*. Ma pauvre Ethel, tu ne sais pas ce que c'est qu'une *nyay* ? Je ne devrais pas te raconter tout cela ! Jure-moi que tu oublieras aussitôt ce que je t'ai dit. Mais après tout, tu auras dix-neuf ans à la fin du mois, alors... Une *nyay*, c'est une maîtresse indigène, une Malaise ou une Chinoise. Enfin, c'est comme cela qu'ils les appellent, les planteurs de Java. » Ethel avait promis, puis sobrement commenté d'un « Oh ! » sonore. Elle avait retenu un point : si tout le monde achetait ses chapeaux chez John Littel, elle irait ailleurs.

Comment ensuite, pour Annie, ne pas succomber à cette envie irrépressible de raconter à des oreilles vierges les moindres détails de ses souvenirs héroïques ? « Imagine-moi dans le parc chassant le python à coups de parapluie, et ce pauvre *jaga*[1] tentant désespérément de sauver mon adorable Bugsy qui jappe encore dans le ventre de ce monstre ! Et ce jour où je me promenais dans les jardins botaniques et où je me suis trouvée face à un varan ? Sais-tu seulement ce qu'est un varan ? » Ethel, là encore, avait émis un « Oh » d'appréciation mais rappelé à sa tante que, ne venant pas directement des brumes du Devon mais de Ceylan, elle n'ignorait rien de la vie sous les tropiques. Elle n'avait donc que faire de ces explications destinées aux nouveaux arrivants. Elle aurait cependant voulu visiter les cavernes de Batu, l'un des sites les plus réputés de la Fédération des États malais, à treize kilomètres au nord de Kuala. Mais Annie avait refusé tout net. Les grottes étaient infestées de chauves-souris et de serpents.

Heureusement pour Annie Charter, la dernière tâche qui lui incombait se révélait de loin la plus excitante : se rendre chez John Littel – les chapeaux de Mrs Campbell, fille-de-long-nez-Spooner-que-le-mari-trompe-avec-une-*nyay* – et constituer le trousseau de jeune mariée de sa nièce. Car Ethel allait se marier. Avec un professeur de huit ans son aîné, assistant chargé de cours dans le collège de garçons le plus réputé de la région

1. « Gardien », en malais.

après l'Institut Raffles à Singapour, l'Institut Victoria. Un homme apprécié par ses élèves et par le proviseur, Bennett E. Shaw.

Annie avait été chargée par son frère de chercher un parti convenable pour Ethel. En effet, alors que tous les enfants de bonne famille étaient tôt ou tard envoyés en Angleterre afin de recevoir une éducation correcte, loin des miasmes de l'Asie, et de trouver un mari, la mère d'Ethel avait jugé la fillette capable de supporter la chaleur et les moustiques. Son père estimait quant à lui que le manque de bonnes écoles pouvait être compensé par un bon précepteur et une ou deux gouvernantes. Quant au prétendant, Mr Charter avait affirmé qu'il y avait bien assez d'hommes esseulés dans l'Empire britannique pour qu'Ethel trouvât chaussure à son pied. Ethel n'avait donc jamais pris le *King George* pour rentrer à Londres. Elle était restée à Ceylan avec sa mère et son père, les années où ce dernier n'était pas en poste à Kuala Lumpur.

Les Charter possédaient en effet deux demeures. Une à Ceylan, qu'ils appelaient toujours « l'exploitation » en souvenir du temps où Mr Charter dirigeait encore lui-même plusieurs hectares plantés de guèdes et de canneliers. Une demeure délicieuse où les enfants avaient grandi et où Mrs Charter aimait se réfugier pour échapper à la touffeur des FMS. L'autre à Kuala. Quand Mr Charter s'était lancé dans le commerce, il avait délaissé l'exploitation de Colombo et ouvert à Singapour un comptoir d'exportation de denrées tropicales : cannelle, thé, indigo et café. Peu à peu, les affaires avaient fructifié et il avait investi dans le commerce en plein essor du latex. C'est alors qu'il avait acheté Bukit Lamang, la maison de Bluff Road, à Kuala, un endroit bien plus pratique pour contrôler les plantations d'hévéas que Singapour, séparée de la péninsule par un bras de mer.

Ethel s'était d'abord réjouie de ne pas partir pour l'Angleterre. Elle n'avait pas oublié les larmes de ses sœurs le jour où elles avaient quitté l'exploitation. Et à six ans, pour rien au monde Ethel ne se serait endormie sans enfouir son nez dans les cheveux de Kunthi, sa nourrice. Ethel l'embrassait à la base du cou, suçait ses colliers et tripotait les plis de son ventre. « La richesse d'un homme s'évalue au nombre de bourrelets de sa femme », disait souvent Kunthi, dont le mari devait être fort riche. Elle sentait le riz et la cardamome, confectionnait des poupées avec des feuilles de manguier et cachait des morceaux de *ladus*[1] dans les retours de son sari. Mais un jour Kunthi était partie à l'hôpital des sœurs, où elle avait succombé à une maladie tropicale au nom compliqué. Ethel avait douté pour la première fois de sa vie. C'est ce que sa mère lui disait aussi des chatons qui couraient dans la véranda. À peine Ethel avait-elle le temps de les apprivoiser qu'ils disparaissaient. Morts du béribéri, de la fièvre bilieuse ou de l'anémie du mouton, à moins qu'ils ne fussent donnés à une institution « hautement charitable », le couvent

1. Friandises à base de noisettes et de cassonade.

des sœurs de Khumbalgarh. Ethel avait cherché dans son encyclopédie. Khumbalgarh était une citadelle fortifiée des environs d'Udaipur, dans le Rajasthan, au nord de l'Inde. Envoie-t-on des chatons à des milliers de kilomètres ?

En moins d'une semaine, Kunthi avait été remplacée par miss Dungard, une Galloise à la peau marbrée de rose qui tachait ses vêtements d'auréoles acides. Le premier lundi de chaque mois, la nouvelle gouvernante s'installait aux cuisines et préparait du *shortbread.* Elle versait ensuite les sablés trop cuits et les brisures chaudes dans la gamelle du chien, puis enfermait les sablés les plus parfaits dans une boîte de métal peinte de deux angelots à l'intention de Mrs Charter.

Ethel en avait conçu une haine farouche. Elle s'était donc vengée et, un jour, avait laissé traîner une aiguille sur le fauteuil favori de miss Dungard. Malheureusement, l'aiguille n'avait pas rempli son office. Sans doute écrasée par le fessier charnu de la gouvernante, elle s'était enfuie dans le bourrage de l'assise pour ne jamais en ressortir. Ethel avait bien tâté le siège, soulevé les clous avec une lame et pressé sur la toile, en vain, l'aiguille avait disparu pour de bon. Quant au chien, un affreux animal à la langue pendante comme un morceau de flanelle, il était mort quelques semaines plus tard, piqué par un vilain anophèle.

Ethel s'était bien sûr demandé pourquoi elle seule avait dû rester à Colombo alors que ses sœurs, Edith, Marjorie et même Mary, sa cadette, étaient parties pour l'Angleterre. Mrs Charter, qui d'ordinaire mettait un point d'honneur à ne pas répondre aux questions de ses enfants, avait ce jour-là appelé la fillette dans son boudoir et exposé les trois arguments censés mettre fin à ses interrogations. Tante Suzan, en Angleterre, souffrait d'horribles rhumatismes qui l'empêchaient désormais d'accueillir un autre enfant ; la situation financière de Mr Charter était préoccupante ; et enfin, elle, Mrs Charter, n'imaginait pas une seconde la solitude affective qu'elle devrait affronter dans l'éventualité où sa chère Ethel ne serait plus à ses côtés. Puis Mrs Charter avait tendu la boîte de métal peinte de deux angelots à Ethel – « Comment ? Tu n'as jamais goûté les *shortbreads* de miss Dungard ? » Ethel était retournée dans sa chambre la bouche pleine. Ses premiers *shortbreads* depuis l'arrivée de miss Dungard.

Jamais le sujet n'avait été abordé à nouveau, jusqu'à ce matin de septembre 1906, douze années plus tard. Mrs Charter, cette fois-ci, avait frappé à la porte de sa fille. Et sans plus d'émoi que s'il se fût agi d'organiser un dîner, elle lui avait annoncé son prochain mariage. Comme cela. Sans prendre la peine de s'asseoir ni d'attendre qu'Ethel cessât de brosser ses cheveux.

— Ton père et ta tante Annie t'ont trouvé un parti de très bonne famille. Tante Annie et ton futur époux enseignent dans le même établissement, l'Institut Victoria, qui cette année compte plus de six cents élèves.

— À Singapour ?

— Non, à Kuala Lumpur. Tu embarqueras pour Penang en décembre. Tante Annie viendra te chercher au port et vous prendrez ensemble le train pour Kuala.

— Décembre ? Si vite ?

— Le mariage est prévu pour avril prochain. Ainsi, vous pourrez aussitôt partir en voyage de noces en Europe. Si tu restes en Angleterre, tu échapperas à la mousson.

— Ne devrais-je pas d'abord le rencontrer ?

— Mais pour quoi faire, grand Dieu ?

Mrs Charter refermait la porte quand Ethel avait désigné ses cheveux.

— Mrs Charter ?

Ethel n'avait jamais appelé ses parents autrement que « Mr et Mrs Charter ».

— Puis-je les couper ?

Un sourire d'indulgence et de soulagement avait éclairé le visage de Mrs Charter.

— Bien sûr ! Et tu les feras boucler, aussi. Il ne faut pas négliger ce premier instant où Mr Proudlock posera les yeux sur toi. Je ferai tout, mon ange, pour qu'il soit conquis. À Kuala, tante Annie prendra la relève, tu peux lui faire confiance. Mr Charter sera sans doute en Malaisie lui aussi, mais tu le sais bien, ces histoires de chiffons ne concernent pas les hommes.

Trois mois plus tard, Ethel embarquait sur le *Sankt Josef*, à destination de Penang. Elle avait les cheveux courts, ondulés au fer sur le côté, et portait une robe de soie perle un peu démodée avec ses manches trop étroites. Mais Mrs Charter, qui jamais plus ne l'avait appelée « mon ange », n'en avait pas démordu : les silhouettes féminines en S étaient les plus gracieuses.

Après dix-neuf années d'attente, Ethel jubilait. Elle avait pourtant été contrariée de ne pas être en première classe. Le bateau, opéré par la compagnie maritime allemande Lloyd, avait été choisi par son père pour la qualité de ses moteurs réputés sans odeur. Une machinerie inodore, certes, mais compensée par d'insupportables effluves de *schnitzel*[1] qui collaient aux cheveux et aux tissus. Sur le *Sankt Josef*, les passagers, des Allemands et des Hollandais en route pour Batavia[2], mangeaient des maquereaux marinés, des pommes de terre et de l'estomac de truie aux épices au petit déjeuner. Parfois, aussi, du pain brun et du poisson fumé avec de la moutarde sucrée ou de la crème aigre aux radis. Le tout arrosé d'un thé noir, rude et sans parfum, du bunting frison servi dans de minuscules tasses, à peine plus grosses que l'énorme caillou de sucre que le serveur déposait dedans avec une pincette en argent. Ethel préférait s'isoler et, détournant le regard, s'emmitouflait dans une couverture sur une chaise longue en maudissant son père.

Elle était enfin arrivée à Penang, aux portes de la Malaisie. L'attente l'avait tenue éveillée toute la nuit. Seule sur le pont, elle avait savouré l'approche du port, puis l'entrée du bateau dans le bras de mer, entre l'île et la province de

1. Escalopes panées.
2. Ancien nom de Jakarta.

Wellesley. Sillage d'écume et cortège fou des oiseaux de mer... Et, soudain, l'étourdissant silence des moteurs. Les machines qui se taisent d'un coup, comme si le cœur du bateau avait cessé de battre.

Ses dix-neuf ans, Ethel les avait fêtés seule. Mrs Charter n'avait pas pu la rejoindre comme prévu et Mr Charter avait dû se rendre à Batavia. Il n'était pas convenable pour une jeune fille de rester seule à Bukit Lamang, la maison de Kuala. Alors Ethel s'était installée chez sa tante. Prétextant une migraine, ou peut-être des douleurs au ventre, elle s'était enfermée dans sa chambre. La lumière blanche de midi à travers les lattes des volets dessinait des rayures d'ombre sur le sol. Ethel aurait voulu se plonger dans la jarre de Shanghai remplie d'eau de pluie sur le balcon, mais tante Annie le lui avait interdit. Depuis qu'elle avait fait construire une salle de bains moderne avec une baignoire, elle luttait chaque jour avec les domestiques pour qu'ils vident les anciennes vasques, devenues des nids à moustiques. Annie, qui avait promis à son frère de s'occuper avec dévotion de sa fille, ne tenait plus en place. Pleine de bonne volonté, elle avait suggéré une promenade dans le parc, autour du lac Sydney, fierté de l'administration fédérale. Quelques hectares de forêt vierge disciplinée par une armée de jardiniers vêtus de blanc, bâtie de serres et de volières riches de toutes sortes d'oiseaux et d'orchidées. Ethel avait bâillé et choisi de passer la soirée avec le binturong apprivoisé de sa tante. Les orchidées l'ennuyaient tout autant que les oiseaux exotiques, les poissons ou les papillons. À vrai dire, elle espérait vaguement que le petit mammifère, une sorte d'ourson gros comme un chat avec des yeux de fouine, lacérerait les rideaux ou dévorerait ces terrifiantes marionnettes de peau qu'Annie avait rapportées de Java. La nuit, la lune plaquait leurs ombres sur les murs, puis les pales du ventilateur leur donnaient vie. Elles couraient autour de la pièce, comme des tarentules géantes un soir de Walpurgis. Dans son lit, Ethel, terrifiée, regardait leurs pattes maigres s'étendre, se recroqueviller et envahir ses draps. À la porte de sa vie, elle pensait à son futur époux, à son mariage, au bungalow derrière l'Institut dans lequel ils allaient emménager. Au voyage de noces en Angleterre. À ses cheveux si blonds...

Un sourire doux avait relevé le coin de ses lèvres et creusé une fossette sur sa joue. William Proudlock était un bon parti, Mrs Charter avait raison, grand et athlétique – outre le latin, la géographie et l'histoire, il était chargé de l'éducation sportive des jeunes garçons et entraînait les équipes de football et de cricket. Lors de leur première rencontre, la semaine précédente, Ethel l'avait trouvé tout à fait comestible. Elle entendait par là « comme un fruit ou un légume nouveau qui ne semblerait ni particulièrement délicieux ni mauvais ». Certes, il ne dansait pas très bien, mais comment en vouloir à un fiancé qui la laissait tourner sur la piste de danse au bras des cavaliers les plus séduisants, sans montrer le moindre signe de jalousie ? Les regards envieux des femmes lui disaient que cet homme gentil aux yeux couleur lavande était une chance à ne pas laisser passer. Il parlait peu, mais Annie assurait que c'était une bonne chose, car dès qu'il abordait ses sujets favoris, les nouvelles du Cricket Club, le plan d'aménagement des berges du Klang et les mutations entre collèges, il se montrait terriblement soporifique.

Ainsi lui avait-il fait visiter l'Institut Victoria dès leur premier rendez-vous. Ethel avait admiré les salles de classe, les couloirs et la chapelle. Ensuite, il lui avait offert du thé dans la véranda des professeurs, un fort joli endroit séparé de la cour principale par une rangée de palmiers du voyageur et une dizaine de cages d'oiseaux suspendues à un lacis de poutres. Elle dégustait sa glace quand, sans autre raison que la nécessité sans doute de l'entretenir, il avait choisi pour sujet de conversation l'histoire d'un prêtre catholique français, le père Letessier. « Je vous emmènerai un jour à son école sur Bukit Nanas, si vous le voulez bien. » Ethel avait répondu par son sourire qui creuse deux fossettes ravissantes sur son menton – c'est ce que tout le monde disait, mais William n'avait pas remarqué. Il avait au contraire poursuivi, prenant soin de ponctuer chaque phrase d'un « Me suivez-vous toujours ? », quand, emporté par sa volonté méthodique de ne rien omettre de la biographie du saint homme, il avait en toute honnêteté loué son travail auprès des péripatéticiennes. La coupe était pleine pour tante Annie qui, d'un regard courroucé, l'avait en un instant réduit au silence et avait mis fin au sinistre après-midi. Ethel ne l'avait pas revu après ce jour et, à dire vrai, lui en avait légèrement voulu d'avoir oublié de lui souhaiter son anniversaire. Même avec quelques jours de retard, elle aurait apprécié un simple sourire, deux mots, même embarrassés. Elle avait bien essayé dans la salle de classe, devant le tableau noir où était inscrit : *Kuala Lumpur, le 7 janvier 1907.* « C'est amusant que nous nous rencontrions aujourd'hui ! Justement aujourd'hui ! À deux jours près... » Il n'avait même pas relevé.

Heureusement, tante Annie avait pris Ethel dans ses bras, pleine de compassion. « Ma chère nièce, ce William Proudlock est un peu bourru, je te le concède, mais comme tous les hommes ! » Et, afin de définitivement réconforter la jeune femme, elle avait entrepris de la distraire et de l'emmener à Singapour. Annie avait réservé au Grand Hôtel de l'Europe. Les chambres étaient immenses mais modestes, tendues de chintz fleuri et meublées de fauteuils en rotin blanc. La peinture s'écaillait par endroits. Ethel avait gratté du bout des ongles l'un des accoudoirs, jusqu'à ce que surgisse la couleur miel du cannage. Puis, avec les orteils, elle avait poussé les éclats de peinture sous les franges du tapis, coupé avec la pointe d'une paire de ciseaux les fils qui resserraient ses manches et, satisfaite, était partie explorer les dédales de couloirs de l'hôtel avec la vague intention d'échapper à sa tante, avant d'aller sur le toit pour admirer les jardins suspendus.

Mais Ethel n'avait rien vu. Ni l'immense pelouse avec les minuscules silhouettes blanches de l'équipe de cricket, ni le port sous sa chape de brume, pas même le clocher de la cathédrale St Andrew. Elle avait juste entendu une voix d'homme un peu forte hélant un serveur.

Une voix mécontente qui répétait, en martelant : « *Stengah.* »

— Moitié whisky, moitié soda. *Stengah*, ce n'est pas compliqué, tout de même ? En plus, c'est ta propre langue !

Le boy, un Indien à la peau sombre, avait reculé, manifestement embarrassé par la colère qu'avait déclenchée sa volonté de bien faire. Normalement, les planteurs le remerciaient toujours de la double rasade de whisky. Dans ses yeux noirs, Ethel avait lu le désarroi, mais aussi la frustration. Dans un anglais parfait, à peine chantant, le boy avait répondu, vexé d'être pris pour un Malais :

— Je suis tamil, sir.

Il savait qu'il risquait d'être renvoyé pour insolence mais il avait continué. Après tout, il était déjà allé trop loin et il n'avait plus rien à perdre. Le regard d'Ethel s'était porté sur l'insatisfait qu'elle ne voyait que de dos. Grand, il devait être grand car il avait les épaules larges, les cheveux bruns coupés très court. Il écrasait des cacahuètes pour en extraire la noix entre ses doigts, qu'il avait puissants. Puis il jetait les épluchures sur le sol déjà jonché de coques vides.

— Ne discute pas et porte à ce gentleman un *stengah*, si c'est ce qu'il t'a commandé. On ne te demande pas de faire de ton mieux, mais d'exécuter.

Ethel s'était exprimée en tamil d'une voix posée, un peu haut perchée. La juste note, entre fermeté et douceur glacée. Elle s'était alors dit que ce serait drôle de diriger les domestiques quand elle serait mariée. Les revenus d'un simple professeur ne permettraient pas d'embaucher beaucoup de personnel, mais elle aurait au moins un couple de jardiniers, un gardien, une cuisinière, un boy ou une bonne chinoise. Et une *amah*[1] cantonaise au premier enfant – car il faudrait avoir un enfant, même si la perspective de voir son corps difforme lui provoquait un haut-le-cœur. Le serveur avait sursauté, comme s'il avait été mordu par un serpent, puis reculé à petits pas en gloussant de confusion. Ou peut-être d'étonnement. Ethel avait renoncé à essayer de comprendre comment les Asiatiques marquent leurs émotions.

L'homme s'était retourné. Incrédule, il avait observé cette jeune fille vêtue d'une robe sans forme ni couleur et qui souriait comme un homme. Ses lèvres peintes découvraient des dents parfaites, des dents de femme pourtant, petites et blanches. Il ne s'était pas encore levé pour la remercier mais il savait déjà que cette inconnue serait sienne.

1. « Nounou. »

2

Cruz Chica, Argentine
Septembre 1954

Les doigts se crispent sur la bague de maillechort. Doucement, il faut faire doucement sinon le pas de vis va céder. La hausse glisse à peine. Le crin se tend d'un coup puis se relâche, ondule sous l'effet des doigts qui tournent en sens inverse maintenant. Soudain, le talon coulisse, se décroche, et la mèche retombe telle une chevelure de femme. L'homme saisit les flammèches blondes comme s'il voulait les froisser dans sa paume. Il y enfouit son nez pour sentir l'odeur âpre de la colophane. Il tient la baguette entre le pouce et l'index et lui imprime un mouvement de balancier. Il veut la casser d'un coup sec, tout en haut près de la tête, mais il se ravise. Avec un soin infini, il replace la hausse le long du bois, resserre le bouton et repose l'archet dans l'étui entre les deux pattes de velours. Il a joué plus de quatre heures. Sans s'arrêter. Ses doigts sont gourds et son cou a rougi à l'emplacement de la mentonnière. Il aurait voulu jouer plus longtemps encore, jusqu'à atteindre cette ivresse qui ne vient qu'avec l'action combinée de la fatigue et du plaisir. Mais les notes se sont refusées à lui. Elles ont fui sous ses doigts, ne se laissant capturer que quelques instants, sans jamais se donner. Avec l'âge, il joue moins bien qu'autrefois. Sa technique est parfaite mais son épaule le fait souffrir. Comme les joueurs de tennis. Non. Ça, c'est l'explication qu'il donne à ses élèves quand ils le pressent de prendre son violon et d'égayer la fin des cours par un csárdás endiablé. Au fond, il ne veut plus jouer. Depuis longtemps. En calant l'instrument dans sa boîte, il sait qu'il ne jouera plus jamais. L'étui de bois noir ressemble à un cercueil d'enfant.

Il a tiré un fauteuil sur le balcon et maintenant regarde la vallée en contrebas. Le soleil ne s'est pas levé de la journée mais il fait chaud. Il peut faire très froid l'été dans la région de Córdoba, mais Cruz Chica est une petite bourgade de la vallée de Punilla protégée du vent. Les habitants s'en réjouissent, et l'exceptionnelle clémence du climat est une bonne entrée en matière quand on ne sait pas démarrer une conversation.

La moitié de sa chambre est encore encombrée de cartons qu'il n'a pas pris le temps de déballer. Il y a quelques mois il a quitté Quilmes, près de Buenos Aires, pour prendre sa retraite ici, près de la Cumbre. Il ne le regrette pas. Il était temps de mettre un frein à sa vie. Mais il enseigne toujours à une vingtaine de minutes de chez lui, aux gamins du collège Saint-Paul de Cruz Grande.

Dehors, l'orage a mouillé les dalles et secoué les arbres. Il faudra balayer la terrasse couverte de fleurs et de feuilles noires emportées par les bourrasques. Son salaire d'instituteur ne lui permet pas, comme les autres expatriés britanniques employés par les compagnies de Chemin de fer, de s'offrir en permanence les services d'une bonne ou d'un jardinier. Il rechigne à ces travaux quotidiens. Il y a bien Angelina, la mère de Pedro, qui vient parfois cuisiner pour lui et laver son linge en échange de quelques heures de calcul pour son fils inscrit à l'école communale. Elle lui prépare de la *faina*, le pain local fabriqué avec de la farine de pois chiches. Il n'ose pas la décevoir et lui dire qu'il le trouve indigeste, alors il s'applique à le manger. Parfois, il le jette, ou il lui arrive de l'émietter et de l'emporter dans sa voiture jusqu'au collège pour s'en débarrasser. Mais il a l'impression de commettre un crime.

Il a rangé le violon en haut d'une armoire et allumé une cigarette. Il n'a pas fait de gymnastique, aujourd'hui. Tous les matins depuis qu'il a vingt ans, peut-être même avant, il prend ses haltères et travaille son corps avec méthode pendant quatre-vingt-deux minutes. Quatre-vingt-deux parce qu'il y a quatre-vingt-deux vers dans les *Ténèbres*, de lord Byron. Il trouve que la poésie s'accorde aux respirations des exercices et procure le même sentiment de perfection, subtil équilibre entre raffinement et vigueur, qu'un monument palladien. Au-dessus du tableau noir, dans sa classe à Saint-Paul, il a fait inscrire une phrase de William Blaikie. Les élèves la voient chaque fois qu'ils lèvent les yeux vers lui. « Votre corps témoigne de vos qualités morales. » Toute sa vie, il s'est efforcé de rester fidèle à cette idée que du soin que l'être humain apporte à son corps dépend sa moralité.

En Malaisie, autrefois, il s'entraînait sous le regard amusé des domestiques, ignorant l'air chaud et les gouttes de transpiration qui mouillaient son torse. À cette époque-là il enseignait encore l'athlétisme, en plus de l'histoire et de la géographie. Il entraînait aussi les équipes scolaires de football et de cricket. Il a même été pompier volontaire à la caserne de Selangor, à Kuala Lumpur, et créé un tournoi sportif destiné à tous les membres de la brigade. Y compris les Chinois et les Malais. Les Malais couraient vite, jonglaient avec le ballon qui volait entre leurs mollets secs. Les Chinois, plus réfléchis, imaginaient toutes sortes de stratagèmes pour déstabiliser l'équipe adverse. Il a conservé une photo de cette époque. Elle est accrochée au-dessus de son bureau, à côté d'une tête de tigre empaillée. On le voit assis au milieu des joueurs devant un bâtiment de brique à fronton. Quelqu'un a tracé une petite croix au-dessus de sa tête avec une date : 1908.

Une ombre grise le fait sursauter. C'est le chat qu'Angelina s'obstine à nourrir. Une bête famélique qu'il a appelée Kucing. Parce que Kucing, en malais, signifie « chat ». Kucing parvient toujours à pousser la fenêtre de la cuisine, qui ferme mal, et à se frayer un chemin jusqu'au salon. Il faudra qu'il pense à calfeutrer la fente entre les deux battants. Il a déjà fait une provision de torchons et de vieux journaux. Un bruit de verre cassé le fait de nouveau sursauter. Les bouteilles roulent sous le poids du chat qui, effrayé, disparaît sous l'armoire. L'une d'entre elles s'est brisée derrière le divan, là où il entasse les bouteilles vides. Il ne les cache pas car il n'a pas de raison de dissimuler sa consommation de whisky. Il pourrait aussi les jeter, et s'il ne le fait pas c'est parce que chaque bouteille vide est un repère, comme une encoche sur un tronc d'arbre. C'est son calendrier à lui. Aujourd'hui, si cet idiot de chat n'en avait pas fracassé une, il y aurait dix bouteilles. Un décompte funeste. Mais il triche. Les autres bouteilles sont alignées dehors contre le mur derrière la cuisine. Régulièrement, le vent les projette contre les pierres et les tessons se mêlent à la terre. La nuit, leurs reflets sous les rayons de lune jettent des rais de lumière sur les murs de sa chambre.

D'abord, il n'avait pas voulu croire Santos quand il lui avait annoncé avec sa voix éraillée qu'Ethel avait téléphoné pendant les vacances. Jamais en plus de trente ans elle ne l'avait appelé. Pas même pour lui annoncer le mariage de Dorothy.

— Tu es sûr, Santos ?

— *Sí, Señor*, la communication était mauvaise, mais j'ai bien entendu qu'elle pleurait. Elle a dit de vous demander pardon. Moi, *Señor*, je n'y connais pas grand-chose en femmes, mais elles sont rares, celles qui demandent pardon !

Ethel n'avait jamais demandé pardon.

La dernière fois qu'il l'avait vue, c'était à Londres, en 1912, peu avant la naissance de Vivian. Il lui avait proposé d'emmener Dorothy au zoo pour qu'elle puisse se reposer un peu. Mais Ethel avait tenu à les accompagner. Elle voulait acheter le numéro spécial du *London News* sur le naufrage du *Titanic*. Elle marchait lentement, une main sur le ventre, les reins cambrés, l'autre main en visière au-dessus des sourcils pour se protéger de la lumière blanche du ciel. Dorothy courait devant, se retournant de temps en temps pour s'assurer de leur présence. Il se souvient encore des lions, des tigres et des éléphants enfermés dans un étrange bâtiment octogonal surmonté d'une coupole de verre.

— Il y a des tigres en Malaisie ? lui avait demandé la fillette.

— Bien sûr. Sais-tu qu'un jour un tigre a réussi à entrer dans le plus bel hôtel de Singapour, le Raffles ? Il s'est même réfugié sous la table de billard ! Un énorme fauve de près de deux cents kilos, avec des yeux d'or jaune qui...

— Et ensuite ?

Dorothy n'aimait pas attendre.

— Il a été tué... Un coup de fusil, pof, entre les deux yeux.

Le « pof » sonore avait déclenché un torrent de larmes chez la petite. Il s'était accroupi et l'avait serrée contre lui. Heureusement, un oiseau égaré voletant sous la coupole et qui se cognait contre les parois de verre avait séché ses pleurs.

Dorothy s'était couchée tôt. Il avait raconté une fois de plus l'histoire du tigre sous la table de billard, omis la fin tragique du fauve, et la fillette avait fermé les yeux. Ethel, alourdie, avait tiré les rideaux d'un geste lent, long. Elle bougeait entre les meubles avec une douceur inhabituelle, engoncée dans ce manteau de chair maternelle qui ralentissait ses mouvements et les imprégnait d'une grâce inattendue. Elle s'était assise à côté de lui et, désinvolte, avait saisi sa main pour la placer sur son ventre. Elle souriait, de son sourire triomphant qu'elle maîtrisait si bien que personne n'eût pu déceler sa dent surnuméraire. Un « désordre dentaire », avait dit le Dr Fulmer. Un défaut de naissance. Ethel était née avec trois dents. « Comme les plus grands génies et les déesses indiennes », disait-elle. Mais cette dent-là, longtemps demeurée un simple point d'ivoire dans sa gencive, avait commencé tard sa croissance.

À travers l'étoffe, il avait senti la chaleur du ventre dur, cet imperceptible frémissement sous la peau tendue. Ethel murmurait et il devait tendre l'oreille, se rapprocher de ses boucles blondes. Il respirait son parfum si singulier, une huile aux essences boisées, souvenir de son enfance à Ceylan. Ses yeux bruns se pailletaient d'or comme chaque fois qu'elle allait pleurer. Mais pas une larme ne coulait sur ses joues pâles. Du bout du doigt, il avait caressé l'arche de son nez et la naissance de ses lèvres. L'écho des portes qui claquaient dans la cour intérieure, en contrebas, secouait les fenêtres. Les jambes d'Ethel s'étaient enroulées autour de ses reins et ses longues mains de pianiste avaient effleuré sa nuque. Le contact froid et doux des pierres de lune qui ornaient les oreilles d'Ethel l'avait ramené au présent. Il avait soudain entendu la rumeur de la rue qui s'engouffrait dans la cage d'escalier, les bruits de pas à l'étage supérieur, des éclats de voix, aussi, sans qu'il eût pu deviner s'ils étaient furieux, tristes ou joyeux. L'air sentait le luxe moisi des tentures. Une sensation d'étouffement l'avait pris à la gorge. Il avait regardé autour de lui, tout à coup dégrisé par ce qu'il voyait : l'affreux divan ocre, les rideaux de velours fermés, la carafe de cristal cerclée de tanin, les facettes multicolores de l'abat-jour et les flaques de lumière jaune et bleu au plafond. Ses yeux s'étaient arrêtés sur l'ombre noire du manteau de Jasper, sur le dossier du fauteuil. Son chapeau, ses gants éclairés par les rayons blafards des néons qui filtraient par-dessus les tringles... Ethel, surprise, avait desserré son étreinte. Ses cils tremblaient, rapides comme des ailes de colibri. Ses yeux en colère s'étaient voilés de stries pâles.

— Suis-je si laide, si déformée que je te déplais ?

Il avait fui. Cinq volées de marches étroites. Deux portes pour éviter l'arrière-cour et ses relents de bière. Un interminable couloir dallé de ciment noir et blanc. Et, enfin, l'air humide de la nuit.

Jamais, après ce jour, il n'avait revu Ethel. Il avait reçu un faire-part peu après, lui annonçant la naissance de Vivian. Quatre années plus tard, quelques mots griffonnés sur une carte postale des chutes du Niagara lui donnaient une adresse au Canada, dans l'Ontario. Puis un jour, enfin, il avait trouvé dans sa boîte une lettre de Dorothy qui lui annonçait son intention de venir en Argentine. Elle resterait chez des amis près de Buenos Aires, lui écrivait-elle, mais serait ravie de lui rendre visite. Elle l'appelait « oncle Will » et signait « votre nièce chérie ».

Il avait eu de la peine à reconnaître dans cette grande jeune femme blonde de vingt ans la petite fille du zoo de Londres. Ils s'étaient rencontrés à Buenos Aires et avaient échangé des paroles banales, comme des étrangers. Après tout, n'était-ce pas ce qu'ils étaient devenus ? Mais après cette visite, des liens s'étaient tissés. Parfois, il lui envoyait des paquets, des livres surtout, et n'oubliait plus de lui fêter son anniversaire. Il recevait de longues lettres, souvent frivoles, accompagnées de dessins et de petits commentaires charmants écrits en marge de poèmes qu'elle recopiait. Ils avaient entretenu une correspondance régulière pendant des années. Jusqu'au mariage de Dorothy avec John Miller. Puis John était mort. Une mort ridicule. En nageant. Et jamais plus le facteur n'avait apporté les longues enveloppes vertes de la bibliothèque de Hartford. Il avait conservé toutes les lettres dans une valise de cuir jaune qu'il se contentait de regarder de temps à autre sans jamais l'ouvrir.

Il pousse maintenant les cartons qui le gênent contre le panneau coulissant qui sépare le bureau du salon. Il roule le tapis, le tire jusqu'à la porte de la véranda et le cale contre les plinthes pour empêcher le vent de passer. Il faudra aussi bloquer l'autre porte car tous les jours il balaie les feuilles qui s'engouffrent dans la maison, entraînées par les rafales. D'ailleurs, quand il travaille assis à son bureau, il sent les courants d'air s'infiltrer sous les chaises. Ces maisons anglaises bâties au cœur de l'Amérique latine ne sont pas bien conçues par les architectes d'ici. Ou peut-être ne trouvent-ils pas les bons matériaux... À Singapour, il avait été ébloui par la beauté classique de l'architecture, copiant parfois jusqu'au ridicule les maisons occidentales. Ainsi, les toits du Teutonia Club, près de Tanglin Road, étaient pentus comme ceux d'un chalet suisse afin d'éviter les congères meurtrières. Il y avait emmené Ethel et Jasper, un soir, pour fêter la nouvelle année lunaire des Chinois. Les rues étaient pavoisées de lanternes. Ils s'étaient amusés de l'absurdité des architectes. En ce temps-là, Ethel riait, dansait volontiers, et débordait d'une énergie radieuse.

Jasper...

William prononce le prénom de son frère. Puis il se retourne vers la porte d'entrée et l'appelle. Comme autrefois. « Jasper, dépêche-toi ! J'ai réservé le court de tennis à trois heures ! » Quand William lui parle ainsi, il lui semble que Jasper vit encore, qu'il va surgir devant lui, s'asseoir sur le divan et chercher des yeux la boîte à cigares. Mais ensuite, Jasper disparaît. Son impuissance à le faire rester jusqu'au lendemain trouble ses nuits. Il se réveille soudain, couvert de gouttes glacées. La semaine dernière, Angelina l'a surpris en pleine discussion avec son frère. Il a essayé de lui expliquer que c'était sa façon à lui de le garder parmi les vivants, mais elle a glapi comme une possédée et crié que jamais plus elle ne mettrait les pieds dans une maison habitée par des fantômes. Maintenant, Angelina dit qu'elle ne veut plus venir. Personne ne repasse plus les chemises de William, et leur col jauni retombe mollement. Santos a raconté à tout le collège le coup de téléphone d'Ethel. Tout le monde est au courant du décès de Jasper. Plein de compassion, le proviseur, Mr Stevenson, l'a encouragé à prendre quelques jours de repos supplémentaires. Depuis, William Proudlock n'a plus quitté sa maison de Cruz Chica. Un mois s'est écoulé depuis l'accident de son frère. Il ne s'est pas lavé, ni changé, une barbe drue couvre ses mâchoires. Et ses haltères ont roulé à côté des bouteilles vides...

3

Singapour
Janvier 1907

Arrivé quelques jours plus tôt à Singapour, Jasper Proudlock ne connaissait pas l'Asie. C'était son premier voyage lointain.

Il n'avait quitté l'Angleterre qu'une fois, en 1886, pour rendre visite à un oncle dans une île déserte et glacée, fouettée par le vent, au nord de l'Écosse. Une île sans nom et sans arbres, entourée de vagues hautes comme les falaises. Il avait alors seize ans. Ou peut-être quinze. Il devait y séjourner six mois, une demi-année consacrée à son unique passion, la faune et la botanique. Armé d'un carnet, le jeune homme s'asseyait sur les galets et répertoriait les espèces aquatiques et terrestres. Les phoques à tête grise, les loutres brunes, les macareux moines et les fulmars à toupet. À la fin de la journée, ses doigts gourds ne traçaient plus que des signes incompréhensibles mais le soir, face au mur de sa chambre, il recopiait méthodiquement les notes du jour.

Jasper voulait être naturaliste. Comme William Baxter et Richard Owen. Un jour, il ferait le tour du monde et étudierait les plantes carnivores d'Asie, celles aux pétales de sang qui enivrent leurs proies avant de les dévorer, ou bien le rafflesia, cette fleur qui défie les botanistes, sans pistil, sans tige, sans racine. Rien qu'une fleur de jungle posée dans les sous-bois, et qui puise la vie dans le sang des autres. Une corolle de chair pourpre et vermeil dont les drageons empoisonnés s'enroulent dans les veines qui l'accueillent, pour un matin s'épanouir, monstrueuse et splendide, dans un entêtant brouillard au parfum de charogne. Ses victimes, attirées par cette odeur dont elles ne perçoivent pas le danger, viennent se reproduire entre ses mâchoires, inconscientes de la mort qui les y attend.

Mais, trois mois à peine après avoir découvert les landes battues par le vent, Jasper repartait sur le même bateau, le *Saint Ola*, qu'il rêvait tant de prendre jusqu'aux fjords de Norvège. Sur le pont, trempé de pluie et de larmes, il imaginait la déception de son père – « Un Proudlock n'abandonne jamais » –, la colère de sa mère – « Et la famille, que va-t-elle penser ? » –, et les moqueries de son frère – « Je t'avais bien dit que là-haut personne ne survit ! »

Trois jours avant la première quinte de toux de sa cousine Fionnghal, il l'avait entraînée à Skara Brae, un village préhistorique enfoui dans les dunes et la bruyère, que la marée avait un jour arraché à son linceul de terre. Fionnghal avait joué avec des gamins du port dans les ruines. Elle connaissait chaque pierre, chaque cavité de Skara Brae. Accroupie dans les ruines, les yeux levés vers le ciel, elle chantonnait des rengaines dans une langue étrange, le *norr*, héritage de ses ancêtres norvégiens. Jasper observait Fionnghal comme il observait les oiseaux : avec intérêt, curiosité et fascination. Il l'avait même répertoriée dans son carnet. À la lettre « F », entre « Faucon gris » et « Fulmar ». « Fionnghal (ancien prénom viking), habitante des ruines de Skara Brae. Sexe : féminin ; détails particuliers : ma cousine ; taille : petite ; chevelure : beige. » Les mentions « cris », « poids », « durée de gestation » étaient biffées.

Fionnghal se moquait de l'accent de son cousin, de ses doigts fins comme des bâtons de sucre d'orge, et de sa façon ridicule de s'évertuer à lui tendre la main pour escalader les murets. Mais quand Jasper croisait ses yeux couleur de bruyère, il lui semblait qu'il aurait pu s'y noyer plus sûrement que dans la mer. Et quand, enfin, il avait fini de scruter les oiseaux dans les rochers, elle surgissait, ébouriffée, le visage noir de tourbe, et avec un naturel désarmant fourrait le bout de son nez glacé dans le creux de sa joue pour le réchauffer.

Pour rentrer de Skara Brae, ils avaient ce jour-là contourné les tourbières et longé les falaises, au risque d'être projetés dans le vide par les bourrasques, particulièrement traîtres à cette période de l'année. Ils distinguaient déjà les lumières du port et l'ombre de l'île de Hoy à l'horizon quand Fionnghal avait glissé sa main entre ses doigts. À la chaleur qui irradiait sa paume comme un morceau de braise, il aurait dû comprendre qu'elle était malade. Mais il n'avait rien dit, surpris et vaguement honteux de cette sève brûlante qui montait entre ses jambes et brouillait son esprit. Jasper n'avait rien dit le lendemain non plus. Pas un mot à son oncle des yeux de cendre des compagnons de jeu de Fionnghal, pas un mot de leurs joues piquetées de rouge.

Le médecin était arrivé trop tard et sa cousine était morte, première victime d'une épidémie de rougeole qui devait décimer le village.

De retour à Old Warden, Jasper Proudlock avait annoncé qu'il changeait de vocation et préférait désormais la compagnie des chiffres, moins imprévisibles que les êtres vivants. Six années d'études à Londres l'avaient transformé en un administrateur de biens redoutable, précis et méthodique. Un comptable hors pair, doublé d'un juriste sans états d'âme dont les plus grandes compagnies maritimes s'arrachaient les services. Et personne n'aurait deviné que derrière la rigueur impartiale de ses rapports se cachait une âme fébrile et tourmentée.

Hormis peut-être miss Plunkett, sa secrétaire, qui plus d'une fois avait dû recopier des actes notariés griffonnés d'étranges entrelacs de runes, de femmes-oiseaux et de fleurs rouges. « Vous devriez étudier la peinture », lui avait-elle suggéré, un soir où il avait bu plus que de raison.

Mais la colère qui l'avait saisi, alors qu'elle lui tendait avec admiration l'une de ses curieuses enluminures, avait explosé avec tant de violence que jamais plus elle n'avait abordé le sujet.

Hormis peut-être aussi ces femmes de la nuit que Jasper chassait le soir dans les rues de Londres. Des femmes sans nom dont il pétrissait les chairs avec une passion qui ne leur était pas destinée. Elles seules pourraient raconter la délicatesse émue de ses gestes et la tendresse dont il les enveloppait, leur demandant simplement de s'endormir dans la pénombre tandis qu'il capturait leurs courbes sur un carnet à dessins.

Hormis, enfin, cette Galloise de Pontardawe au décolleté saupoudré d'exquises taches d'ambre, Kate Collins, non, peut-être Jane Collins, à qui Jasper avait offert le plus curieux des présents, un carnet d'au moins cinquante pages couvert de minuscules vignettes d'oiseaux parfaitement reproduits, dans le moindre détail, depuis les plumes jusqu'au duvet gris de la poitrine qui frissonne sous les palpitations du cœur. Il suffisait de saisir le carnet par la reliure et de laisser défiler les pages pour que les oiseaux s'envolent, ébouriffent leur jabot, montent dans les airs, disparaissent au-delà des marges pour plonger et plonger encore dans les eaux. Sur la dernière page était calligraphié en lettres lourdes de couleur et un peu maladroites : « Pour Kate. » À moins que ce ne fût : « Pour Jane. » Un aveugle aurait pu toucher le papier sur l'envers et lire du bout des doigts la dédicace travestie sous l'épaisse couche d'encre : « Pour Fionnghal. »

Le lendemain matin, la jeune Galloise dormait encore, le carnet serré contre sa poitrine, lorsqu'il avait claqué la porte. Le soir même il partait rejoindre son frère William en Malaisie, avec, dans sa sacoche, la *Nomenclature des épiphytes, orchidées et ptéridophytes* et, soigneusement pliée à la page « Rafflesia arnoldii », la lettre de Kuala Lumpur arrivée la veille, qui lui annonçait le prochain mariage de son frère avec Ethel Charter, une jeune femme de bonne famille, fille d'un négociant d'indigo et de thé, éduquée à Colombo. Il lui demandait d'être son témoin pour la cérémonie qui se tiendrait le 25 avril 1907 en l'église St Mary, à Kuala Lumpur.

À cette époque, le courrier entre la Malaisie et l'Angleterre prenait au moins un mois, autant que le voyage en bateau, à condition bien sûr de choisir les lignes passant par le canal de Suez plutôt que par le cap de Bonne-Espérance. Jasper était parti sans attendre, savourant secrètement son arrivée inattendue à l'Institut Victoria et l'étonnement de son frère. Les détails pratiques, l'hôtel et les transports, avec l'assurance d'un homme qui ne manque pas d'argent, il n'y avait pas pensé.

Dans la jonque qui le conduisait vers la jetée, appuyé contre ses bagages, Jasper regardait s'approcher Singapour, la « ville du lion », avec appréhension et envie. De simples lueurs brillaient à travers un rideau de brouillard. Immobile, il observait les sampans qui se pressaient autour de lui, la foule qui grossissait au fur et à mesure qu'il s'approchait du rivage, l'étrange ballet de barques, de jonques qui se frôlaient, s'entrechoquaient bord à bord, débordant de nasses et de ballots. Avec son *topi* acheté chez le meilleur chapelier de Londres, Heath's of Bond Street, et sa tunique blanche à col haut, il avait lu dans le regard d'une vieille femme cachée sous un immense chapeau tressé qu'il était en tout point semblable aux autres voyageurs européens, un simple *farang*. L'idée le perturbait. La femme semblait se lamenter, mais ses yeux enfoncés dans les orbites pétillaient. Il avait compris, à sa main qui lui tendait un bouquet de feuilles vertes, qu'elle lui vantait ses légumes. Jasper avait détourné le regard car la pauvreté provoquait en lui un malaise qu'il ne savait expliquer. Il avait respiré l'air chaud, le souffle court, comme un asthmatique. Odeur des fruits qui se décomposent, odeur des bâtons d'encens qui se consument sur le ponton de la jonque et retombent en volutes de poussière, odeur chaude du riz en train de cuire, odeur des corps, de transpiration, d'huile et d'excréments.

Jasper avait pris le tramway à Anson Road en direction de Cecil Street. Mais il était descendu à mi-chemin. Par erreur ? Il n'aurait su le dire. La distance qui le séparait du cœur de la cité était encore grande, mais il s'était enfoncé dans les ruelles, tout entier à cette étrange sensation d'être le seul Occidental au milieu de la foule. Les venelles étaient par endroits tellement encombrées d'êtres humains, de brouettes, de marchandises qu'il fallait jouer des coudes pour s'ouvrir un chemin, pousser, bousculer. Mais très vite il avait renoncé, et il s'était laissé entraîner jusqu'à ne plus voir qu'un interminable tourbillon d'étoffes et de couleurs. Malais en sarong et veston blanc, policiers indiens à turban, Chinois nus jusqu'à la ceinture, maigres comme des squelettes, Chinoises vêtues de noir, Arabes enturbannés et Malabarais entortillés d'or et de carmin.

Il avait erré toute la nuit, savourant l'obscurité tiède et parfumée comme on goûte le corps d'une femme pour la première fois. À l'aveugle, fébrile et intimidé. Le lendemain matin, réveillé par les cris étranges des macaques et des écureuils volants, il ne savait plus comment il avait regagné son hôtel. Son *topi*, plat comme une galette, était posé en équilibre instable sur une lampe et ses vêtements gisaient en tas sur le sol. Il avait plu au petit jour car sa veste était mouillée.

À travers ses cils, il avait vu une silhouette ouvrir les volets de bois du balcon. La petite ombre s'était ensuite plantée devant le lit et, dans un anglais haché mais fort correct, lui avait expliqué que la morsure des vipères vert et jaune qui traînaient dans les rizières était redoutable et provoquait presque toujours la mort. *Lah.* L'ombre ponctuait chaque phrase d'un *lah* tantôt exclamatif, tantôt interrogatif. Mais elle n'attendait pas de réponse. D'ailleurs le règlement précisait qu'elle ne devait pas s'adresser elle-même à un hôte de l'hôtel. Mais celui-ci était différent, car c'est Quah, son frère, qui l'avait conduit jusqu'ici. Le frère d'Ah Siew, la femme de chambre, était tireur de rickshaw. Coolie. Il avait trouvé l'Anglais errant dans les venelles de Kreta Ayer, près de Duxton Road. C'était là, dans la profondeur des maisons borgnes, que les coolies venaient chercher leur dose quotidienne de morphine. Une morphine frelatée pour remplacer l'opium dont le prix ne cessait d'augmenter. Les coolies se battaient souvent, couteau entre les dents, et chaque semaine on rapportait au moins un décès au *coolie fong*. Rixes, empoisonnements, suicides, accidents.

Six années d'opium avaient rongé le corps de Quah, et les injections de morphine avaient achevé de pourrir sa peau. Ah Siew ne supportait plus de regarder son frère. Elle ne voulait plus voir ce visage émacié aux portes de la folie, ces mollets tremblants encroûtés de boue. Ah Siew détournait le regard devant les plaies infectées, là où six, huit, dix fois par jour Quah s'injectait le poison.

Quah avait calculé que cet étranger à qui il avait sauvé la vie lui devait sept dollars. De quoi payer sa consommation en morphine pour une semaine entière.

— Mais s'il ne paie pas ? s'était exclamée Ah Siew, affolée.

Elle redoutait son frère, ses brusques accès de colère. Plusieurs fois il avait failli lui faire perdre sa place de femme de chambre. Chaque semaine, elle mettait de l'argent de côté, nourrissant ainsi l'espoir de l'empêcher de retourner à Telok Ayer. En secret, Ah Siew attendait le jour où on retrouverait son corps flottant dans le Rochor Canal, à Arab Street. À moins qu'un créancier mécontent ne lui tranchât la gorge.

Quah paraissait sûr de lui, cette fois-ci. Il le lui avait promis. Ce *farang*-là, avec son *topi* trop petit et ses livres sous le bras, semblait différent. D'ailleurs, quand ils arrivaient d'Angleterre pour la première fois, les Anglais se montraient soit supérieurs soit étrangement passifs, mais rares étaient ceux qui quittaient le troupeau et s'aventuraient seuls dans les rues. Cet Anglais qui titubait au bord du canal avait l'air simplement égaré, sans la moindre inquiétude sur son visage. Pris de pitié, Quah l'avait saisi par les épaules pour l'asseoir dans son rickshaw, puis il avait couru. C'était tout ce que Quah savait faire. Tirer et courir. Ses muscles obéissaient mécaniquement. Même dans ses rêves il courait. Ah Siew lui avait pourtant conseillé d'acheter des fruits, des melons, des cacahuètes, des cigarettes et de les vendre, mais Quah ne savait rien faire d'autre que tirer son rickshaw.

Quah avait déposé le *farang* au Grand Hôtel de l'Europe car c'est là que descendaient les Anglais de passage à Singapour. En tout cas les *farang* comme lui, des fonctionnaires ordinaires, des hommes seuls. Les autres, les *sir*, ils avaient un chauffeur, généralement un Indien, un sikh. Ils ne se déplaçaient pas en rickshaw et séjournaient au Raffles. Quah avait demandé à sa sœur de veiller à se faire payer la course. C'est pourquoi Ah Siew prenait soin de l'Anglais. Et quand elle lui avait demandé son dû, alors qu'il sortait à peine de sa torpeur, il n'avait même pas rechigné. Il lui avait tendu sans discuter dix dollars. Lorsqu'elle lui avait fait remarquer qu'il semblait différent des autres Anglais, Ah Siew n'imaginait pas à quel point elle lui faisait plaisir.

Ses billets soigneusement pliés dans ses sous-vêtements, Ah Siew avait ensuite disposé un grand linge blanc au pied du lit et l'avait retourné plusieurs fois pour vérifier qu'aucune bestiole ne s'était logée dans la serviette. Puis elle avait plié les coins et disparu par la porte de service.

Jasper avait regardé la mer se briser contre la jetée. Il ne parvenait pas, dans le chaos des nuits qui avaient suivi son arrivée, à oublier cette femme croisée sur la terrasse du Grand Hôtel. Il avait entendu sa voix avant de la voir. Une voix impérieuse et calme, d'une douceur étrange. Elle ne s'adressait pas à lui mais à ce boy obtus et incapable de prendre sa commande. Mais Jasper ne s'était pas retourné, intrigué par les inflexions douces de la langue qu'elle parlait et dont il ne comprenait pas le moindre mot. Dans cette île, tout le monde s'exprimait dans une langue différente, et hormis le sabir saccadé des coolies chinois, il n'aurait su distinguer le tamil des dialectes malais. Il avait fermé les yeux et essayé de deviner l'enveloppe de chair qui produisait ces drôles de sons. Et puis le flot régulier et sucré des mots s'était arrêté. Abruptement. Il avait alors posé ses yeux sur la plus curieuse créature qui fût. Le botaniste voyait un être hybride, greffon entre une fragile jeune femme aux cheveux ridiculement pâles et une gamine à la peau couleur de thé trop infusé. L'homme avait déjà pénétré ses rêves, ses peurs, saisi les courbes de ses hanches et goûté sa peau à la naissance des reins.

Avec l'assurance exagérée d'une jeune première faisant son entrée au théâtre, l'inconnue avait piaffé, humé l'air et, d'un vigoureux coup de talon, dégagé l'ourlet de sa robe aussi inélégante qu'un rideau de prêteur sur gages, pour enfin s'avancer, allure régalienne et sourire de gourgandine.

— Ethel Charter.

Jasper s'était glacé. Muré. Pétrifié. Le botaniste avait rejeté le greffon et l'homme caressé sa barbe d'un air perplexe, partagé entre lâcheté et offensive. Préférant pour la seconde option, plus conforme à son éducation, Jasper s'était présenté. Sobrement. Sans emphase.

— Jasper Proudlock.

Quelle coïncidence ! Mon Dieu !

Oui, justement, en route pour Kuala.

Non, il n'avait pas prévenu son frère de son arrivée.

L'essentiel en trois phrases. Mais il avait laissé son regard s'égarer dans les yeux noirs de la jeune femme. Juste assez pour, à l'énoncé de son nom, y lire avec certitude une lueur de dépit. Ethel avait pris place dans un immense fauteuil de rotin ouvragé et Jasper n'avait plus quitté des yeux son petit visage, encadré par les volutes du dossier. Ethel parlait vite, radieuse, excitée par cette rencontre imprévue, n'interrompant son flot de paroles que pour porter ses doigts à sa bouche et ronger ses ongles avec grand sérieux.

— Je crois que je devrais retourner dans ma chambre, ma tante va s'inquiéter, avait-elle déclaré plusieurs fois, contrariée.

Mais, toujours, la conversation reprenait. La fatigue du voyage, la surprise de William quand il découvrirait que son frère était arrivé – « Mais, comment, il ne se doutait vraiment de rien ? » –, le prochain mariage dans quatre mois seulement, l'église St Mary, la robe et le bungalow sur High Street. Ethel s'était enfin éclipsée, pressée et inquiète. Avant de partir, elle s'était retournée, les lèvres entrouvertes, pour se raviser dans un éclat de rire.

Pas un mot de plus n'avait été échangé.

Mais non, il ne dirait rien à William de cette rencontre imprévue avec celle qu'il allait épouser. Ce serait leur premier secret.

Ethel était ravie. Son père avait été généreux et son trousseau de femme mariée l'enchantait. S'il n'avait pas le raffinement de celui de sa sœur aînée, Edith – même ses sous-vêtements et ses cache-corsets venaient de Londres –, il comportait plusieurs pièces à la dernière mode, importées de Paris. La petite couturière chinoise s'était extasiée devant la finesse de sa taille et ses pieds minuscules, mais elle lui avait conseillé de moins s'exposer au soleil. Ethel, vexée, s'était dit que, dès qu'elle aurait achevé de retoucher les jupes et de cintrer les corsets, elle changerait de tailleur. Debout devant la gigantesque psyché de sa chambre, elle avait répété les poses et les manières qui feraient d'elle une femme de la bonne société. William lui avait promis de l'emmener à l'hippodrome de Selangor. Les courses n'intéressaient pas particulièrement Ethel, mais ce serait l'occasion pour elle d'étrenner sa nouvelle garde-robe. Son bustier de broderie anglaise mettait en valeur sa poitrine et sa taille, mais peut-être aurait-elle dû penser à choisir un chapeau à large bord car William avait suggéré qu'ils auraient certainement la faveur de faire une promenade dans la voiture de Mrs Dare.

À Kuala Lumpur, on ne parlait que de Mrs Dare et de sa voiture. Une Star deux cylindres qu'elle conduisait elle-même, sans chauffeur. D'un côté, il y avait les admirateurs, des hommes surtout, impressionnés tout autant par la technique infaillible de la conductrice pour redémarrer le moteur – « Il suffit d'une cuillère à café d'essence et d'une allumette » – que par la grande générosité de son époux. De l'autre, il y avait les femmes. Alors qu'elles auraient dû se montrer fières de l'indépendance d'esprit de Mrs Dare, elles en concevaient une vague aigreur et ne perdaient pas une occasion de dénoncer le bruit, le danger et l'inutilité du véhicule. Mais ce qui agitait la bonne société de Kuala Lumpur, c'était sans doute l'invitation de Mrs Dare, aux frais du sultanat de Johore, à assister aux courses du haut de la tribune royale. Sa voiture avait franchi le détroit sur un bateau à vapeur mis à sa disposition par le sultan. Les mauvaises langues s'étaient réjouies pendant quelques heures quand on avait appris que deux éléphants avaient traversé le bras de mer à la nage et heurté un navire.

Ethel, elle, était aux anges. Tout l'enchantait : son prochain mariage, la balade en voiture, les éléphants – ça nage, un éléphant ? –, les gants ornés de marguerites de satin que lui avait offerts tante Annie, et cet homme rencontré au Grand Hôtel de l'Europe et qu'elle ne pouvait se résoudre à appeler son beau-frère puisqu'elle n'avait pas encore officiellement fait sa connaissance. Jasper Proudlock. Un secret teinté de culpabilité qui la rendait gaie et légère.

Et c'est le cœur frivole qu'elle était allée attendre William à l'Institut. Mrs Charter, qui était enfin arrivée de Colombo pour le mariage, s'était installée à Bukit Lamang. Trop occupée à ouvrir la maison et à la débarrasser des bestioles qui s'y installaient après chacun de ses séjours, Mrs Charter n'avait pas accompagné sa fille. Et n'avait pas demandé à Annie de la chaperonner. Et c'est une Ethel rayonnante qui était arrivée devant les portes de l'Institut Victoria. Quand elle avait passé le porche, gardé par deux sikhs enturbannés de grenat, les garçons qui jouaient dans la cour s'étaient retournés en chuchotant. Ethel, qui connaissait le chemin, était allée directement admirer les volières et les cages sur la terrasse. Elle détestait les oiseaux et l'odeur fade qu'ils dégageaient. Une odeur douce et aigre de poussière et de fiente. Pour s'amuser, elle avait ouvert et fermé son ombrelle par saccades. Tous s'étaient mis alors à pépier frénétiquement et à battre des ailes.

— Je vous emmènerai à *pasar burung*, le marché malais où les Chinois achètent leurs oiseaux. Ils ne choisissent pas les plus beaux mais peuvent deviner au premier regard ceux qui sauront apprendre les plus jolis chants. Ils les entraînent des semaines durant comme des athlètes de haut niveau, jusqu'à ce qu'ils soient au point pour le concours.

— Que gagnent ces Chinois ?

Ethel avait penché la tête, en même temps que le petit oiseau noir et vert qui sautillait derrière les barreaux d'osier. William l'avait regardée bizarrement. Ethel savait qu'il la trouvait jolie. Peut-être même voyait-il en elle la même fragilité que dans cette stupide mésange qui lançait des trilles en se roulant dans les graines.

— Certains Chinois deviennent riches. Ensuite ils achètent d'autres oiseaux, plus rares, plus doués ! Les mainates de Java seraient les meilleurs chanteurs.

William avait ri. Il avait le rire franc et sonore. Un peu commun, avait pensé Ethel.

— Peut-être les professeurs devraient-ils aussi organiser des concours d'oiseaux chanteurs... Nous gagnerions mieux notre vie !

Ethel souriait. Cet homme était profondément ennuyeux. Les professeurs ne l'intéressaient pas. Tout au plus pensait-elle à sa position dans un an, quand William serait nommé directeur de l'Institut Victoria pendant l'absence de Mr Shaw, qui demeurerait une année en Europe. À leur retour de voyage de noces ils s'installeraient chez lui. Ils quitteraient le petit bungalow sans confort de William pour emménager dans celui de Mr Shaw. Cinq pièces pourvues d'un ingénieux système de ventilation constitué de conduits d'air et d'ouvertures, mis au point par Mr Shaw lui-même et basé sur l'observation des temples indigènes. Le bungalow était entièrement ceint de vérandas de bois dur autour desquelles courait une balustrade du plus joli effet. Ethel rêvait par-dessus tout de sa future chambre : une immense pièce en angle donnant sur un foisonnement de plantes et de fleurs, arbres du voyageur, orchidées, camélias et arbres fruitiers. Chacun portait une petite étiquette avec son nom en latin, en malais et en anglais.

— La péninsule malaise comporte plus de six cent dix-sept variétés d'oiseaux. Le plus étonnant est celui que les Malais appellent *lang-siput*, le faucon-huître. Les pêcheurs disent qu'aux marées d'équinoxe il remonte les estuaires pour prévenir les mollusques du changement de courant...

Ethel avait contemplé le visage concentré de William, ses sourcils qui se rejoignaient et formaient une double fossette. Plus tard, elle apprendrait à détester ce moment d'intense attention, les poings se serreraient, les lèvres se feraient minces comme des arcs. Mais pour l'instant elle trouvait cela plaisant. L'équinoxe, ici aussi ? Ah, bien sûr, quand le soleil se couche exactement à l'ouest, mais n'est-ce pas toujours le cas ? Ethel s'était embrouillée. Il avait froncé les sourcils et s'était efforcé d'expliquer le phénomène. Encouragé par l'intérêt de la jeune femme, il avait poursuivi l'inventaire des faucons et des buses.

— Ma chère, je vous épuise avec toutes ces histoires d'oiseaux... Je reconnais cependant volontiers que je suis moins spécialiste que mon frère Jasper, qui arrive cette semaine. Autrefois, il rêvait d'être botaniste ou ornithologue, je ne sais plus bien. Toujours est-il qu'il a étudié le droit. Si vous le voulez bien, il nous accompagnera à *pasar burung*, ainsi vous aurez le meilleur guide de toute la péninsule !

William lui avait pris la main et l'avait serrée entre ses paumes.

De leur enfance, Jasper et William Proudlock gardaient un même souvenir d'austérité. On leur aurait demandé à l'un puis à l'autre quels moments ils chérissaient le plus, ils auraient sans hésiter répondu l'anniversaire de leur père, le 1er décembre. Non qu'ils se fussent réjouis de présenter leurs vœux à cet homme grincheux, mais ce jour-là Mrs Proudlock commençait à chauffer la maison. Une façon sans doute de montrer sa considération à son époux. L'un comme l'autre, les deux frères gardaient en mémoire les nuits glacées, recroquevillés sous les édredons, les muscles serrés pour combattre le froid. Des années plus tard, la chaleur et la douceur de l'air toujours saturé d'eau des Établissements des Détroits avaient pesé dans la décision de William d'accepter le poste de professeur à l'Institut Victoria de Kuala Lumpur. Quand la plupart des expatriés redoutaient l'insupportable touffeur, William s'en accommodait avec aisance. Et c'était sans doute la seule originalité qu'on pût trouver dans cet homme intègre et discret.

Jasper avait souffert du froid lui aussi, mais il n'avait pu, comme son frère cadet, développer une discipline corporelle suffisamment solide pour pouvoir totalement dissocier corps et esprit. Petit, dans son lit, il rêvait d'une caresse, d'un baiser de sa mère pour éloigner le froid. En Asie, semblable au commun des mortels, il souffrait de l'air moite, parfois si épais qu'on croyait pouvoir l'écarter des mains comme un rideau.

Leurs retrouvailles s'étaient faites sans effusion. Un *tiffin*[1] au Selangor Cricket Club, quelques *stengah*, et la promesse de parties de tennis et d'une chasse au tigre avaient réuni les deux frères.

1. Dîner de fin d'après-midi, à l'origine pour calmer la faim des planteurs et des ingénieurs après leur journée de travail. Le *tiffin* pouvait être suivi d'un souper, plus tard dans la soirée.

4

Cruz Chica, Argentine
Septembre 1954

La nuit est tombée tôt à Cruz Chica. William somnole. Par spasmes, sa main se crispe autour de son verre. La lumière froide de la lune pénètre par la fenêtre de son bureau. Dehors, le vent agite les arbres. Il se félicite d'avoir bien isolé les fentes autour des gonds car plus rien ne frémit. Pas même la collerette de fourrure de l'énorme tête de tigre qui prend toute la place au-dessus de la bibliothèque. Il a pour projet d'en faire don au collège pour la salle de géographie, mais il a besoin d'aide pour transporter le socle de bois qui pèse une bonne cinquantaine de kilos, sans compter la dépouille de l'animal devenue fragile avec le temps. Il a déjà convenu avec Santos de l'emplacement. Derrière l'estrade, à côté de la planisphère dans la salle Cambridge. Ainsi, quand les élèves entreront dans la classe, seront-ils aussitôt accueillis par le mufle rugissant de l'animal. Les élèves ont surnommé Mr Proudlock « *El viejo mato* », le vieux tueur de tigres, car dès qu'il en a l'occasion, il leur raconte ses voyages : Myitkyina la belle, au bord des eaux jaunes de l'Irrawaddy, Chiangmai, Penang, Singapour, les formidables cataractes du Soudan, Kano, aux portes du désert. Et, bien sûr, son plus grand succès, toujours accueilli par le silence haletant des petits de l'école primaire : la chasse au tigre avec le sultan de Johore. L'animal tapi derrière les hautes herbes, *harimau kramat*, le tigre sacré, les indigènes apeurés, priant et implorant leurs dieux, et cet instant de stupeur émerveillée quand, au moment de tirer, le chasseur croise l'œil de la bête. William, alors, parle toujours en malais. Personne ne peut vérifier si ce qu'il dit est correct. Peut-être n'est-ce que du charabia. Quand Pedro était plus petit, il entrebâillait la porte du bureau, et la simple vue du tigre suffisait à décupler son ardeur au travail. Mais Pedro a grandi, et depuis qu'il a surpris Angelina, sa mère, fourrant sa main tout entière dans la gueule rouge pour passer les crocs à l'alcool, le tigre du bureau ne l'impressionne plus. Les récits de chasse de William non plus.

William a reposé son verre et, d'un geste mécanique, saisit la bouteille à moitié pleine sur la table. Il a décidé de décrocher le tigre, de lui redonner un semblant de noblesse en le posant sur sa peau. Celle-ci a subi toutes les vilenies. Hier encore, au mur de l'entrée, elle servait de terrain de jeu à Kucing, qui régulièrement la laboure de ses griffes.

William ne reconnaît pas l'homme dont le miroir lui renvoie l'image. Ses cheveux ont blanchi et ses yeux minuscules ont perdu leur belle couleur bleue, ternie de reflets cendrés. L'inconnu qui le regarde, avec sa tête de tigre empaillée calée sur le ventre, porte sur son visage l'expression d'un homme perdu. Ses mains tremblent au contact de la fourrure couverte de poussière. Déséquilibré par l'énorme trophée, il tente de se redresser, mais son dos le fait souffrir, alors il laisse glisser le monstre sur le sol où il s'écrase avec fracas. La tête colossale s'est détachée du socle et a roulé contre le pied du bureau. Sous le choc, l'un des crocs a transpercé la babine et déchiré la fourrure sur une dizaine de centimètres, découvrant l'os de la mâchoire et le molleton gris cousu sous la peau.

William se souvient du fauve aux babines écumantes, du grondement sourd et métallique de son désespoir qui emplissait le sous-bois quand il avait tiré. Une balle, rien qu'une seule. Et le rugissement formidable de l'animal dans la pénombre. William avait la réputation d'être un chasseur hors pair jusqu'à ce qu'il épouse Ethel. Non que cette dernière eût quelque appréhension à l'idée de le voir passer des nuits entières dans la jungle à attendre qu'une malheureuse chèvre se fasse dévorer par un fauve, mais son père, Mr Charter, en avait pris ombrage. Un vulgaire maître d'école, se plaisait-il à répéter, ne pouvait prétendre chasser le tigre noblement. « Dites-moi donc ce qu'il faut de plus pour enseigner à des gamins que quelques connaissances des verbes irréguliers et de bons mollets pour taper dans un ballon ? » William n'ignorait pas que, si Mr Charter l'avait choisi pour gendre, ce n'était pas pour ses qualités mais parce que Ethel allait avoir dix-neuf ans. Attendre de lui trouver un meilleur parti aurait mis en danger le mariage de sa sœur cadette, courtisée depuis quelque temps par un officier de la marine.

La dernière fois qu'il avait croisé Mr Charter, Ethel, les yeux cernés d'ennui tout autant que de fatigue, était allongée dans la pénombre du salon et relisait pour la énième fois un de ces romans ridicules tout juste bons à faire glousser une couturière. Mr Charter méprisait les goûts littéraires de sa fille mais raillait son gendre de s'évertuer à lui faire découvrir Wilkie Collins et Charles Dickens. Surprise par l'arrivée impromptue de son père, Ethel avait fourré le livre sous un coussin et, prétextant d'horribles douleurs au ventre, avait rejeté la tête en arrière, dans une de ces poses dont elle seule avait le secret. Il y avait Ethel soucieuse, le pouce sur la tempe droite et l'annulaire sur la gauche, comme si ses doigts pouvaient encercler les soucis pour mieux les chasser, ou Ethel blessée, madone silencieuse, les mains jointes devant la poitrine, le visage incliné et la bouche serrée, ou encore Ethel amoureuse, le regard vague, les bras croisés comme pour danser le fox-trot, les lèvres tendues pour crier son amour. Ce jour-là, Mr Charter avait eu droit à Ethel souffrante, les jambes retombant du divan, le buste à peine relevé par un coussin. Campé au milieu du salon, Mr Charter avait observé, l'air absent, cette maison où il n'avait jusqu'alors jamais daigné venir. Son regard s'était attardé sur les livres qui couvraient les murs, le ridicule guéridon, sa lampe dont les franges étaient régulièrement soulevées par un courant d'air sous les pales du ventilateur, les meubles de rotin blanc salis par l'usage, et le tapis, un kilim rouge usé au centre en un petit chemin rose où affleurait la trame. À peine plus confortable qu'un bungalow de planteur. Ethel, à son habitude, avait meublé le silence, étourdie et haletante comme un coureur de fond qui se force à avancer vers la ligne d'arrivée.

— Quand Mr Shaw reviendra d'Europe, nous emménagerons dans les nouveaux pavillons, derrière le collège. En attendant, nous pouvons demeurer ici. Vous ne pouvez imaginer comme cette maison me rassure. Nous sommes trop haut sur la colline pour risquer d'être engloutis sous les eaux de la rivière, et les crocodiles ne remontent jamais les bas-côtés. Pensez donc, le *jaga* des Burgess, nos voisins, a dû chasser à coups de pierre un saurien qui s'était aventuré dans les fourrés le long du chemin.

William, qui se changeait à l'étage, s'était immobilisé. Dans ces demeures de bois on entend tout, le craquement furtif des lattes sous les pas de l'*amah*, les cris des geckos sur les murs et le crissement étouffé de la soie du coussin qu'Ethel triturait entre ses doigts pour calmer ses angoisses. Il avait écouté la tirade d'Ethel, demeurée sans réponse de Mr Charter, reparti quelques minutes plus tard sans qu'on sût le motif réel de cette visite nocturne. Il n'avait jamais compris les liens qui unissaient le père et la fille.

Des liens de défiance, tout au mieux d'indifférence courtoise. Ethel avait longtemps attendu des marques d'intérêt de son père, mais son absence le jour du mariage lui avait définitivement enlevé tout espoir d'éveiller un jour le moindre sentiment en lui.

Début mars, peu avant le mariage, Mr Charter avait en effet fait savoir à sa fille par télégramme qu'il serait à Ceylan et que ce serait un collègue de William, comme lui membre du Cricket Club, un certain Mr Mc Cormack, qui la conduirait en son nom à l'autel. Ethel, rouge de dépit, avait déchiré le télégramme mais retenu les larmes qui gonflaient ses paupières. Elle avait serré son corset à ne plus pouvoir respirer et, la taille étranglée, le visage livide, avait dévalé l'escalier de la véranda. Elle riait. Un rire rapide, haletant et triomphant. Dans la rue, elle avait hélé un pousse-pousse. L'image insolite, en pleine chaleur de midi, de cette Anglaise insistant pour monter dans le premier rickshaw venu, un véhicule ordinaire avec pour siège une simple planche, sans dossier ni accoudoir, avait attiré les regards.

Ethel était rentrée le lendemain les cheveux en bataille et le bas de sa robe sali, l'ourlet arraché. Devant ses yeux égarés, Mrs Charter n'avait rien dit. Personne n'avait jamais évoqué sa fuite de la veille dans la ville. Ni l'absence de Mr Charter pour son mariage.

Il devait être neuf ou dix heures ce soir-là. William avait quitté la salle de billard du Selangor Club où il se rendait encore trois ou quatre fois par semaine – par la suite, afin de passer plus de temps avec sa jeune épouse, il avait renoncé à ses soirées entre hommes et troqué la bière et le whisky contre le gin lime, qui laisse une haleine plus douce. La nuit était tombée depuis longtemps, éclairée des mille et une flammèches des petits autels que les Chinois installent partout, à l'entrée des maisons, devant les branches tordues d'un arbre centenaire, sous les ponts, sur les toits, à l'entrée des échoppes. Il avait plu. N'ayant d'autre choix que de suivre le chemin de planches qui longeait les maisons, il s'apprêtait à rejoindre la voiture que l'Institut mettait à sa disposition les soirs de mousson quand il avait aperçu Ethel, misérable et transie, sous l'unique lampadaire du Club.

C'est William, le lendemain matin, qui avait insisté pour qu'elle rentrât chez elle.

— Encore un peu plus de six semaines jusqu'au mariage...

Ethel avait hoché la tête. Ses yeux scintillaient de gaieté. Ils avaient éclaté de rire et il l'avait serrée dans ses bras jusqu'à ce qu'elle demande grâce. Puis elle s'était endormie, entortillée dans la moustiquaire. Du bout des doigts, il avait caressé ses seins tout petits et posé ses lèvres sur le minuscule bourgeon mauve qui pointait à travers les mailles. Réveillée en sursaut, elle avait gigoté avec la joie et l'énergie d'un jeune chiot et, sans la moindre pudeur, attiré son visage contre son ventre. Une Ethel irrésistible, fragile et forte, dont le corps mince satisfaisait tous ses rêves d'homme. Il avait comme tous goûté et abusé de la chair ferme et dorée des Asiatiques et pouvait, rien qu'à l'odeur et au satin de la peau, distinguer une Malaise de Malacca, flexible et offerte, tout en courbes douces, des saveurs sourdes d'une fille de Penang, racée et spirituelle. Mais cette gamine frondeuse et coquette attisait ses sens comme aucune femme ne l'avait fait jusqu'alors. Cette provocation insolente et naïve l'étourdissait, lui faisait perdre ses repères. C'est Ethel qui, la veille, avait fait le premier pas, et lui s'était empourpré et avait failli refuser cette main qui, sans attendre la fin du premier baiser, s'alanguissait déjà sous sa chemise. Il l'avait repoussée mais elle l'avait supplié, sublimement fragile, prête à s'effondrer en mille fragments. Il avait alors bu à la source de ce jeune corps qui s'offrait à pleines goulées, avides, longues, effrénées. Et elle s'était donnée, exigeante et délicate, raffinée et impudique. Quatre semaines plus tard, le sourire triomphant et le verbe définitif, elle lui annonçait que pour le mariage elle porterait une robe bleue.

— Bleue ?

— De la couleur des plumes d'un perroquet ara. Tu sais bien, comme celui des Archer ! Ils l'ont rapporté d'Amérique. Bleu franc, avec des reflets verts.

Elle avait bondi de sa chaise et, sans même jeter un coup d'œil vers la porte pour s'assurer qu'ils étaient seuls, s'était assise à califourchon sur ses genoux. Il avait esquissé un mouvement de recul, mais déjà elle cambrait sa taille fine et le regardait droit dans les yeux. Ne pas bouger. Fermer les paupières. Il avait fermé les paupières. Vaine tentative pour échapper à ce regard sombre qui plongeait en lui. Ethel avait rougi. Délicieusement.

— Cela va bientôt se voir. Si c'est un garçon, je l'appellerai Cecil. Cecil Proudlock.

Puis elle avait réfléchi, l'index sur sa lèvre inférieure.

— Si c'est une fille, mais ce ne sera pas une fille, Dorothy. Touche mon ventre ! Vois comme il est déjà gros ! Ce sera forcément un garçon !

Ethel dégageait tellement d'énergie qu'il n'avait pu réagir. Son regard l'ensorcelait. Il ne respirait plus. Son cœur s'était emballé. Il s'en était enfin réjoui. Comment en vouloir à Ethel, même si...

— Es-tu sûre ?

Il lui avait expliqué qu'il avait été prudent, qu'il ne s'était pas abandonné. Ethel avait éclaté de rire.

— Tu veux dire que tu n'as pas éjaculé en moi ? Je sais, mais il suffit de rien, et souviens-toi, nous avons fait l'amour plusieurs fois...

L'aplomb d'Ethel le paralysait. L'étonnait. Le séduisait. Il n'y avait que les filles de bar qui osaient employer des mots aussi crus. Il avait bafouillé.

— Mais la robe ? Bleu canard, vraiment ?

Ethel s'était renfrognée un instant. Les yeux baissés vers ses mollets d'enfant qu'elle grattait vigoureusement, attendant chaque fois que les traînées blanches de ses ongles rougissent puis disparaissent.

— Oui, bleu canard. J'ai tout dit à ma mère.

Elle avait ri avec insolence.

— Au moins mon père a-t-il une bonne raison de ne pas me conduire à l'autel. Sa fille déshonorée ! Au fond, c'est un peu comme si je lui rendais service.

Elle le regardait, amusée, tirant sur les boucles de ses cheveux pour les laisser reprendre leur forme, comme des ressorts autour de son visage. Puis elle s'était penchée et avait caressé sa nuque.

— J'adore le frisson des cheveux rasés tout doux sous les doigts, avait-elle murmuré. C'est à toi que je me suis donnée, alors quelle importance puisque nous allons nous marier ? On s'en fiche des rumeurs, n'est-ce pas ?

Ethel avait toujours raison. Et puis son drôle de parfum l'enivrait, lui chavirait les sens et le cœur. Il avait approché son visage. Elle s'était laissé faire, chaste et convoitée, rêvant déjà de l'instant où il l'attirerait à lui, la brutaliserait juste ce qu'il faut pour qu'elle résiste et s'abandonne. William avait plongé le nez dans son cou et glissé ses mains sous la jupe retroussée. La fraîcheur de ses cuisses l'étonnait. Comment faisait-elle dans ces oripeaux pour ne pas transpirer par pareille touffeur ? William ne voyait plus la silhouette du *jaga* derrière les claustras. N'entendait plus les pas furtifs de la cuisinière. Il avait soulevé ses reins et écarté ses genoux. Tout était allé vite. Trop vite.

William savait qu'elle n'y avait pas trouvé son compte, mais elle lui avait fait la grâce de ne rien dire et il lui en était reconnaissant. Ethel avait tapoté les plis disgracieux qui gonflaient le tissu sur ses hanches, lissé ses cheveux blonds du revers des doigts – elle avait d'abord craché dans sa paume sans élégance, puis frotté ses mains l'une contre l'autre –, puis tourné sur elle-même, ravie. Dans quelques jours, elle serait Mrs Proudlock.

William se redresse. La tête du tigre a emporté le guéridon dans sa chute. Et la lampe. Ainsi que deux ou trois bibelots, dont un cadre en argent. Il déteste ces meubles de femme qui ne servent à rien d'autre qu'à « agrémenter » une pièce. Il se méprise d'avoir conservé une pièce d'ameublement aussi ridicule alors qu'aucune femme n'a mis les pieds ici, hormis Angelina, mais il ne peut la considérer comme une femme puisqu'elle est sa femme de ménage, ce qui est différent.

Même miss Frederick, l'infirmière du collège St George, à Quilmes, n'était jamais venue chez lui. La seule femme qui avait réussi à lui faire oublier le passé. Par moments. Quand elle repoussait sa frange avec ses lunettes de soleil à la manière d'un serre-tête. Quand elle clignait des yeux. Quand elle chantait des fados de son Portugal natal, la voix grave, la main sur la poitrine. Le reste du temps, il la prenait sans fougue. Sans indifférence non plus. Et il avait été inconsolable quand un soir elle s'était éteinte. Comme cela. Sans prévenir. D'une hémorragie cérébrale. Mais il l'avait oubliée. Comme un animal familier aimé sincèrement et dont le décès plonge dans des affres brutales, mais brèves.

William, arc-bouté contre le socle de bois, a réussi à adosser le trophée contre le mur. Il le bloque avec un pilon à épices en pierre de lave de Java, rapporté d'un voyage au Krakatau. La tête de tigre fracassée repose sur sa peau. William a replacé avec soin les dents déchaussées. Il a bouché les trous dans les gencives avec de la paille et des morceaux d'allumettes. Le croc ne tient toujours pas malgré ses tentatives pour le faire rentrer sous la fourrure avec une gouge trouvée dans la remise. Il n'a jamais été bricoleur.

— Est-ce que tu as des défauts ? lui avait un soir demandé Ethel dans les premiers temps de leur mariage.

— Pas plus que n'importe qui.

— Si, forcément, tout le monde a des défauts.

Il avait fini par répondre :

— Je suis un mauvais bricoleur.

Elle avait soupiré et s'était lovée dans ses bras.

Son corps était chaud et souple.

— Tu sais ?

Elle avait étiré sa jambe sous le drap pour former une tente au-dessus de leurs corps. Sous l'abri ainsi créé, elle était plus belle encore. S'il avait eu le moindre talent, il l'aurait peinte, ou sculptée. De la terre glaise lisse et cuivrée.

— Tu sais, mes défauts, je les aime trop pour les corriger. J'aime les hommes pour leur corps, pour leur force, leur odeur d'étalon après l'amour, leurs muscles qui tremblent et implorent pitié. Leur faiblesse toujours secrète. Leur abandon que rien ne peut contrer. J'ai envie de puiser en eux tout ce qui me manque.

Il avait ri. Détruit le tipi et écrasé Ethel de son poids.

— Il ne te manque rien, tu es ravissante...

5

Whitechapel, Connecticut
Septembre 1954

Dorothy est assise au salon. Elle a ouvert sur le sol l'un des vieux cartons à dessin de Pa. Des sanguines de plantes tropicales et d'oiseaux. Quelques aquarelles aussi. Et des dizaines de petits carnets couverts d'histoires animées qu'il leur confectionnait quand elles étaient petites. Pour donner vie aux dessins, il suffisait de laisser filer les pages sous le pouce et, par miracle, les dessins soigneusement reproduits s'animaient. Le chat immobile dévorait la souris, la bergère tournoyait devant ses moutons et le Tomten chassait le renard.

— Pourquoi Pa ne peignait-il plus ?

Mom ne répond pas. Elle n'explique pas à Dorothy que Pa a cessé de peindre ce jour de février 1908 où il l'avait surprise dans la salle de billard du Teutonia, à Singapour, avec un ingénieur des mines, Bill Steward, une coupe de champagne à la main. William, qui voulait célébrer la nouvelle année chinoise, devait la rejoindre en début de soirée avec Jasper. Mais Ethel était arrivée un peu tôt et s'ennuyait. La compagnie de l'ingénieur l'amusait. Il avait tiré de sa poche un anneau de suc d'hévéa tout frais qui s'étendait quand on tirait dessus et reprenait aussitôt sa forme sans se casser. La matière gris pâle était toute douce sous les doigts et dégageait une odeur suave, un peu sucrée. Même son père, Mr Charter, pourtant négociant en caoutchouc, ne lui avait jamais montré de latex frais. Quand Jasper était entré, il avait paru contrarié. Une longue ride d'amertume avait barré son front et ses mâchoires s'étaient creusées, comme englouties de l'intérieur. Le lendemain, il annonçait à William qu'il renonçait à la botanique et lui donnait ses carnets à dessin encore vierges. « Pour tes élèves au collège. Ce n'est pas dans les soirées mondaines que je trouverai mes épiphytes ! »

Mom observe ses bagues dans le verre rempli de vinaigre blanc.

— Ensuite, je nettoierai l'alliance de Pa avec de la mie de pain. C'est plus efficace sur l'or.

— Mom, jamais je ne la porterai. C'est malsain. Fais-en ce que tu veux, revends-la, mais c'est inutile d'insister.

Mom poursuit :

— Tu me descendras une vieille brosse à dents et du bicarbonate de soude. Je suis sûre que les taches vont disparaître.

Quand elle a une idée en tête, Ethel n'écoute pas. Le souvenir de ce Steward l'irrite. Elle voudrait gommer de son esprit la soirée du nouvel an au Teutonia. Les doigts de Bill Steward avaient effleuré les siens, et alors ? Elle connaissait à peine Jasper à l'époque, et elle n'y avait pas vu malice. Ethel voudrait ne retenir que ce jour où, bien plus tard, plus de deux années après leur première rencontre, l'ingénieur l'avait applaudie à tout rompre sur la scène du Théâtre royal. En présence du sultan – du moins, c'est ce qu'on lui avait raconté, même si des tentures brodées dérobaient sa loge aux regards. Elle jouait Fleurette, en remplacement de Mrs Abbott qu'une fièvre vicieuse clouait au lit depuis plusieurs jours. Sa prestation improvisée avait séduit l'audience et le *Mail* du lendemain avait acclamé son tour de force. « Le talent naturel d'Ethel Proudlock est une découverte inattendue. Nous avons assisté aux premiers pas d'une actrice dont on reparlera. » Rappelée plusieurs fois par les ovations du public, Ethel s'était inclinée profondément, avec grâce, et avait joui de ce sentiment prodigieux et nouveau : celui d'être admirée.

Ethel a la chair de poule rien qu'en y pensant. Elle voit les deux mains tendues au-dessus des têtes qui applaudissent plus fort que les autres.

Le temps d'une respiration, elle avait reconnu Bill Steward. Le sang lui était monté à la tête. Tout à coup, la salle avait tourné autour d'elle. Mrs Barrell, pleine de compassion, s'était penchée si près de son visage qu'elle pouvait sentir son haleine chargée d'alcool et de pastilles à l'anis, puis Mr Pembroke, qui jouait le rôle de

Pierre, s'était approché, et même le Dr Edlin. « La chaleur ! Mon Dieu, Ethel ! La chaleur ! La prochaine fois, vous appliquerez une lotion composée de trois volumes d'eau pour un volume de borax. » Le rideau s'était refermé.

Ethel chantonne dans sa tête.

L'émotion rosit ses joues. Elle laisse échapper quelques vers. Elle veut écouter sa voix autrement que dans ses souvenirs, mais elle n'entend qu'un filet mal assuré. Dorothy la regarde curieusement. Quelle importance ? Elle mettra cela sur le compte de l'âge. La vieillesse excuse tout. Mais la mémoire lui refuse de ressentir une fois encore l'ivresse de cette soirée, alors Ethel s'énerve et agite vigoureusement les bagues, rien que pour voir les chapelets de bulles monter à la surface et mourir en petits cercles.

Après chaque acte, elle avait écarté les tentures et cherché William dans le public mais, elle s'en doutait, las de ses vocalises dans la chambre il avait préféré une soirée au Selangor Club plutôt que de voir sa femme jouer une opérette insipide. *Rose d'Auvergne*. Rien que le titre sentait la pièce ratée, la distraction vulgaire.

Cette gourde de Dorothy n'a toujours pas apporté le bicarbonate de soude.

Ethel parle fort.

— Cherche dans le placard d'angle. Entre la *caddy spoon*[1] et la théière marocaine.

Ethel observe son reflet dans la glace. Face, pro-

1. Cuillère à thé traditionnelle.

fil, trois quarts. Elle retient son souffle et avale son ventre. Elle s'incline face au miroir, le pied gauche pointé devant elle, comme pour danser le menuet. Elle n'avait jamais compris. Comment William pouvait-il vivre au côté d'une femme aussi exquise – tout le monde le disait – sans s'éprendre d'elle plus que son rôle d'époux ne l'exigeait ? Quel gâchis ! Ethel scrute l'image que lui renvoie la glace. Dorothy va revenir. Elle se sent pitoyable de jouer sa propre vie en robe de chambre, avec pour tout public ces ridicules statuettes d'animaux que Jasper lui a offertes. Une à chaque anniversaire. Parce qu'un jour elle a dit qu'elle aimait les antilopes – les femmes fragiles aiment les animaux gracieux et vulnérables. Maintenant, elle a tout un troupeau sur le manteau de la cheminée.

Ethel réprime un sourire.

Dorothy a posé la boîte rouge et bleu sur la table.

— Le fond de la théière marocaine s'est affaissé. L'étain a fondu. Par inadvertance, tu as dû la laisser trop près de la flamme.

Ethel cligne des yeux, comme chaque fois qu'elle est contrariée, et touille les bagues dans le liquide trouble.

— Je pense qu'il est important que, comme ta sœur, tu aies un souvenir de Pa.

La voix d'Ethel est ferme et résolue. Quand les filles étaient petites, cette voix suffisait à les emplir de culpabilité. Aurait-elle exigé qu'elles séparent le blé du mil, comme dans les contes, qu'elles se seraient exécutées sur-le-champ. Des enfants parfaites.

— Mom, ça suffit ! Arrête d'insister ! Et puis je ne vois pas pourquoi tu t'accroches à cette idée ! Pourquoi Dorothy devrait-elle absolument porter cette bague alors que Pa la laissait toujours sur son presse-papier ?

Vivian, qui revient du journal, a balancé son sac d'un coup d'épaule sur le divan.

— Dotty s'en fiche, Mom ! C'est sinistre, elle n'a pas besoin d'une alliance jamais portée pour penser à Pa !

Ethel s'est levée. Elle tapote d'un air de fierté offusquée les coussins écrasés et contemple la traînée mate sur la carpette, le long du divan.

— Tu feras attention la prochaine fois à éviter de marcher au centre du tapis ! Cela fait des marques, un chemin, tu comprends ?

Comme toujours, Dorothy prend le parti de Mom. Elle a poussé les chaises et, à quatre pattes, brosse les poils en sens inverse de la trame.

— Fais attention, Vivian, elle est fatiguée et sensible. Tu peux quand même te mettre ça dans la tête. Il faut la ménager.

Vivian sourit. Mom n'est pas fragile, mais à quoi bon se battre ? Vivian a reçu le stylo à pompe de Pa, en bakélite jaspée. Il faudra juste qu'elle change la vessie séchée et forme la plume à son écriture. L'obstination de Mom à vouloir donner la bague à Dorothy l'exaspère. Rien à voir avec de la jalousie. Tout le monde sait que Dotty est la fille d'oncle William, le premier mari de Mom, alors le symbole est absurde. Même si Dotty n'a rencontré son vrai père qu'une fois. Un coup de tête le jour de ses vingt ans.

Elle était arrivée dans la cuisine et avait déclaré sans prendre la moindre précaution :

— J'ai l'intention de faire la connaissance d'oncle William. Dad. Il est temps. Je lui ai écrit et il m'invite à Buenos Aires.

Pa avait souri. Mom blêmi. Forcément, cela devait arriver un jour ou l'autre, mais elle s'était convaincue que ce moment honni ne viendrait jamais. Comme toujours, Mom avait tout prévu et la rencontre s'était passée comme elle l'avait imaginée. Dotty était partie pour l'Argentine, mue par un fugace sentiment de rébellion. Elle était revenue quelques semaines plus tard un peu troublée, très fatiguée et impatiente de se jeter dans les bras de Pa. Mom avait souri, triomphante – elle l'avait bien dit ! –, soupiré et conclu que la nature devait s'incliner devant l'éducation. Le thème n'avait plus jamais été abordé.

De temps à autre Dorothy s'enfermait dans sa chambre pour écrire à oncle William. Mom redoublait alors d'activité – étendre le linge, épousseter les meubles, les pieds des meubles et, plus précisément, la barre du milieu qui semble attirer plus de poussière que n'importe quel autre objet dans la maison –, prétendant ne rien remarquer. Docile, Dorothy laissait la lettre traîner sur l'évier de la cuisine pour que Mom signe en bas de page. Celle-ci ajoutait une phrase de politesse. « J'espère que cette missive te trouvera en bonne santé. » Les mêmes mots, invariablement, de la même écriture penchée, même ce jour où oncle Will, en tombant de cheval, s'était fracturé six côtes et la clavicule. Pa était chargé de cacheter l'enveloppe verte et de la poster.

À l'âge des confidences, Vivian avait demandé à Dorothy si elle se souvenait de la Malaisie et d'oncle William.

— Je me souviens de l'odeur de la noix de coco grillée avec des épices que me donnait la femme du *jaga.*

— Mais encore ?

— Du visage de poisson-lune de l'*amah.* Son frère tenait un magasin dans le centre de Kuala. Un jour, elle m'a emmenée en cachette passer l'après-midi là-bas. Je jouais avec sa fille quand le panneau de bois de la devanture s'est effondré sur le trottoir. Une énorme enseigne noire, marquée de lettres dorées. Elle est morte écrasée.

— Qui ?

— La petite Chinoise, la nièce de l'*amah.*

— Tu n'as rien dit ?

— J'étais trop petite. Et Mom aurait grondé mon *amah.* Je me souviens du sang épais sur le carrelage, rouge comme de la laque.

— Oui, comme le sang des poules quand Mom leur tranchait la gorge au Canada.

— Non, celui-ci formait des flaques vermillon.

Vivian voulait toujours en savoir plus, comprendre ce qui se cachait derrière les mots, même si rien ne s'y cachait.

— Mais pourquoi Mom t'envoyait-elle en promenade avec l'*amah* ? À cette époque-là, on ne laissait pas les enfants vagabonder dans les rues malfamées de Kuala avec de simples domestiques !

Vivian se tortillait, mimait Mom, la voix haut perchée :

— Ces domestiques, il faut les dresser comme des enfants ! Et les surveiller ! J'ai mes méthodes, je fais des marques secrètes sur les pots de sucre !

Puis, reprenant sa voix :

— Alors ? Elle te laissait affronter les bouges et les coupe-gorge avec une Chinoise ?

— Bah... Tu es trop dure avec Mom.

Dorothy se souvenait de sa mère vêtue de blanc tournoyant sur la terrasse. Chaque fois, l'odeur de parfum et de coton fraîchement lavé frôlait ses narines. Elle respirait fort, très fort pour ne pas pleurer, car « à trois ans, on est une petite personne. Et les petites personnes ne pleurent pas ». Puis, elle entendait la voix de Mom pleine de gaieté. Mais les rires ne lui étaient pas destinés. Ils s'adressaient à l'invité. Un ami de Dad. Ces après-midi-là, elle devait s'occuper dans le jardin ou bien faire la sieste chez l'*amah*, mais Mom avait ensuite renoncé, car l'odeur de transpiration et d'huile frite de la chambre de la domestique imprégnait les vêtements et la peau de sa fille, au point qu'elle disait ne plus la reconnaître. Mais Dorothy ne se souvenait plus vraiment.

— Cet homme, l'invité, c'était peut-être Pa ?

— Mais non, Pa était rentré depuis longtemps à Londres. Il n'est venu qu'une fois en Malaisie. Avant ma naissance. Peut-être deux.

Vivian s'est retournée vers Dorothy, qui lisse les franges du tapis.

— Dotty, accepte afin de clore la discussion. Si tu ne veux pas de l'alliance, tu peux la faire fondre ou aller chez l'usurier, tu en tireras de quoi tenir quelques semaines. Et au moins, elle aura servi à quelque chose, cette bague !

Mom a replié ses pieds sous elle et tiré un plaid sur ses genoux. Elle regarde droit devant et ne répond plus. C'est sa phase de vestale incomprise. Elle peut rester ainsi plusieurs heures, la mâchoire tendue, les doigts croisés sur les mollets.

— Mom ?

Dorothy s'est approchée. Ses yeux fixent la poignée de la porte.

— Je pense qu'il faut prévenir Bobby. Je vais prendre un billet à la gare.

Mom sursaute, son menton se fronce. Elle croise les jambes posément, ferme un instant les paupières pour reprendre sa respiration. Les crises de Dorothy sont de plus en plus fréquentes. Elles surviennent sans crier gare. Dorothy divague, mélange les visages, les années et les faits. Mom est désemparée, ne sait comment réagir quand Dorothy parle de Bobby. Lorsqu'elle tente de la raisonner, elle se couvre de gouttelettes et tremble de tous ses membres.

— Mais le Canada, c'est si loin ! Tu es épuisée, tu devrais te ménager.

— Mom ! Enfin, Bobby est si petit ! Je dois lui expliquer ce qui s'est passé. Je vais lui apporter le fusil de bois que Pa lui avait fabriqué. Tu crois que ça lui fera plaisir ?

Mom s'est assise en bout de table. Très correcte,

les coudes appuyés sur la table et les mains posées à plat devant elle.

— Dorothy, voyons, tu sais bien !

Gamme mineure. Trémolos tragiques. Léger crescendo.

Dorothy écarquille ses yeux gris. Ils virent toujours au vert quand elle va pleurer.

Le cri strident de Mom qui entre dans la chambre résonne encore dans sa tête et la hante toutes les nuits. Comme le petit visage de Bobby, paisible, la bouche entrouverte et les bras en croix. La paume tournée vers le plafond. Dorothy entend le tonnerre qui gronde dans la gorge de Pa, les éclairs que lancent les yeux de Mom. La terre qui se dérobe sous ses pieds. S'effondre comme quand on marche sur un trou de taupe dans le jardin. « Mom, je n'ai rien fait ! J'ai juste porté son lait. À sept heures et demie, comme tu l'as demandé. J'ai juste porté son lait. » Sa gorge brûle de trop avoir hurlé. Sa voix s'éteint, refuse d'articuler le moindre mot. Les phrases se roulent en boule dans sa gorge et l'étouffent. « J'ai juste porté le lait… »

Pa s'est incliné au-dessus du lit. Sans mot dire, il a pris Bobby tout bleu dans ses bras, ouvert la porte et, pieds nus dans la neige, il a levé son petit corps vers le ciel. Le cri qui s'échappait de sa gorge n'avait rien d'humain. Bobby avait été enterré le lendemain. À Kirkland.

— Mom, je dois aller voir Bobby et lui expliquer ce qui s'est passé.

Ethel attire Dorothy contre elle et, d'une main

ferme, appuie sa tête sur sa poitrine. Cette grande fille est ridiculement démesurée. Comment a-t-elle pu mettre au monde une telle géante ? Dorothy a hérité les cheveux filasse, la peau pâle, les taches de son et les bras immenses de son père. Vivian est comme elle, menue, rapide et impatiente. Bobby ? La dernière fois qu'elle l'a tenu dans ses bras, il n'avait que quatre ans. Un petit bonhomme toujours gai, campé sur des jambes courtes et musclées. Quand elle pense à lui, Ethel sent sa poitrine lourde de lait lui peser. Elle voit ses joues rouges de froid et ses yeux bleu tendre qui la fixent. Mais voilà, le drame était arrivé.

La vie n'était pas simple en Ontario. Jasper avait espéré être embauché rapidement à Montréal mais il avait déchanté et, de ville en ville, cherché du travail. À Swastika, une petite ville minière près de Kirkland, on avait proposé à Jasper de travailler à la mine. Mais Jasper était un intellectuel, et les rudes journées des ingénieurs avaient eu raison de sa santé et de son enthousiasme. Il ne faisait plus valser Ethel sur le perron et ne l'embrassait plus dans le cou après avoir bu de l'eau glacée à la fontaine pour la faire glapir sous les frissons.

Avec leurs dernières économies, ils avaient acheté une petite ferme en lisière de forêt. Sans la moindre expérience de la campagne, ils n'auraient pas tenu très longtemps, s'ils n'avaient pas fait la connaissance de leurs voisins fermiers, Josh et Mary, toujours prêts à les aider et à leur donner un coup de main. Ils les avaient rencontrés à un concours de tir. Ethel, qui avait hérité du coup de gâchette précis de Mr Charter, s'était illustrée. Elle éprouvait pour les armes une passion hors du commun et chérissait cet instant de grâce quand, juste avant de tirer, la respiration s'arrête et le sang chauffe les tempes. Le secret d'un tireur infaillible. Elle en plaisantait volontiers, ce qui avait le don de mettre chaque fois Jasper d'une humeur massacrante. Mais, cette fois-ci, Josh avait pris sa défense. La conversation s'était engagée et le jeune couple avait raconté ses lointaines origines écossaises. Assez pour que Jasper les tienne aussitôt en sympathie, comme des cousins éloignés. Ethel les tolérait. « Juste le temps d'obtenir les papiers pour enfin passer en Nouvelle-Angleterre, répétait Jasper. Ensuite, j'ouvrirai un cabinet d'expertise judiciaire à New York ou Philadelphie, et nous irons au théâtre tous les soirs. » Ethel regardait ses mains rouges, la cour boueuse de la ferme, et pinçait les lèvres.

Il faisait si froid, ce jour-là. La neige avait étouffé l'horizon, gommant les creux et les couleurs. Le vent soulevait des bourrasques glacées. Tous les soirs, les filles vérifiaient que le loquet du poulailler était bien fermé. Dorothy avait déjà enroulé un volumineux fichu bleu autour de sa tête quand Ethel s'était ravisée et l'avait arrêtée. Le froid était bien trop cinglant pour envoyer les filles dehors. Elle irait elle-même fermer la porte du poulailler pendant que Dorothy coucherait Bobby après lui avoir donné un verre de lait chaud. Quand Ethel était rentrée, couverte de neige, Bobby dormait paisiblement. Dorothy et Vivian jouaient aux osselets.

C'est Jasper qui, le lendemain, avait découvert le petit garçon inanimé. Les traces de poudre blanche au fond du verre vide avaient rapidement levé le doute sur l'origine du drame. Bobby avait bu le lait d'Ethel, qu'elle avait l'habitude de mélanger avec ses somnifères. Entre deux sanglots, Dorothy avait expliqué qu'après avoir fait chauffer le lait elle l'avait aussitôt versé dans le verre. Et comme il en restait un peu dans la casserole, elle avait donné le reste à Vivian.

Vivian, les yeux rouges, avait confirmé. Juste un peu. Elle avait bu un demi-verre. Le lait était chaud, trop chaud, même, et elle avait soufflé pour le refroidir. Puis elle avait écarté la peau écœurante qui s'était formée à la surface. Pour preuve, Vivian avait couru à sa chambre et brandi le verre vide avec, collé au rebord, un lambeau de crème jaunâtre. Les regards s'étaient de nouveau portés sur Dorothy, immobile le long de la rampe d'escalier. Vivian ne quittait pas des yeux ses mains derrière son dos, accrochées aux barreaux. Comment Bobby avait-il pu boire le lait d'Ethel avec les somnifères alors que Vivian n'avait pas éprouvé la moindre nausée, pas le moindre étourdissement ? Et puis jamais Bobby n'aurait pu boire de lui-même ce lait rendu affreusement amer par le Véronal ! Dorothy n'avait-elle pas senti qu'elle portait un verre de lait froid à Bobby ? Les questions avaient fini par tarir. Vivian s'était endormie sur les marches comme un chaton, roulée en boule, et Jasper avait serré Dorothy dans ses bras jusqu'à l'écraser. À douze ans, elle était fluette comme une enfant de huit ans. Dans le creux de son cou, il lui avait répété que ce n'était pas sa faute. La fillette s'était enfin calmée, quand Ethel s'était effondrée à genoux. Pourquoi avait-elle voulu épargner le froid mordant à Vivian et Dorothy ? Elle aurait dû ne rien changer à ses habitudes et les envoyer dans la bise fermer la porte du poulailler.

— Accusez-moi ! Pas ma fille, mon ange ! Moi seule suis responsable de l'accident. Si j'avais couché moi-même Bobby, il ne serait rien arrivé. Mais comment aurais-je imaginé que mon instinct, l'instinct d'une mère qui ne veut que protéger ses petits, puisse se retourner aussi cruellement contre moi ?

La voix d'Ethel était claire et posée, entrecoupée de sanglots sonores.

— Jasper, tout est ma faute... Me pardonneras-tu jamais ?

Jasper l'avait alors enlacée et bercée comme un petit animal, jusqu'à ce qu'enfin elle s'apaise. Le cœur gros, inconsolable, Ethel avait titubé jusqu'à son armoire et conclu :

— Nous ferons teindre tous les vêtements en noir. Mon Dieu, aidez-nous !

Après la mort de Bobby, la vie à Swastika était devenue insupportable. Jasper, pressé d'emmener Ethel loin de la ferme maudite, avait finalement obtenu de Londres les documents nécessaires à leur émigration définitive aux États-Unis, enfin programmée pour l'été 1921. Tout était prêt : ils passeraient la frontière à St Albans, dans le Vermont. Une fois aux États-Unis, Jasper travaillerait à New York tandis qu'Ethel et les filles s'installeraient à Whitechapel, une petite ville du Connecticut, où Josh et Mary avaient de la famille. Ce n'était plus qu'une question de jours et d'organisation. Dorothy avait alors grimpé en haut du mât installé sur la place pour les fêtes de la communauté allemande. Elle s'était hissée à la force de ses bras et, cramponnée à son sommet devant quelques badauds terrifiés, avait menacé de se laisser tomber. Ses bras avaient tremblé, ses pieds glissé le long du poteau. Mais, à douze ans, la vie avait pris le dessus. Au moment où Dorothy lâchait les mains, ses doigts s'étaient malgré elle agrippés au bois et elle avait filé jusqu'en bas. D'un coup.

Jasper avait enlevé les échardes de bois et les lambeaux de peau avec une pince et des ciseaux. Il enroulait des bandelettes trempées dans du beurre autour de ses paumes écorchées quand elle avait murmuré : « Je voulais me rapprocher de Bobby dans le ciel. » Jamais ses paumes brûlées par le bois n'avaient retrouvé leur sensibilité.

Jasper et Ethel avaient vendu la ferme à Josh et Mary avant de quitter le Canada. Et Bobby était resté là-bas, à Kirkland. Avant de partir, Jasper et Josh avaient brûlé tous ses petits vêtements, son fusil de bois et ses chaussures. Même la table de chevet sur laquelle Dorothy avait posé le verre. Ethel non plus n'avait rien gardé.

Elle avait lancé dans les flammes la boucle de cheveux dorée qu'elle conservait précieusement, avec les premières dents de lait et les mèches de Dorothy et Vivian, dans une petite boîte ornée d'une grue sur fond d'émail bleu nuit.

Dorothy rejette la main de Mom qui lui caresse le front.

— Mom, je ne suis plus une enfant. Je dois aller voir Bobby. Et je lui porterai le fusil de bois que Pa lui a fabriqué.

Mom n'a plus de patience. Cette grande fille si blonde l'irrite.

— Josh et Pa ont tout brûlé avant notre départ de Swastika. Pour l'amour de Dieu, quand cesseras-tu cette comédie ? Tu sais bien qu'il est mort !

La colère fait briller les yeux de Mom. Vivian se retourne, stupéfaite. Elle attend ce jour depuis tant d'années. Elle ne supporte plus le linceul de mensonges et de silences qui entoure la mort de Bobby. Mais déjà les joues de Dorothy se couvrent de larmes. Mom relève son menton fripé et le maintient entre le pouce et l'index.

— C'est ma faute, Dorothy, tu le sais bien... J'aurais dû m'occuper du lait moi-même.

À cet instant, Vivian déteste sa mère et sa sœur. Rageusement, elle saisit la brosse à dents, qu'elle passe sur le chaton de la bague. Une pluie de gouttelettes blanches de bicarbonate de soude retombe en demi-cercle sur la toile cirée.

— Tu n'as qu'à donner l'alliance à Bobby, Dotty ! Après tout, c'est l'homme de la famille, et Pa est son père. C'est à lui qu'elle revient de plein droit. Ou peut-être à oncle Will ? Ce serait drôle, tu ne trouves pas ?

Mom n'a pas entendu. Elle n'écoute plus. L'énergie de Vivian l'épuise. Ses lunettes glissent autour de son cou. Elle s'endort. La mâchoire légèrement entrouverte, elle laisse échapper de petits râles à chaque inspiration. Ses paupières pas totalement fermées tressautent, entre les cils on devine le globe oculaire révulsé. Vivian pense avec amusement que Mom ne supporterait pas qu'on la regarde dans une pose aussi peu flatteuse. Mom si belle, si parfaite n'est plus que son ombre, une vieille femme qui ronfle dans son fauteuil.

6

Cruz Chica, Argentine
Septembre 1954

Angelina est passée réclamer sa paie. Mais William lui a déjà tout donné. Elle a prétendu s'être trompée et proposé de rester toute la matinée « afin de ne pas s'être déplacée pour rien ». Les nouvelles vont vite, à Cruz Chica. Tout le monde est au courant de l'accident du frère de Mr Proudlock. Jamais Angelina n'aurait voulu rater l'événement. Et puis, même s'il divague un peu, Mr Proudlock a besoin d'air et, dans ces moments-là, une présence, ça fait toujours du bien. Elle a apporté deux grosses galettes. Angelina aime les êtres qu'elle nourrit mais elle ne nourrit que les êtres qu'elle aime. Elle n'a plus de mari depuis bien longtemps et donc plus d'homme à nourrir, hormis Pedro. Mais il est trop petit ou trop grand pour être nourri. Alors cet Anglais célibataire, avec son air triste, la comble. Il les aime tant, ses *fainas*, qu'il les emporte avec lui au collège. Quand il lui donne de l'argent pour aller au marché, elle lui prépare des poches remplies de viande rôtie avec du maïs doux et des oignons. Il lui répète que jamais il n'a goûté de mets aussi délicieux. Elle s'efforce donc de lui en préparer chaque fois. Mais elle les farcit avec des pommes de terre.

Elle l'a trouvé affaibli, les joues creusées et le regard vague. Au lieu de se reposer, il a entrepris de ranger la maison. Angelina s'en réjouit. Depuis le temps qu'elle lui demande de faire le tri parmi les cartons qui traînent, les piles de livres et de vêtements ! Avec les célibataires, c'est toujours comme cela. Elle s'inquiète car il perd la tête : il s'est mis à calfeutrer les portes-fenêtres. Jamais elle n'oserait enlever les torchons et les vieux journaux qui bloquent désormais l'espace sous les portes. Au moins ne doit-elle plus ramasser de feuilles dans le salon. Il a aussi tenté de déplacer la tête de tigre pendue au mur de son bureau, mais le socle a roulé sur le sol et écrasé un verre qui traînait sur le tapis. Angelina a méticuleusement ramassé les morceaux coupants comme de petits poignards. Et c'est là, sous la table, qu'elle a trouvé les journaux. Parfaitement pliés, par piles de vingt reliés et serrés avec une ficelle. Angelina ne connaît pas l'anglais. Mr Proudlock parle fort correctement l'espagnol. Il a appris la langue à une vitesse époustouflante et d'emblée a su prononcer les mots comme un véritable Argentin. Angelina est fière de lui car elle n'en doute pas, s'il a progressé c'est grâce à elle. Au fond, elle est aussi un peu son professeur. Ça lui fait du bien de le croire.

En première page du *Mail*, Angelina a reconnu le nom de Proudlock. Elle a écarté les ficelles et a lu « Ethel Proudlock ». Les articles ne sont pas bien longs, deux colonnes, jamais plus. Angelina a appris à lire en même temps que Pedro. Mais, au bout de quelques minutes, les mots se brouillent. Elle a du mal à combiner les lettres pour leur donner du sens, et souvent elle se contente de deviner. Mais elle sait épeler William Proudlock car son nom est partout, gravé sur le ventre du marteau de cuivre de la porte d'entrée, gracieusement écrit sur la page de garde des livres, brodé en rouge à l'intérieur du col de ses chemises et sur le linge de toilette et les draps. Ses initiales sont dans ce cas associées à un E et un C à l'intérieur d'un médaillon. « W.P. E.C. » William Proudlock et Ethel Charter. À quatre pattes sous le bureau, la balayette à la main, elle fronce les sourcils sous l'effort. Dans tout ce fatras de mots écrits petit, elle ne trouve pas le nom de William Proudlock.

Elle voudrait lui demander si cette Ethel est la femme assise à sa droite dans la forêt, sur la photo du cadre qui lui sert de plateau pour le thé. Angelina trouve dommage d'utiliser un tableau comme plateau alors qu'on pourrait l'accrocher au mur. Mais il y tient. Même si la vitre est déjà étoilée en plusieurs endroits et que les rivets de cuivre retenant la plaque de bois sont à demi dessoudés. Un jour, le verre tombera en morceaux et le thé effacera les visages sur la photo. Angelina tire l'ourlet de sa robe sur ses jambes pour cacher ses varices et, l'air de rien, ose poser la question.

— *¿ Quién es ?* C'est qui ?

Il ne se retourne même pas. Elle sent la transpiration mouiller son chemisier. C'est disgracieux. Même pour une femme de ménage, car elle a sa coquetterie et ne dédaigne pas le regard des hommes.

— C'est qui ? Ta femme ? Elle est belle !

En temps normal, jamais elle ne se permettrait une telle indiscrétion, mais aujourd'hui Mr Proudlock semble d'humeur loquace. Il a bu. Angelina prend soin de ne pas le laisser remarquer qu'elle enlève régulièrement les bouteilles cassées derrière le divan. Elle sait qu'il ne faut pas y toucher, alors elle reconstitue les tas à l'identique. Les bouteilles récentes restent là où Mr Proudlock les a abandonnées, mais elle, Angelina, retire peu à peu celles qui ont roulé sous le divan et auxquelles il ne pense plus. Il la regarde avec étonnement et sourit, comme si la question d'Angelina le tirait d'une profonde torpeur. Angelina s'enhardit, encouragée. Quand elle parle, son visage s'anime, et la petite cicatrice entre ses sourcils monte et descend en rythme. Un mauvais coup attrapé dans son enfance pour une faute qu'elle a oubliée depuis bien longtemps. Elle a d'autres cicatrices, qu'on ne voit pas mais auxquelles elle tient car elles la retiennent de frapper son Pedro quand il rapine au marché.

— Elle est chez toi, à la maison en Angleterre ? Elle est morte ?

Mr Proudlock ignore sa question et elle la répète. Un peu plus fort et du côté de l'oreille qui entend le mieux.

Silence. William jette un coup d'œil à la femme du plateau. Il appuie son verre sur la vitre, qui gémit légèrement sous le poids mais ne se brise pas. Les bulles d'air emprisonnées entre le verre et la photo s'étendent. Une marée opaque engloutit le visage de la femme. Désormais, il faut appuyer avec le pouce pour distinguer ses traits. Pourquoi répondre ? Comment lui expliquer qu'Ethel, sur la photo, vêtue de blanc, un fusil à la main, vit avec son propre frère depuis plus de quarante ans ? Qu'il n'a pas su la garder parce qu'il ne savait pas l'aimer ? Qu'en la laissant partir avec Jasper il a fini par croire qu'enfin il savait l'aimer puisqu'il la rendait heureuse ?

William a remarqué qu'Angelina a déplacé les piles de journaux. Il ne s'irrite pas. Il a l'intention de défaire les paquets afin d'utiliser les liasses inutiles pour achever de calfeutrer le rez-de-chaussée.

Il répond finalement.

— Une actrice. Ethel était actrice.

Angelina écarquille les yeux. Elle connaît Lolita Torres. Enfant prodige, elle faisait déjà salle pleine à douze ans dans tous les théâtres de Buenos Aires. Les vraies actrices, Angelina a un truc pour les distinguer : les photos sont en diagopenale. Elle veut dire par là que le visage est penché. Aux gens ordinaires, le photographe demande qu'ils regardent tout droit l'objectif. Épaules ouvertes, poitrine bombée. À Pedro, photographié pour ses dix ans et sa communion, le photographe a dit : « Serre les fesses comme si tu te retenais de chier. » Avant de travailler pour les Anglais, Angelina nettoyait le studio photo des frères Garcés, à Cruz Grande. Elle a vu toute la ville défiler pour prendre la pose sur fond de cascades et de montagnes fleuries. Parfois, pour les femmes, elle tirait une tenture de velours rouge derrière le tabouret. Tous les jours, elle époussetait les cadres du couloir. Par ordre : Olivia de Havilland, Joan Fontaine, Carole Landis, Vivien Leigh et Clark Gable. Mais pas d'Ethel Proudlock.

Mr Proudlock rit.

Et précise en anglais :

— Une mauvaise actrice. Elle n'a jamais été douée.

Angelina sourit et hoche la tête, admirative même si elle ne comprend pas. Les bras ballants, elle tire à elle l'escabeau de la bibliothèque et s'assied. Elle ne sait pas pourquoi aujourd'hui elle se permet tant de familiarité. Elle n'a pas beaucoup d'éducation, mais en matière de tristesse humaine elle s'y connaît. Son frère, deux de ses oncles et son père sont morts engloutis dans les mines d'or d'Alumbrera, et sa sœur a été fauchée par un camion il y a moins d'un an. Des drames comme cela, on n'oublie pas. Ça laisse des cicatrices à l'âme et au cœur, des douleurs comme des gouffres.

— *¿ Se fue ?* Elle est partie ?

William n'a jamais approuvé cette ridicule passion d'Ethel pour la scène. Le soir, il entendait ses pas dans la chambre, le vacarme des meubles qu'elle déplaçait. Des heures durant, parfois la nuit entière, le teint mité et les yeux cernés de mauve, Ethel répétait les mêmes gestes, les mêmes mimiques, s'essayant à différentes voix. Et quand, sur la foi d'une seule audition, elle avait intégré la troupe amateur de Kuala, il n'avait pas osé lui dire qu'il la trouvait grotesque. Elle avait enchaîné les petits rôles, des personnages secondaires, bergères en tulle rose et vert et soubrettes aguicheuses mais, insatisfaite, Ethel rêvait d'un premier rôle. Un vrai rôle.

— Oui, elle est partie.

Mr Proudlock a répondu mécaniquement.

— Je suis désolée. Vraiment désolée.

Angelina le regarde avec compassion. Les yeux larmoyants, elle hoche la tête comme le petit chien de bois que Pedro traînait partout derrière lui quand il était petit. Angelina hésite à lui présenter ses condoléances. Après tout, le départ de la femme qu'on aime, c'est une sorte de mort, n'est-ce pas ?

Elle se penche en avant et murmure, d'un air de conspiratrice :

— Avec un autre homme ?

— Non. Seule.

Angelina devine qu'il ment. Mais elle n'insiste pas. Elle le regarde droit dans les yeux. Il ne bouge même pas un cil.

Il a reposé son verre sur la table. Il n'en veut pas à Jasper, même s'il lui a ravi Ethel. Quand Ethel a quitté Penang avec Dorothy, en juillet 1911, il a même été soulagé que Jasper l'attende à Londres et prenne soin d'elle. Puis elle a changé. D'un coup. Sans raison. Non. À vrai dire, les raisons, il les connaît, et avec l'âge il a été amené à juger son attitude d'alors.

Ethel s'ennuyait à mourir à Kuala. Elle avait, dans les premiers temps de leur union, comme toutes les jeunes mariées, occupé ses journées à décorer la maison et à remplir ses armoires d'extravagants chapeaux commandés à Singapour chez John Littel. Très vite, elle s'était lassée de broder coussins et antimacassars. Ils avaient eu des mots à propos de ses dépenses. Il s'était emporté. Sans doute un peu trop fort, car les larmes avaient noyé ses yeux sombres et elle avait couru dans la chambre et enfoui son nez dans l'oreiller. L'*amah* et le cuisinier avaient regardé le sol, l'air réprobateur, et il s'était reproché cet accès de colère. Ethel s'était alors inscrite au club de tennis. Une décision aussitôt regrettée. « Pourquoi devrais-je courir derrière une balle sous ce soleil de plomb ? » D'ailleurs, sa santé ne le lui permettait pas. Depuis la naissance de Dorothy, le moindre effort la clouait au lit. Dès son retour à Singapour – elle avait accouché en Angleterre, à Bedford –, elle n'avait cessé de se plaindre. Elle posait Dorothy dans les bras de l'*amah* et pleurait, le visage las, sans jamais essuyer les larmes qui ruisselaient sur ses joues. « Je me vide de mon sang. » Mais là encore, trois visites chez le Dr Edlin avaient suffi à la convaincre que ce dernier, bien en mal de la soulager, était un incapable et un ignorant. Ethel s'était alors mis en tête de travailler. Comme sa tante Annie. À la simple différence que cette dernière avait étudié l'archivage et la littérature anglaise alors qu'Ethel se montrait incapable de lire plus de vingt pages sans se plaindre.

Un autre soir, Ethel était rentrée tard d'une de ses répétitions à l'hôtel de ville. L'Ethel des premiers temps, gaie et capricieuse.

— J'ai obtenu un rôle dans les *Arcagettes.* Je danserai dans les premiers rangs du chœur.

Elle avait esquissé un entrechat, virevolté. Il mangeait une aile de poulet, assis tout seul en bout de table.

— Tu vois, ils parlent de moi ! Et en première page !

Hors d'haleine, elle avait brandi un journal qu'elle devait cacher derrière son dos car il n'avait rien remarqué quand elle était entrée. Le poulet concentrait toute son attention. Il détachait le blanc avec d'infinies précautions et le trempait dans la sauce d'huîtres préparée par le cuisinier. Le nom « sauce d'huîtres » n'avait rien de très appétissant, mais William raffolait des ailes de poulet frites à la javanaise. Ethel semblait d'une humeur de rêve. Avec une moue ravissante, elle avait lancé ses bras autour de son cou. Puis s'était faite suppliante.

— Mais regarde, enfin !

À cet instant précis, William n'avait eu que deux souhaits en tête : sucer cette aile de poulet et terminer le plat. Ou pousser la porte derrière leurs silhouettes enlacées et basculer Ethel sur le lit.

— Je l'ai lu, mais ce n'est pas le moment d'en parler.

Regard furieux d'Ethel.

Longtemps, il avait cédé aux mines effondrées d'Ethel, incapable de résister aux lèvres soudain chiffonnées, au menton piqueté de fossettes. Il y voyait une sorte de divin supplice destiné à éprouver son amour. Cette soirée, William la connaissait déjà pour l'avoir vécue cent fois. Il allait terminer ses ailes de poulet jusqu'au dernier cartilage, puis observer sa femme endormie sur les draps, belle et désirée, et se contenter. Seul.

— Si mes talents d'actrice t'indiffèrent, réagirais-tu si je te disais que je venais d'être embauchée à l'école méthodiste pour surveiller les enfants ?

Ethel s'était assise en bout de table. Avec les doigts, elle avait saisi un os déchiqueté sur le rebord de l'assiette de William et avait commencé à le ronger. Elle savourait ces provocations car William s'énervait toujours. Il s'offusquait, lui parlait de bonnes manières et d'éducation. Son manque d'humour la faisait rire aux éclats.

William sentait Ethel bouger autour de lui mais il ne la voyait plus. Il entendait le crissement de sa jupe. Il la sentait. Son parfum doux. Son haleine. Ethel avait bu. « Rien, juste un verre de porto ! Tu ne vas pas faire une histoire pour un tout petit verre ? » L'alcool enlaidit les femmes. Ethel minaudait, se glissait derrière lui et passait ses doigts dans ses cheveux. « Ils ont poussé, tu ne trouves pas ? » Ethel avait soufflé sur ses lunettes qui s'étaient couvertes de buée. Triomphante, elle avait lâché : « Alors ? Tu me crois ? » Elle avait mâché ce mélange d'anis étoilé, de grains de cumin et de baies roses que les Indiens croquent pour purifier leur haleine et combattre le feu des currys. Tous les ivrognes et les maris infidèles connaissaient le truc. Il convenait juste, pour ne pas attirer l'attention du conjoint suspicieux, de prendre bien soin d'installer cette habitude au quotidien, sous forme d'une petite soucoupe d'argent présentée à la fin des repas. Soupçonner Ethel d'infidélité aurait été une première entaille dans ce bonheur auquel il s'accrochait avec conscience et à ce qu'il avait déclaré être de la passion, mais qui ressemblait plutôt à une déraisonnable fascination.

— Qui t'a raccompagnée après la représentation ?

— Je suis rentrée en rickshaw, comme d'habitude. Mais nous avons fêté le succès de la pièce au Spotted Dog.

— Toute la troupe ?

Ethel n'écoutait pas. Ce qui était bon signe. Si elle avait souhaité lui cacher quelque chose, elle se serait alarmée. Et serait rentrée dans des explications sans fin. Peut-être même en lui donnant une liste précise de tous les acteurs. Et peut-être William aurait-il lui aussi été rassuré par cette profusion de détails. Cela aurait été tellement plus simple.

— Will, tu ne veux vraiment pas lire ce que dit le *Mail* ?

Long silence. William aurait volontiers poursuivi l'interrogatoire, mais ne perdant pas de vue ses intentions premières – la basculer sur le lit, enfouir sa tête entre ses cuisses parfumées et déposer un baiser dans la petite lune bleutée qui ornait le bas de son dos, juste au-dessus des fesses –, il avait donc opté pour le comportement qui seyait à un directeur de l'Institut Victoria.

— Je le relirai demain car mes yeux sont fatigués. Montons, veux-tu ?

Il lui avait saisi la main avec douceur.

Et, à sa grande surprise, Ethel s'était laissé entraîner. Elle avait pivoté, collé ses reins contre son ventre à lui et placé ses mains d'homme sur sa poitrine. La volonté de William avait vacillé. Il n'avait pas eu la force de la convaincre de la stupidité des pièces que donnait le club de théâtre. Et avait renoncé à lui rappeler qu'elle n'avait eu les honneurs du *Mail* que parce qu'elle s'était évanouie sur scène. Comme l'escalier devenait plus étroit au premier étage, il l'avait laissée passer devant lui. Ses reins qui chaloupaient de marche en marche, l'imperceptible chuchotis du tissu contre sa peau, le halo de lune de sa chevelure pâle l'hypnotisaient. À cet instant précis, Ethel lui aurait demandé de plonger dans les eaux épaisses infestées de crocodiles du Klang qu'il se serait exécuté, reconnaissant d'un tel privilège.

— Le bon Dieu fait bien les choses, parfois. Si elle n'est jamais revenue, c'est qu'elle ne vous était pas destinée.

Angelina a bruyamment repoussé le tabouret et s'apprête à partir. William observe son visage plat, étonné de la sagesse de ses mots. La simplicité de cette femme dont il ne saurait même pas se remémorer les traits éveille en lui une culpabilité ancienne. Avant qu'elle ne ferme la porte derrière elle, il lui souhaite une bonne route car elle doit marcher près de dix kilomètres pour atteindre sa maison dans les hauteurs.

Elle n'a pas eu de réponse à ses questions, mais depuis qu'elle travaille pour lui, c'est la première fois qu'il s'inquiète de sa fatigue. Alors Angelina sourit et avance d'un bon pas, ragaillardie.

7

Whitechapel, Connecticut
Septembre 1954

Une pluie tiède et molle est tombée sur Whitechapel. L'eau a raviné le chemin et s'est infiltrée dans la cave, un ruisseau noir qui, en se retirant, a tapissé le sol de gravats.

— Tu as fouillé dans les affaires de Pa !

Vivian, assise sur les marches de l'escalier, observe sa sœur dans le sous-sol. Celle-ci ne la voit pas, ou prétend ne pas la voir car elle aussi connaît les cachettes de l'escalier.

— Tu n'avais pas le droit !

Dorothy écoute les grincements des marches. Chaque fois que Vivian bouge à l'étage, un nuage de poussière s'échappe du plafond. Elle lève la tête. Ses lèvres fines tremblent.

— Descends !

Elle ne peut rien articuler d'autre. Rien que : « Descends ! »

Pétrifiée, elle écoute le fracas des pas au-dessus de sa tête, la porte qui claque. Elle voudrait ne pas avoir rangé le bureau de Pa. Méticuleusement, tiroir après tiroir. Elle a d'abord retrouvé des dossiers de créanciers mécontents, puis des factures retenues par une épingle, et même une photo de Bobby avec son fusil de bois, tous les trois assis sur les marches de la véranda au Canada, marquée 1920 au dos. Ensuite, elle a vidé la corbeille à papier.

— Descends, Vivian, descends vite !

Dorothy ne veut pas être la seule à savoir. Livide, elle se laisse glisser contre le mur. Le crépi lui laboure les reins. Vivian a surgi dans l'encadrement de la porte. Elle la fixe durement, comme pour lui arracher un aveu.

— Pourquoi as-tu fouillé dans ses affaires ? Mom est vivante, que je sache ! Ne pouvais-tu te contenter d'aérer et de faire le...

Vivian voit le visage de Dorothy. Jamais elle n'a lu cette expression dans ses yeux. Dorothy, profondément sérieuse, s'est relevée. Sans un mot, elle sort de la poche de sa robe un morceau de papier froissé qu'elle tend à Vivian avant de se laisser tomber de nouveau sur ses talons.

« La mort, prix de l'honneur d'une femme. »

Vivian va se placer sous le plafonnier et lit, silencieuse.

« Kuala Lumpur, 20 juin 1911. La femme qui, à moins d'une grâce exceptionnelle, trouvera la mort sur l'échafaud est Mrs Ethel Mabel Proudlock, épouse de William Proudlock, directeur en l'absence de l'Institut Victoria à Kuala Lumpur. Dans la nuit du 23 avril dernier, elle a tué de six balles Bill Crozier Steward, ingénieur à la mine de Salak. Elle a plaidé la légitime défense. »

Une drôle d'expression brouille les yeux pleins de colère de Vivian. Elle ouvre la bouche et pose ses doigts en croix sur sa gorge. Dorothy la regarde se voûter. L'arbre déraciné. Vivian s'affaisse, avalée de l'intérieur. Privée soudain de sa joie de vivre. Mais la faiblesse ne dure jamais longtemps chez Vivian. La colère, l'incompréhension reprennent le dessus.

— Mom, une meurtrière ? Non, je n'y crois pas. C'est impossible. Tu y crois, toi ?

Vivian se balance d'avant en arrière. Elle a placé ses mains sur les oreilles pour ne pas écouter la réponse de Dotty qui, d'ailleurs, reste muette. Vivian boude. Enfant, quand elle recevait un mauvais bulletin de l'école, elle pouvait ne pas prononcer un mot pendant une journée entière, ne desserrant les lèvres que pour déclarer à son ours un tragique et sentencieux : « Personne ne m'aime. »

— Et pourquoi pas ? Elle a bien quitté mon père pour Pa.

Vivian croise le regard bleu lumineux de Dotty.

— Et qu'en déduis-tu ?

Au fond, elle sait très bien ce que sa sœur veut dire. Si Mom a eu Pa pour amant, pourquoi n'en aurait-elle pas eu d'autres ?

— Qui était cet homme, ce Bill Steward ? Tu te souviens de lui ?

— Non, sans doute un ami d'oncle Will. L'article est daté du 20 juin 1911. J'avais trois ans et demi. Je ne me souviens de rien.

Dorothy cherche dans sa mémoire mais ne parvient pas à se souvenir de ce Mr Steward.

Quand elle se concentre, elle voit le visage triste de l'*amah*, ses lèvres épaisses qui lui chuchotent qu'elle a de jolis pieds, des boutons de lotus de princesse, pas des pieds de paysanne comme elle. Elle soulevait alors sa longue tunique et le bas de son pantalon, puis écartait les orteils en éventail pour la faire rire. Elle n'a pas non plus oublié le *jaga* parce qu'il lui faisait un peu peur avec ses cheveux frisés et ses yeux fixes. « Un bon *jaga* doit se battre à mort pour son maître, disait Mom. Il doit pouvoir d'un coup de poing ou d'un lancer de jambe mettre en fuite un rôdeur, tuer un tigre ou assommer un crocodile. »

La tempête est passée. Vivian s'est assise à côté d'elle, contre le mur. Elle fait glisser son doigt dans le dos de Dorothy. En trois points, le tissu déchiré laisse voir sa peau fine et des taches roses s'étalent sur le vichy délavé.

— Tu as arraché ta robe contre le mur. Tu saignes.

Dorothy regrette d'avoir pu penser que Mom était coupable.

— Mom ne peut pas être une meurtrière. C'est impossible. C'était une erreur.

— Au Canada, elle avait gagné des concours de tir… Ils allaient tirer avec Josh et Mary, et Mom était l'une des meilleures !

— Ce n'était pas un meurtre mais de la légitime défense !

— Six coups de revolver ? On ne tire pas six fois pour se défendre.

— Et pourquoi pas ? Pauvre Mom, elle a dû être terrifiée et…

— Puisque Mom est vivante, avec nous, c'est que la police a arrêté le vrai coupable. Sinon, on ne l'aurait pas laissée quitter la Malaisie.

— Ou bien elle s'est enfuie.

— Avec une fillette ? Nous n'étions pas des passagers clandestins sur le bateau. Oncle Will nous a accompagnées jusqu'à la passerelle d'embarquement. Et Pa nous attendait à Londres. Avec l'ours.

— Alors elle a été graciée.

Ton péremptoire. Fin de la discussion.

Vivian sait. Un point c'est tout.

Dorothy déteste cette assurance. Elle s'en sent diminuée. Pourtant, en se raisonnant, elle admet que Vivian a raison. À l'époque, exécuter une Anglaise était impensable. Elle contemple l'article, les coudes sur la table, le menton entre les mains, comme si, en le relisant une fois de plus mot par mot, ligne par ligne, elle pouvait découvrir d'autres indices, des explications. « Dans la nuit du 23 avril dernier, elle a tué de six balles Bill Crozier Steward, ingénieur à la mine de Salak. » Elle songe que la victime s'appelait William. Comme Dad. Et elle rougit car jamais, même en pensée, elle n'a appelé oncle Will « Dad ».

Dorothy n'a pas dormi de la nuit et a lu et relu l'article cent fois, jusqu'à le connaître par cœur. Elle écoute le lieutenant Hiller, en bas, expliquer à Vivian l'état des recherches pour l'accident de Pa. L'enquête n'a pas avancé et ne progressera plus. Méticuleux, le lieutenant Hiller reprend chaque point avec Vivian. Les mégots de cigarette retrouvés, les traces de pneus. Il redoute sa colère car elle s'emporte aisément.

— L'affaire va être classée.

Vivian ne réagit pas. À peine un hochement de tête et un « oui » grommelé en fixant obstinément sa tasse de café.

— Il faudra donc signer, conclut-il, manifestement soulagé.

Il s'était préparé à affronter la ténacité de la plus jeune des deux filles Proudlock. Chez la plupart des gens qui perdent l'un des leurs, la douleur, attisée par l'impuissance, se métamorphose en rage. Le lieutenant a l'habitude d'annoncer l'arrêt des recherches. Il prépare toujours plusieurs phrases de réconfort qu'il adapte en fonction des personnalités. Mais là, malgré toute son expérience, il ne comprend pas ce qui, en si peu de temps, a provoqué un tel changement d'attitude chez la jeune femme. Les trois femmes ont signé. L'une après l'autre. Pour lui, c'est tout ce qui compte.

Mom, que la visite du lieutenant Hiller a irritée, a décidé de sortir. Curieuse lubie par ce temps gris et mouillé. Elle a souffert de la chaleur dans sa jeunesse, et aujourd'hui la vue des parapluies sur les pavés glissants l'enchante. Alors, pour faire passer cette mauvaise humeur que la pluie ne semble pas calmer, elle a allumé la radio et écoute Eddie Fisher. *I'm Walking Behind You*. La voix est sucrée, pas assez grave, et la mélodie plutôt jolie. Mom chantonne, se retourne avec coquetterie. Elle porte des escarpins ravissants et un manteau en tartan. Cameron of Erracht bleu, vert, rouge, avec juste un filet de jaune, l'élégance parfaite, celui de Jacqueline Bouvier Kennedy.

— Mom, tu vas avoir trop chaud. De la flanelle en cette saison ! Il pleut encore... Attends un peu avant de sortir.

Regard chargé de reproches. Mom déteste la contradiction. Avec douceur, Dorothy s'approche de sa mère et, gentiment, la pousse vers le salon. Elle n'aime pas admettre que Mom perd parfois la tête. Le départ de Pa a accéléré ces moments où elle ne semble plus faire la différence entre ses propres pensées et la réalité. Dorothy se réjouit égoïstement d'avoir déménagé à Hartford. Vivian, pense-t-elle, paie ses grandes théories sur l'indépendance des femmes par une solitude immense. Sans ours pour recueillir ses chagrins et sans Pa pour faire vivre ses rêves, elle n'est plus qu'une petite fille désemparée et coléreuse.

Sous le regard narquois de sa sœur, Dorothy pend le « manteau de Jacqueline Bouvier Kennedy » dans l'armoire de l'entrée. Vivian n'a aucune indulgence pour les égarements de Mom. Cette dernière est persuadée d'avoir rencontré Jacqueline Bouvier Kennedy à Hyannisport. « Une amie ! Elle m'a prêté son manteau, je le lui rendrai après l'automne. » Puis soudain elle se souvient, saisit un *Ladies' Home Journal* et l'ouvre, triomphale. « Regarde cette photo ! Le même manteau ! La couturière l'a fort bien coupé. Très ressemblant, n'est-ce pas ? » Les acteurs, les politiciens entrent ainsi tout à coup dans sa vie, lui tiennent compagnie et repartent sans crier gare. Elle a ses habitués, fidèles invités, de « vieux compagnons » de la mélancolie ou de l'impuissance avec qui elle entretient une longue conversation. Les souvenirs de ces soirées sont parfois si précis que, épuisée par ce roulis permanent que Mom imprime à la réalité, Dorothy a renoncé à distinguer la vérité des délires de la vieille femme. Le plus fidèle de ces fantômes est Somerset Maugham, l'écrivain. Sans doute parce qu'il a voyagé dans ces contrées d'Asie où elle a vécu. En Insulinde, en Malaisie. Mom sait tout de lui et lui écrit régulièrement. Dorothy a lu certaines lettres. Le début, tout du moins. Toujours le même. « Cher Monsieur Maugham, vous avez tort. » Ou bien : « Cher Monsieur Maugham, vous n'avez rien compris. » Non que Dorothy soit indiscrète, mais pendant des années elle a déchiffré à la manière d'un long puzzle les morceaux de lettres accrochés au clou rouillé des toilettes. Pa, qui était économe, conservait soigneusement le papier usagé. Tout le papier usagé. Les vieux journaux, les étiquettes de soupe Campbell's, les sachets vides de préparations culinaires Betty Crocker, et les feuilles raturées de Mom.

Ethel est fatiguée. Hier, elle a écouté la radio très tard. Fibber Mc Gee, puis la dernière enquête de Gangbusters. Mais, ne parvenant pas à trouver le sommeil, elle a marché dans la chambre, remué les chaises, claqué des portes, vérifié que le robinet de la salle de bains ne coulait pas et, une fois encore, conversé avec Mr Maugham.

— Je lui ai annoncé la mort de Pa. Au printemps, je lui rendrai visite sur la Riviera.

— La Riviera ?

— En France, voyons ! Il habite en France. Au bord de la mer. À Saint-Jean-Cap-Ferrat.

Dorothy connaît la suite. Elle l'a écoutée mille fois. La villa mauresque et les dîners d'écrivains. Elle lui caresse le front, les mains qu'elle a toujours glacées. Elle sent la peau froide tendue autour des articulations déformées. Pour l'aider à tourner les boutons de verre des portes, Pa lui a fabriqué une pince de bois dont elle ne se sépare jamais.

Ethel somnole enfin. Elle sait très bien somnoler. Toutes les dix minutes, sa tête roule sur le côté, comme une courge au bout de sa tige. C'est sa manière à elle de s'isoler. Le sommeil la protège du monde. Il la protège du soleil trop chaud. De la dévotion de Dorothy, de l'agitation de Vivian. Des mines embarrassées des voisins. De la bonhomie chafouine du lieutenant Hiller et du regard vicieux du Dr Stubbs, qui lorgne les rondeurs de Vivian avant de l'ausculter. Il croit Ethel sénile et lui donne des cachets qu'elle coince derrière sa dent surnuméraire et qu'elle cache ensuite dans le pied de la lampe de chevet. Sous le rond de feutrine verte que Jasper a collé pour que le cuivre ne raie pas la table de nuit.

Ethel ferme les yeux. À l'intérieur, elle fond en larmes. Elle n'est que peur. Une angoisse terrible qui broie sa volonté et couvre son dos d'une transpiration glacée. Elle porte les mains à la base de son cou et tremble. Parfois, elle s'enferme dans la salle de bains et se laisse glisser le long du carrelage. Elle reste là pendant des heures, immobile, les genoux repliés contre la poitrine. La salle de bains, avec sa fenêtre basse juste sous le plafond, est de la taille exacte de sa cellule, à Pudu. Sauf qu'ici, se dit-elle, elle pourrait grimper sur le rebord de la baignoire et, en équilibre, regarder les nuages traverser le ciel. Mais qu'aurait-elle vu à Pudu ? Les deux bâtiments en angle autour de la cour inondée de soleil ? Les pauvresses agglutinées dans l'ombre du mur ? Les massifs de cannas flamboyants et les fritillaires devant la maison de l'administrateur ?

Le lendemain du jugement on a frappé à sa porte. L'homme qui lui rend visite dans sa cellule est indien, un Tamil. Ethel, prostrée sur le lit – un bloc de bois à la chinoise haut et étroit sur lequel, faveur négociée par son avocat, on lui a permis d'étendre un drap de coton au lieu de la natte de paille des autres détenues –, lève les yeux mais, trop faible, repose sa tête sur ses genoux. La chaleur est insupportable. À travers ses cils elle regarde les ongles noirs des pieds de l'homme, larges et sombres, qui s'étalent dans des sandales indigènes.

Ethel n'arrive pas à surmonter l'effroi qui lui glace le cœur. Elle sait qu'il est venu la peser car, lui a-t-il expliqué lors d'une précédente visite, sa fonction exige de lui une grande précision.

— Des calculs bâclés peuvent entraîner une grande souffrance, Mem. Mais ne vous inquiétez pas, la veille du jour je passerai une fois de plus m'assurer que vous n'avez pas maigri.

La veille du jour...

La veille du jour, lui a-t-on dit, elle pourra se laver. Un bain d'eau tiède, avec du savon et une coque de noix de coco pour se frotter. Un privilège dont elle a bénéficié une seule fois, le matin même du procès. On lui a rendu ses vêtements fraîchement lavés et repassés, une pochette contenant un miroir, un peigne, de la poudre à dents, du savon au goudron Wright's pour combattre le *kurap*[1] qui a envahi la paume de ses mains et le bas de son dos, et de la crème cicatrisante Pond à l'hamamélis.

La veille du jour...

Ethel serre ses genoux à les broyer. Ses doigts grattent les croûtes qui se sont formées sur ses mollets couverts de boutons de moustiques. Le jour de son arrivée, une Malaise grasse et molle lui a retiré ses bas. « Simple précaution de sécurité. Par désespoir, certaines prisonnières tentent de mettre fin à leur vie. » Elle lui a aussi pris son corset et les lacets de ses souliers. Mais de toute façon ses pieds gonflés ne rentrent plus dans ses chaussures, qui lui servent d'oreiller pour caler sa tête. Afin de ne plus être dévorée

1. Sorte de gale ou, à l'époque, toute autre maladie de peau provoquant eczéma et démangeaisons.

par les moustiques et les poux de cochon, il lui faudrait une moustiquaire et de l'alcool pour s'asperger le corps. Les baguettes d'encens noir que le garde malais, armé de bonnes intentions, fait brûler sur le rebord de la fenêtre ne sont bonnes qu'à enfumer les lépismes mais n'ont aucun effet sur la prolifération des autres bestioles. Demain, Ethel donnera donc sa liste à l'avocat :

— une moustiquaire ;

— un litre d'alcool (de préférence du whisky, plus efficace) ;

— douze feuilles de papier de bonne qualité ;

— de l'encre, un stylo à plume (Caw's) et un buvard (à défaut, un crayon solide et une gomme).

Elle ne regarde même pas le thé que l'homme a apporté. Il a joliment disposé sur un plateau de bois peint de fleurs bleues une théière de porcelaine torsadée, ornée de mésanges et de rameaux enneigés, avec, sur une soucoupe assortie, deux scones, de la confiture d'oranges et un petit couteau à beurre. Ses yeux noirs de blaireau guettent un signe de satisfaction sur le visage d'Ethel.

— Je n'ai pas trouvé de lait concentré. Mon cousin est maître d'hôtel au restaurant du Cricket Club, il peut vous obtenir ce que vous voulez.

Il ajoute, comme pour la rassurer :

— On parle beaucoup de vous en ville.

Il s'affaire autour de la théière et lui tend une tasse de thé fumant. Ethel imagine le liquide se renversant et ses doigts noirs boudinés se recroquevillant comme des limaces ébouillantées. Elle sourit involontairement.

L'homme, soudain encouragé, poursuit d'une voix feutrée amicale :

— J'ai entendu dire que vous parliez tamil. Mais ne viviez-vous pas à Colombo ? Une ou deux cuillerées de marmelade ? C'est un grand honneur pour moi de travailler pour vous.

Ethel veut dormir, dormir profondément. Oublier que ce petit Indien gras et policé lui demandera dans dix jours de relever ses cheveux en chignon et qu'il passera le nœud coulant autour de son cou avant d'actionner la trappe qui s'ouvrira sous ses pieds. Oublier le procès, les articles de journaux, le scandale.

Il insiste et sort de la poche de son pantalon un carnet couvert de papier bleu.

— Là, lui explique-t-il avec le sérieux d'un professeur, je note en abscisse le poids, et ici, en ordonnée, la longueur de la corde. Je ne suis pas toujours d'accord avec la table des chutes que m'a fournie l'administration.

Les pages du carnet sont couvertes d'une écriture serrée, parfaitement régulière et légèrement penchée. Scolaire, pense Ethel.

— Vous vous situez là !

La limace ornée d'une bague à cabochon violet s'étale devant une croix avec, entre parenthèses, deux chiffres : 54 et 3.

— D'après mes calculs, un poids de cinquante-quatre kilos et trois mètres de longueur de corde, je peux optimiser la chute. 0,667 seconde ! En moins d'une seconde, la corde va se tendre et provoquer la rupture du cou. Vous ne sentirez rien !

Ethel tremble de tous ses membres. L'odeur douceâtre du thé et des bâtons fumigènes lui fait tourner la tête. La bouche ouverte, elle avale une grande goulée d'air. Elle ne pleure pas, elle gémit, s'accroche aux parois de ce puits qui se vrille autour d'elle et dans lequel elle tombe sans fin.

8

Prison fédérale de Pudu
Kuala Lumpur, juin 1911

Ethel avait desserré le col montant de sa blouse. Un bouton de nacre s'était arraché et avait roulé sur le sol. Ethel l'avait regardé rebondir puis s'immobiliser avant de l'écraser sous son talon. Avec une feuille, elle avait ramassé la poussière brillante, soufflé et souri. Elle avait ensuite tiré devant la paillasse la petite table que l'administration pénitentiaire lui avait fournie, privilège dû à son statut exceptionnel. Depuis l'ouverture de la prison, Ethel était la première Anglaise incarcérée entre ces murs. La flaque de lumière chaude qui renvoyait l'ombre de sa main sur la feuille la gênant, elle s'était assise sur le sol, dos au mur, et avait tenté avec les jambes de pousser le cadre du lit pour s'orienter face à la fenêtre. Le bruit avait attiré l'attention du garde. Le clapet de bois de la porte avait laissé apparaître un œil, puis deux, puis ses lèvres. Le garde l'avait menacée de lui enlever la table si elle persistait à vouloir déménager la cellule, elle avait donc renoncé, de peur qu'on ne lui retirât purement et simplement son matériel d'écriture. D'une voix soumise, elle avait formulé quelques mots d'excuse en malais. Maintenant, assise de biais sur le drap roulé en boule, elle ne disait plus rien et fixait les quelques feuilles qui lui restaient.

Le 23 juin 1911, Kuala Lumpur
Prison de Pudu, cellule 4

À Sa Majesté,
Sa Majesté H.H. Alaa'idin Suleiman Bin Almerhum Raja Musa, C.M.G., sultan de Selangor,

Cette feuille que vous tenez en cet instant entre vos mains, Majesté, n'est pas une lettre. C'est un cri. Le hurlement d'une femme désespérée qui n'a plus aujourd'hui d'autre recours que votre bonté pour échapper à un cruel et involontaire destin.

Une femme au cœur brisé, seule devant un mur nu, humble, meurtrie et apeurée, qui ne peut se résoudre à quitter les êtres qu'elle aime, sa fille, son étoile et sa vie, et son époux, votre dévoué serviteur, tout acquis au développement et au bien-être de vos terres et de votre peuple.

Une femme qui, sans être innocente, car je reconnais avoir commis l'impensable, n'a fait que défendre son honneur face à un homme sans morale, rendu fou par l'alcool et le stupre.

Croyez-moi, l'affaire qui en ce jour me vaut cette condamnation aussi monstrueuse qu'inique torture mon âme car, au fond, l'acte innommable que j'ai commis n'a pas d'excuse, si ce n'est le désespoir et la peur de l'outrage.

En cet instant, ce n'est pas au souverain respecté de l'État de Selangor que je m'adresse, mais à l'homme. À l'époux et au père, que j'implore de prendre connaissance des circonstances exactes du drame dont je suis l'involontaire victime.

Le 23 avril dernier, comme tous les dimanches soir, j'ai assisté à l'office à l'église St Mary. Une paroisse chaleureuse et bienveillante que je considère comme ma seconde famille à Kuala Lumpur. Je suis restée après la fin de la messe pour aider à ranger les bancs et les missels. Je suis ensuite rentrée, le cœur léger, impatiente de retrouver ma fille Dorothy, quelque peu souffrante et que j'avais laissée en compagnie de notre amah *chinoise. Quand je suis arrivée à la maison, elle dormait déjà, paisiblement lovée sous la moustiquaire. Après l'avoir embrassée, je suis allée me rafraîchir et me changer à la suite de cette longue marche dans la chaleur du soir.*

Il s'est mis à pleuvoir vers sept heures, j'ai demandé au gardien de vérifier que les portes du court de tennis étaient correctement fermées et que nous n'avions pas laissé de raquettes dehors. Je me suis alors installée à mon bureau, dans la véranda, pour faire mon courrier en attendant le retour de mon époux. J'aime ce moment de la soirée, lorsque le ciel sombre sur les lumières de la ville, emprisonnant dans la touffeur des nuées d'oiseaux affolés qui ne se taisent qu'une fois en sécurité sur les arbres. Ils attendent la pluie, cet instant magique où l'eau se déverse en rideau continu. L'orage grondait. Plusieurs éclairs ont traversé le ciel et éclairé les toits de la ville. Je me suis réjouie d'avoir échappé à ce déluge en rentrant de l'église. Dans cet assourdissant vacarme, je n'ai pas entendu le rickshaw de Mr Steward arriver. Ce sont ses pas qui m'ont surprise alors que, penchée sur le papier, j'écrivais à ma sœur à Ceylan. Ma main, en sursautant, a fait glisser ma plume. Mr Steward s'est moqué de ma peur en voyant les deux énormes pâtés d'encre sur la feuille, et je dois avouer avoir ri de bon cœur. Confuse mais amusée, je suis allée laver mes doigts tachés et lui ai proposé de boire un verre en attendant mon époux qui dînait chez les Ambler, à Brickfield Road. Il a accepté, de toute évidence soulagé de ne pas avoir à affronter les trombes d'eau qui s'abattaient sur la ville.

Je connais bien Bill Steward. C'est un ami de mon mari qui l'a aidé dans ses recherches de travail après la fermeture de la mine de Salak. Il m'a aussi applaudie plusieurs fois lors des représentations du club de théâtre à l'hôtel de ville. Un homme droit et bon, me semblait-il, d'un abord un peu rude et sans grande conversation, comme le sont souvent les planteurs et les ingénieurs, mais tout à fait civil et plutôt courtois. Du moins est-ce ce que je croyais jusqu'à cette soirée funeste. C'est pourquoi je ne me suis pas alarmée quand il m'a félicitée sur ma beauté. Il semblait fatigué. Nous avons donc conversé. De la pluie battante, des risques d'inondation, de la chute de la pro-

duction des minerais et de la fermeture des mines. Je ne sais plus bien comment nous en sommes venus à parler de religion. Il m'a confié qu'il ne fréquentait guère les églises et n'avait qu'une confiance très limitée dans les hommes de Dieu. « Vous êtes irréligieux ? Comme mon époux ! » me suis-je exclamée. J'ai alors eu l'idée de lui montrer ce livre dont justement Mr Proudlock, mon mari, m'entretenait régulièrement. Apologie d'un agnostique, *écrit par un certain Stephen.*

Mr Steward m'a sans doute suivie au salon car, alors que je me retournais le livre à la main, pris de folie, il a tenté de m'embrasser. Je l'ai repoussé. « Que faites-vous ? me suis-je écriée. Êtes-vous devenu fou ? » À la vue de la lueur malsaine qui brillait dans ses yeux, j'ai tout à coup pris la mesure du danger. Tout est allé très vite. Sa main s'est refermée sur mon poignet et il m'a plaquée contre le mur. À l'heure où je vous écris, je sens encore son étau sur ma peau, ses lèvres s'approchant de mon visage. Je me suis débattue, je l'ai griffé, mordu, tentant vainement de le repousser, mais j'ai perdu l'équilibre. Déjà, sa main remontait ma jupe. C'est alors que, sous mes doigts, j'ai reconnu la crosse froide du revolver que j'avais offert à mon époux pour son anniversaire. J'ai crié, mais aucun son n'a passé la barrière de mes lèvres. J'ai pensé à ma fille, ma pauvre enfant endormie. Mes doigts ont saisi le revolver. Tout s'est brouillé, les pales qui tournaient au plafond, son haleine, deux détonations, puis le silence. Il a titubé et a tourné vers moi un visage étonné, les mains crispées contre le ventre.

*Ensuite, je ne sais plus. Je ne sais plus rien si ce n'est que, soudain, je me suis vue comme dans un mauvais rêve sur les marches, couverte de sang, la jupe en lambeaux. Des visages hagards m'observaient. Le gardien, l'*amah *et le tireur de rickshaw ont accouru au bruit. À mes pieds, dans l'allée, gisait le corps d'un homme, face au sol. Je hurlais comme une louve, tremblais de tous mes membres. Je me souviens encore que des bras m'ont enveloppée dans une couverture et m'ont portée au salon. Plus tard, les enquêteurs m'ont dit que j'avais tiré six balles. Deux à la poitrine, une au ventre, et trois à bout portant dans la nuque alors que Mr Steward était déjà tombé à terre. Les marches de la véranda portaient les marques des balles qui avaient traversé le bois sous l'impact.*

Majesté, voici en termes clairs et dans la plus grande précision le récit de cette abominable soirée. Comment survivre à un tel affront ? Jamais je n'oublierai ce cauchemar. C'est une femme qui a défendu son honneur qu'aujourd'hui la cour a condamnée à mort par pendaison. En menant à terme cette exécution, vous briserez le cœur de parents aimants, d'un mari dévoué mais surtout d'une enfant innocente qui grandira sans la présence de sa mère.

J'ai confiance en votre jugement et votre cœur et je respecterai votre décision. J'ai en effet demandé à mon conseil, maître Courtenay Dickinson, de ne pas faire appel du verdict de la Haute Cour de justice de Selangor, car je sais au fond de moi que vous saurez prendre la décision qui s'impose.

Votre dévouée et respectueuse,

Ethel Mabel Proudlock

* * *

Le 24 juin 1911, Kuala Lumpur
Prison de Pudu, cellule 4

Mon cher époux,

Cinq jours ont passé depuis notre dernière rencontre. Peu, me diras-tu ? C'est ce que j'aurais pensé autrefois, avant cette terrible épreuve. Le temps ici ne m'appartient pas. La justice l'a mis entre les mains de gardes incultes qui décident pour moi de l'heure de mes repas, de mes promenades et de mes loisirs. Un bien grand mot. Le bâtiment possède une salle commune de la taille de notre salon, où s'entassent neuf autres détenues et moi-même. Mais uniquement quand les gardes en ont ainsi décidé. Je les soupçonne parfois de ne m'y conduire que pour profiter des boissons fraîches que mon avocat me fait porter. Ce dernier m'assure avoir fait déposer plusieurs bouteilles de limonade, mais on ne m'a donné qu'un verre, rempli à moitié. Nous avons droit pour toute récréation à un jeu de dames auquel il manque trois palets. L'administration est si butée qu'on nous refuse de les remplacer par des pierres de la cour. Nous jouons donc avec vingt et une pièces seulement. J'ai remarqué que les Chinoises étaient de nature plus vive et plus logique que les indolentes Malaises. Mais c'est bien là le seul contact que j'aie avec les indigènes.

Les gardes nous observent d'une petite pièce derrière une vitre et exigent le plus grand silence, même si les conversations ordinaires sont théoriquement autorisées par le règlement. Ils ne veulent pas de problèmes car les femmes entre elles, disent-ils, sont de véritables tigresses. Le moindre désaccord se transforme très vite en bataille rangée. Il y a quinze jours, une Chinoise a échappé de peu à la mort. Pour une simple banane tombée par terre et meurtrie, une détenue s'est jetée à sa gorge et y a planté ses ongles taillés en biseau. Le sang coulait mais personne n'a bougé, et les gardes ne sont intervenus que lorsque je me suis levée pour porter secours à la malheureuse. Maintenant, j'ai peur et j'évite les pièces communes. Depuis le procès, mes horaires de promenade sont décalés, si bien que je passe parfois plusieurs jours sans rencontrer d'être humain. Hormis les gardiens qui me portent mes repas et m'accompagnent aux commodités. L'humiliation est telle, figure-toi, que je dois appeler le garde quand je souhaite me soulager ! Il fait alors signe à son tour à une femme qui m'escorte jusqu'aux latrines – un simple seau au milieu d'une pièce puante – et reste là, le dos tourné, les poings sur les hanches, jusqu'à ce que je me sois exécutée. Je ne sais combien de temps je supporterai ce traitement. Mes forces s'amenui-

sent chaque jour davantage. Hier, j'ai écrit au sultan de Selangor pour lui demander ma grâce car, tu le sais déjà, sans doute, je ne ferai pas appel de la décision du tribunal. Si l'on veut ma mort, soit ! Les jurés et les juges porteront toute leur vie le poids de la culpabilité d'avoir envoyé à la potence une femme qui n'a fait que protéger sa vertu.

J'ai appris par mon avocat que ces dames de la communauté anglaise des Établissements des Détroits et de la Fédération des États malais faisaient passer une pétition qui sera présentée au sultan, mais aussi à notre souverain, le roi George V. Que le ciel fasse que tu aies raison, et qu'au lendemain de son couronnement il intervienne avec clémence en ma faveur. Remercie Mrs Wicherley et Cummings pour leur infatigable fidélité et redoutable détermination. Tout comme Mrs Teng, qui, je crois, s'est chargée de contacter la communauté chinoise. Mon Dieu, il n'est que les femmes qui puissent comprendre l'horreur que j'ai vécue !

Sois gentil de rassurer ma mère quant à mon bien-être, qu'elle ne s'inquiète pas pour sa pauvre fille. Remercie-la pour ses prières, car je sais qu'elle ne m'oublie pas.

Pardonne-moi de ne pas poursuivre, je n'ai que peu de feuilles à ma disposition et je dois me montrer économe.

Peux-tu me faire parvenir :

— mon chapeau beige en paille avec le petit voile (pour me protéger du soleil dans la cour) ;

— mon poudrier ;

— 1 boîte de lait condensé sucré ;

— 1 oreiller et une taie ;
— 1 boîte de gâteaux secs.

Je t'envoie, mon cher époux, mes plus affectueuses et tristes pensées.
Ta dévouée,

Ethel

(Œt, écrit en tout petit le long de la feuille, verticalement, à droite :)

Embrasse notre fille pour moi.

* * *

(Adressée à Mrs Lisbeth Wicherley
8 Bunker Road ; à l'angle de Jalan Jaya)

Le 24 juin 1911, Kuala Lumpur
Prison de Pudu, cellule 4

Ma chère Lizzie,

Il faut parfois se retrouver dans l'adversité pour reconnaître les amitiés sincères. J'ai appris le mal que tu t'étais donné pour réunir des signatures afin d'amener à la raison les autorités. Je ne sais comment te remercier. Sans l'espoir ténu d'une libération, je crois que je sombrerais. Je suis brisée. La vie ici est indigne d'une femme de qualité, même s'il est vrai que j'ai droit à un traitement de faveur : une cellule pour moi toute seule, des draps, du papier et une table. William et mon avocat font de leur mieux pour rendre mon quotidien plus supportable, mais leurs efforts sont dérisoires. Je crois qu'ils ne peuvent seulement imaginer une journée entre ces murs ! Et pourtant, te souviens-tu des articles dans le Mail *? Cette prison a été inaugurée récemment. Je n'ose imaginer l'état des autres centres de détention ! Les prisonniers vivent-ils dans des cages à lapins ? Ma cellule – peut-on seulement appeler cela une cellule ? – est en fait un simple réduit, plus petit que le placard de l'arrière-cuisine à Bluff Road, sans lumière et sans air. La fenêtre est si petite que je ne saurais dire quand le soleil se lève. Seul le bruit du clapet de la porte me réveille. Le garde, un indigène parmi les plus primaires – je crois qu'il est malais, à moins qu'il ne vienne de Sumatra –, relève toutes les heures le cache de bois et m'observe à travers un grillage. Mon intimité est sans cesse malmenée. Imagine un peu : sur ma demande, il a été remplacé par une femme, mais elle ne reste que quelques heures dans la journée et son regard vicieux et haineux m'est plus difficile encore à supporter. Les femmes, me semble-t-il, sont plus cruelles encore que les hommes. Je crois qu'elle prend du plaisir à mon désarroi. Les indigènes engrangent une haine qu'un jour l'Empire devra affronter. William ne partage pas cet avis et nous avons eu quelques discussions mouvementées à ce propos. Il me juge sotte et incapable d'avoir la moindre opinion sur un sujet sérieux. Mais ce n'est pas le moment de parler politique, ma Lizzie.*

Parle-moi de toi. Du théâtre, des répétitions. Où en êtes-vous ? Rapporte-moi aussi, s'il te plaît, ce que disent les journaux. William s'y refuse car il estime que cela va me saper le moral. Mais que reste-t-il à saper ? Je me le demande ! Ma santé se détériore de jour en jour, mon amie, et mes douleurs au ventre sont parfois si violentes, la nuit, que je ne peux me retenir de hurler. Rendez-vous a été pris avec le Dr Edlin, mais son témoignage m'a porté préjudice lors du procès et j'ai du mal à lui redonner ma confiance. Il a commenté en détail chacune de mes visites au cours de ces dernières années. Le secret médical n'a donc aucun poids face à la justice. Et quelle honte de voir étalés au grand jour, devant tous ces juges, mes problèmes les plus intimes ! Même mon père, qui assistait au procès, a dû écouter ces ignominies. C'est tout lui ! Il n'assiste pas au mariage de sa fille mais se complaît à la voir traînée dans la boue ! Pendant la lecture du rapport médical, j'ai gardé les yeux fixés sur la pointe de mes souliers. Le procureur m'a accusée de ne pas porter de sous-vêtements le soir du drame. La belle preuve ! Pouvais-je savoir, moi, que ce Mr Steward s'inviterait sans prévenir ? Tu le sais bien, toi qui es une femme, que nos sous-vêtements ne sont adaptés ni aux températures ni à l'humidité de ce pays ! Les hommes n'ont pas ce problème. Aurais-je pu deviner qu'un jour on dévoilerait mes petites manies en public ? Tu n'ignores pas que, depuis la naissance de Dorothy, je souffre de cycles irréguliers. Mes pertes sont parfois si abondantes que je n'ose sortir, de peur de me vider de mon sang.

Et quand mon corps enfin ne produit plus de sang, il sécrète des glaires purulentes et nauséabondes qui laissent penser à un abcès. Comment peut-on me soupçonner d'adultère dans de telles conditions ? Je dois me faire opérer, je le sais, mais je ne peux m'y résoudre. Mais je t'embête avec mes histoires... Raconte-moi plutôt la vie. La vie à Kuala. Es-tu enfin allée dîner au nouveau restaurant de l'Empire ? Comment est le chef ? Un Chinois remarquable, tu jugeras toi-même... J'y ai goûté un soir la plus succulente oie rôtie aux pommes de ma vie. Les desserts sont exquis. Essaie le blanc-manger aux biscuits de France. Tu sais, ces curieux bâtonnets roses qui laissent des moustaches de sucre sur les lèvres. Je crois que, pour le tiffin, *le prix comprend au moins neuf plats et entrées. Pardonne-moi tous ces détails, mais cela me donne l'illusion d'être libre !*

Ma Lizzie, envoie-moi de la vie et un peu de gaieté ! Merci encore pour ton aide si précieuse. J'ai de mon côté écrit au sultan afin de lui exposer ma version des faits et ainsi rétablir la vérité. J'ignore s'il sera sensible à ma douleur. Mais on le dit droit et impartial. Je ne peux imaginer qu'un homme ne s'offusque pas à l'idée qu'on ose porter la main sur sa femme. Je m'efforce d'avoir confiance et je prie chaque soir.

Reçois, mon amie, mes pensées les plus douces.

Ethel

9

Whitechapel, Connecticut
Septembre 1954

Seule dans son lit, Dorothy baisse la tête. Elle ne trouve pas le sommeil. Demain, elle demandera à Mom ce qui s'est passé le 23 avril 1911. Elle trouvera le courage de dire : « Mom, Vivian et moi sommes tombées sur un article découpé dans le *New York Times* à propos d'un fait-divers te concernant, en Malaisie. » Un fait-divers... Dit-on un fait-divers pour un crime ? Non, elle sera plus directe : « Mom, nous avons trouvé un article du *New York Times*. Nous voulons en savoir plus sur ce crime. » Trop brutal, trop frontal. Et puis comment l'accuser sans même être certaine qu'elle ait tué cet homme ? « Mom, dans les affaires de Pa, il y avait un extrait du *New York Times* de juillet 1911. Nous aimerions que tu nous expliques ce qui s'est passé. » Dorothy tire la couverture sur ses jambes. Oui, cette dernière formulation est simple, sans emphase ni accusation. Très correcte.

Vivian sait que Dorothy est allongée sur son

lit et attend le sommeil. Mais elle ne veut pas la rejoindre. Elle a ouvert la fenêtre du bureau de Pa et s'est assise sur l'escalier de secours en métal qui court dehors, le long de la façade. Elle regarde le vide sous les entrelacs de métal et prend soin de ne pas laisser tomber les photos qu'une à une elle extrait d'une vieille boîte à chapeau de John Littel.

« Jasper (12 ans) et William (10 ans), Brighton, 1890. » Pa et oncle Will en Angleterre. Deux gamins maigres, les pieds nus dans le sable.

« Ethel, Ceylan, 1904. » Mom à seize ans à sa table de travail. Un visage ovale, des traits réguliers, de grands yeux noirs tournés vers l'objectif, une tresse ornée d'un ruban bleu. Parce que les rubans ne peuvent être que bleus quand on a seize ans.

« Mrs Charter et Ethel, septembre 1905. » (Là, l'écriture est soignée, avec des hampes appuyées.) Mom avec un an de plus, l'air grave, assise dans un grand fauteuil de rotin avec une femme aux cheveux si pâles que, sur la photo, ils se confondent avec le ciel blanc.

« Ethel, William et Jasper, Institut Victoria, Kuala, avril 1907. » Mom, oncle Will et Pa, juste après le mariage dans les jardins de l'Institut Victoria, sous des cages à oiseaux. Mom, minuscule entre Pa et oncle Will, porte une robe sombre. Les deux hommes semblent joyeux. Pa tient dans sa main le chapeau de Mom, comme un bouquet de fleurs, tandis que Will regarde sa jeune épouse avec fierté. C'est la photo préférée de

Vivian. Elle a un jour demandé à Mom pourquoi elle avait enlevé son chapeau et sa voilette et ce qui provoquait leur hilarité, mais Mom s'est contentée de répondre qu'« un mariage se devait d'être joyeux, quelles qu'en soient les circonstances ». Aujourd'hui, Vivian remarque les deux grandes tables en angle derrière le petit groupe, Mrs Charter est assise en bout de l'une d'elles. Raide, le buste exagérément cambré et le menton haut. Mais peut-être n'est-ce qu'une impression, car les vêtements de l'époque conféraient une allure sévère.

Vivian fouille dans les photos et en trouve une de la fête donnée à l'Institut Victoria. Mom est seule, cette fois-ci, ravissante, légèrement déhanchée devant un palmier du voyageur, les bras en V comme une déesse indienne, en écho au mouvement des palmes. Au dos de la photo : « Pour Jasper, ma robe de mariée bleue, le 25 avril 1907. » Vivian déplie une autre photo, retenue par un trombone. Un groupe sur le parvis d'une église, sans doute St Mary, à Kuala Lumpur : Mom, oncle Will, Pa, un homme inconnu, Mrs Charter et une autre femme d'une trentaine d'années au nez de musaraigne. Mom porte la même robe.

Vivian, amusée, a reposé les photos dans le carton. Elle compte sur ses doigts. Neuf mois. Dorothy est née le 30 janvier 1908. Rien d'anormal. Mais alors pourquoi Mom portait-elle une robe bleue le jour de son mariage ?

— Dottie !

Vivian a la détestable habitude de hurler au lieu de se déplacer.

— Dottie !

Cette fois-ci, pourtant, elle ne crie pas et a prononcé le prénom de sa sœur du bout des lèvres. Mais Dorothy est aux aguets, et peut-être même attend-elle ce moment où Vivian l'appellera.

— Quand perdras-tu ces manières de garçon manqué ? Au lieu de brailler à tue-tête, tu n'as qu'à venir !

Dorothy a rétorqué sans conviction, car Vivian n'a fait que chuchoter, mais cet échange verbal prend ce soir des allures de rite. Elle ne s'attend pas à la question de Vivian qui, avec des allures de Sherlock Holmes, lui brandit les photos sous le nez. Mom en robe bleue. « Institut Victoria, le 25 avril 1907. »

— Elle te portait déjà, peut-être, et c'est pour cela qu'elle se serait mariée en bleu. Mais j'ai calculé : tu es née neuf mois plus tard, le 30 janvier 1908, donc cela ne tient pas debout. Pourquoi aurait-elle porté une robe bleue si elle n'était pas encore enceinte ? À l'époque, elle a dû affronter les regards, l'opprobre de la bonne société. C'était donc volontaire. Elle ne pouvait y échapper, son ventre devait se voir. Ou alors, c'était pour le plaisir de provoquer…

Dorothy referme le couvercle de la boîte à chapeau avec précaution. Une jolie boîte ronde doublée de satin ouatiné, avec une double paroi pour permettre de retenir la voilette et les plumes. Elle caresse le large ruban qu'il faut encore passer autour du couvercle puis sous la boîte, afin de former une croix.

Vivian s'obstine.

— D'ailleurs, regarde bien, Grand-Dad Charter n'est sur aucune photo, pas même à l'église. Réfléchis. Sa fille enceinte vêtue de bleu ! Il a dû en manger sa moustache de colère ! Je te dis, moi, que Mom a fauté avec oncle Will avant le mariage !

L'idée l'amuse.

— Mais alors, tu ne peux pas être née fin janvier !

Vivian revient, un petit calendrier à la main.

— Regarde, tu poses le curseur sur le jour de la conception, et de l'autre côté tu as la date de l'accouchement. Pratique, non ?

Dorothy dévisage sa sœur avec stupéfaction.

— Où as-tu trouvé cela ? La pharmacie n'en donne qu'aux femmes mariées.

Vivian rit.

— C'est le tien. Je l'ai trouvé dans tes affaires ! Mais reprenons : la taille d'une femme commence à s'épaissir vers deux ou trois mois. Donc, si l'on suppose que Mom était enceinte de trois mois à son mariage, tu as été conçue en janvier. Mais alors tu aurais dû naître plus tôt, fin octobre ou début novembre. Cela ne colle pas avec ta date de naissance. Compte sur tes doigts !

Devant l'air renfrogné de Dorothy – « La couleur de la robe, cela ne prouve rien ! » –, Vivian s'empresse d'ajouter :

— Mais tout est possible. J'ai même lu que la gestation des chevaux durait onze ou douze mois !

Dorothy ne supporte pas l'humour grossier de Vivian. Sentencieuse, elle désigne la photo de groupe.

— L'autre femme, sur le perron de l'église, c'est probablement Annie Charter, la sœur de Grand-Dad Charter, le père de Mom. Elle enseignait à Kuala Lumpur dans le même institut qu'oncle Will. Elle a chaperonné Mom quand elle est arrivée de Ceylan. L'homme, c'est Mr Mc Cormack, un professeur de l'Institut. C'est lui qui a conduit Mom à l'autel.

C'est au tour de Vivian de rouler des yeux surpris. Comment sait-elle tout cela ? La voix calme et posée de Dorothy la trouble. Un soir, à Buenos Aires, oncle Will lui a parlé de sa naissance. Ethel et lui étaient partis sans attendre après le mariage. Par le premier bateau. Une façon pour Ethel de montrer à son père, Mr Charter, qu'elle ne souhaitait même pas le rencontrer puisqu'il n'avait pas assisté à la cérémonie. La traversée avait été violente, une mer verte moirée de reflets noirs et des vagues hautes comme le pont qui s'abattaient dans un vacarme effrayant. Ethel avait été malade. La peur, le mal de mer et d'insupportables douleurs au ventre l'avaient laissée sans vie dans la cabine la plupart du temps. En Angleterre, le jeune couple s'était installé à Adelaide Square, à Bedford, une jolie maison sur deux étages, avec un jardinet planté de lupins et de bâtons de saint Jacques, que leur prêtait une sœur de William.

Mais si la maison était adaptée à leur jeunesse, la faiblesse et son ventre qui s'arrondissait ne lui avaient bientôt plus permis de descendre les étages. Ethel passait des journées entières allongée sur le lit. « En réalité, tu es née fin décembre, un peu tôt », avait confié oncle Will en souriant. Il avait rougi comme un adolescent, embarrassé de cette confidence qu'il faisait à cette grande fille de vingt ans qu'il connaissait à peine. « Disons que nous nous étions rencontrés en cachette avant le mariage... Ta mère a hésité à te déclarer en décembre, mais cela aurait déplu. Nous aurions dû nous justifier ! Et quel scandale à l'époque ! Amants avant le mariage... Un sacrilège que nous aurions dû expier toute notre vie ! Nous avons donc tergiversé, échangé de nombreuses lettres, car j'étais rentré dès le mois d'août à Kuala. En mars, Ethel s'est finalement décidée et a choisi la date du 30 janvier. » « Pourquoi le 30 ? » avait demandé Dorothy. « Parce que c'est un 30 janvier que l'archiduc Rodolphe et Marie Vetsera se sont suicidés, au pavillon de chasse de Mayerling, en Autriche. Ethel trouvait cela follement romantique ! Tu sais, à cette époque, ta mère était irrésistible ! Ses lèvres sentaient la framboise. »

— La framboise ? C'est ridicule, ce romantisme d'adolescent attardé !

Vivian grogne, mécontente. Au fond, elle aurait voulu que sa sœur lui raconte cet entretien avec oncle Will, à Buenos Aires, beaucoup plus tôt. Alors elle ne trouve rien de mieux à faire que casser l'effet mélodramatique de la scène. Dotty se redresse, vexée. Quand elle se redresse ainsi, elle ressemble à Mom. Le dos droit, la colonne vertébrale en parfait alignement avec son occiput et par conséquent son coccyx. Le menton rentré, le ventre avalé sous les côtes. La colère dessine deux petites boules sur ses tempes. Grosses comme des cacahuètes, elles n'apparaissent que lorsqu'elle serre les mâchoires de rage ou d'impuissance. Aussi lorsqu'elle mâche trop longtemps du chewing-gum, mais là ce n'est pas le cas.

— « Un peu tôt », a dit oncle Will. Ils ont attendu pour te déclarer ? Tu serais donc née plus tôt ?

— Tu ne comprends jamais rien ! Écoute-moi un peu au lieu de t'inventer des histoires ! Dad, je veux dire oncle Will, et Mom ont attendu pour me déclarer. Dad était reparti fin août à Kuala pour reprendre les cours. Mom a d'ailleurs dû s'en montrer fort mécontente. Tu la connais, quand on n'obéit pas à ses caprices, elle sait se montrer odieuse... Mais elle a fini par se rendre à la raison car elle m'a déclarée en mars. Regarde le tampon ! Un peu en retard pour une naissance en janvier, mais de toute évidence elle avait réfléchi ! C'est écrit sur mon acte de naissance.

Pour preuve, Dotty tend un papier plié en quatre.

— J'ai demandé un certificat avant mon mariage.

— Tu es née à minuit ?

— Quand on ne fournit pas l'heure de naissance, elle est la même pour tous : midi ou minuit. 12 h 00.

Perplexe, Vivian observe l'attestation ornée d'un tampon violet. Elle cherche la faille derrière les quelques lignes calligraphiées avec soin. Le détail qui confirmerait une intuition qu'elle ne parvient pas à préciser.

Debout contre la fenêtre, Ethel tourne le dos à ses filles. Elle regarde l'horizon. C'est-à-dire la maison de Marge, le vélo de Jack appuyé contre le mur.

— Absurde, grotesque, tout à fait scandaleux ! Comment avez-vous osé ? Surtout toi, Dotty, mon ombre, l'ombre de ma jeunesse, mon avenir !

Ethel se retourne et darde des flèches vénéneuses. Au « Surtout toi, Dotty », Vivian se ratatine sur sa chaise. Elle connaît depuis toujours ce « Surtout toi, Dotty ». La première fois qu'elle l'a entendu, elle avait à peine huit ans. C'était le soir de l'accident de Bobby, au Canada. Mais cette fois-là, elle avait été lâchement heureuse d'échapper à la vindicte familiale. *Qui* avait ce soir-là donné le verre de lait plein de barbituriques à Bobby ? Dotty. C'est Dorothy que Mom avait chargée d'endormir Bobby, donc forcément, c'est Dorothy qui avait inversé les verres. Forcément...

À cette époque, Vivian était beaucoup trop petite pour en vouloir à Mom. Mais elle avait détesté sa sœur pour sa perfection, son visage d'ange et ses boucles blondes. Elle s'était tue et avait éprouvé un intense plaisir le jour où les larmes avaient coulé sur ses joues diaphanes, quand Pa, avec une pince à épiler, avait enlevé les échardes dans ses paumes. Ce n'est que plus tard, beaucoup plus tard, qu'elle avait commencé à se sentir coupable des sentiments noirs qu'elle éprouvait pour Dotty. Et puis entretenir la haine est parfois aussi difficile que préserver un amour. Elle avait oublié, cachée dans un coin de son cœur, sa jalousie, et réappris à aimer Dotty. Sincèrement.

— Quel besoin avais-tu de fouiner dans le bureau de Pa ? Ma grand-mère avait bien raison quand elle répétait qu'au fond de chaque enfant se cache un Judas !

— Mom, tu n'as pas connu ta grand-mère.

Ethel sursaute, vexée. Elle n'aime pas quand les deux filles se liguent contre elle. La colère qui l'a saisie lorsque Dotty a tendu l'article du *New York Times* l'a prise à la gorge. Aux abois, elle sait qu'elle va devoir se justifier, revenir sur toutes ces années qu'elle a tenté d'oublier. Pa lui manque. Il l'aurait défendue, lui, comme il l'a toujours fait.

— Et alors ? Comment as-tu osé fouiller dans les affaires de Pa ?

Ethel a ce don extraordinaire de renverser les situations. En une seconde, en fonction des circonstances, elle peut choisir parmi les protagonistes le détective, le coupable et la victime. Aujourd'hui, elle a décidé qu'elle serait la victime et que Dotty, surtout Dotty, et accessoirement Vivian seraient les coupables. Le crime ? Avoir fouillé dans les affaires de Pa et découvert de vieux articles sans importance aucune l'accusant du meurtre d'un amant dont elle a même oublié le goût. Ce Steward, elle l'a peut-être aimé, mais elle ne garde de lui aucun souvenir particulier. Rien qu'un ingénieur un peu primaire dans ses réactions, sans la moindre conversation, mais un amant superbe. Superbe mais sans classe. Et ce sont justement ses gestes rudes, son odeur brute de transpiration et d'eau de Cologne qui la faisaient chavirer. Lui, au moins, ne la chérissait pas. Il la désirait, puis l'oubliait. Ethel frissonne.

Mine contrite. Battement d'ailes de colibri. Les paupières s'affolent.

Vivian, tel un preux chevalier – non, plutôt Robin des Bois –, s'est levée. Redresseur de torts elle sera. Et puis la curiosité la tenaille, elle ne laissera pas Mom lui échapper.

— Mom, quelle importance ? Pa n'est plus là et nous voulons simplement comprendre.

Ethel s'est assise dans le grand fauteuil face à la fenêtre. Depuis qu'elle sait qu'en France on appelle ces fauteuils à haut dossier des « Voltaire », elle trouve que s'y asseoir lui confère une noblesse seyante. Cette histoire d'article est ridicule.

Ethel essaie de tendre une nouvelle peau de chamois sur son polissoir. Elle s'applique et réussit à fixer la partie supérieure du carré, mais l'angle inférieur se dérobe sous ses doigts déformés par les rhumatismes. Elle soupire, étire, tend, reprend la bordure libre, lisse les plis qui se sont formés sur le coussinet de feutre, gémit encore et lève des yeux égarés vers cette fille stupide et rebelle qui ne comprend rien.

Vivian regarde la peau s'étirer et reprendre sa forme initiale en dehors de l'arceau de maintien. Si Ethel force encore, l'anneau d'ivoire se brisera et le polissoir d'argent, gravé des initiales « E.C. », sera inutilisable.

— Mom, Dorothy a nettoyé le bureau de Pa. Les articles étaient froissés dans la corbeille à papier.

À son grand désappointement, Ethel sourit.

— Je sais. Mais voilà, je n'aurais jamais imaginé que ce serait ta sœur qui les trouverait.

Ethel triomphe. Elle sait que Vivian se demande si ce n'est pas elle, Ethel, qui a placé les papiers dans la corbeille. Ethel aime à la déraison ces instants de trouble qui saisissent ses victimes quand, par le pouvoir de quelques mots, elle insinue le trouble en elles. Un doux venin qui l'amuse irrésistiblement. D'un coup sec, Ethel fait glisser la peau sous la bague, qui se replace dans la rainure avec un petit clac.

— Tout est dit dans l'article. Avec précision. J'ai été condamnée injustement, mais le sultan de Selangor m'a accordé sa grâce au mois de juillet 1911. Je n'ai pas eu le choix. Il épargnait ma vie, mais je devais aussitôt quitter les FMS. À peine une semaine après ma libération de prison, je suis repartie pour l'Angleterre avec toi, Dorothy, et me suis installée à Brandon Street, à Londres. Il n'y a rien d'autre à savoir.

— Si ! Et oncle William ?

— Resté à Kuala. Il ne pouvait pas quitter son poste du jour au lendemain.

— Et Pa ?

— Quoi, Pa ?
— Où était-il ?
— À Londres ! Où voudrais-tu qu'il fût ? Il est venu nous chercher au port.

Vivian voudrait demander si c'est à ce moment-là qu'ils sont tombés amoureux. Oncle William était en Malaisie et Mom seule à Londres avec Dotty. Mais la question est trop intime, elle la lui posera une autre fois.

Ethel a saisi la demi-lune d'argent qui sert de poignée et, d'un geste parfaitement régulier, polit les ongles de sa main gauche qu'elle tient devant son visage, à peine repliée. De gauche à droite, comme un métronome. De temps en temps, elle s'interrompt et observe le résultat en étendant ses doigts, avant de reprendre le mouvement de vague. Un peu plus rapide, maintenant. Puis lentement de nouveau. « C'est aux ongles que l'on reconnaît une femme soignée. » Ethel est parfaite, comme toujours.

— Tu avais des questions, mon ange ?

Ethel s'adresse à Vivian et s'amuse de la vexation qui assombrit les yeux de Dorothy. Elle le sait bien, ses filles ne peuvent s'entendre plus de dix minutes.

— Qui était ce Steward ? demande Dorothy.
— Un malotru.
— Où était Dad, le soir du crime ?
— Tu l'appelles Dad, maintenant ? Tu veux dire oncle Will ? Il dînait chez des amis.
— Tu l'as tué ?
— Qui ?
— Steward.

— Il semblerait. C'est bien ce qui est écrit dans l'article, non ?

— Mais d'où venait le revolver ?

— Un cadeau pour oncle Will. Acheté avec Annie, je veux dire la sœur de Grand-Dad Charter, à Singapour. Nous faisions partie du club de tir.

— Et les coups de feu à bout portant ?

— Je ne sais pas. J'ai perdu la tête.

— Pourquoi ne pas avoir appelé le gardien à l'aide ?

— Le *jaga* ? Il jouait aux échecs avec le gardien de l'Institut.

— Et l'*amah* ?

— Elle dormait. Les Chinois dorment tôt.

— Tu as dîné avec cet homme ?

— Steward ?

— Oui.

— Non, grand Dieu ! Je lui ai offert un *stengah*. Non, un whisky.

— Mais toi, tu avais bu ?

— Un *Singapore Sling*.

— Un *Singapore Sling* ?

— À l'époque, on n'appelait pas encore ce cocktail *Singapore Sling*. Un doigt de gin, deux de cherry, une touche de bénédictine. Et de l'angustura.

— Alors tu sais mélanger les cocktails ?

— Bien sûr que non !

— Tu n'étais donc pas seule. Qui l'avait préparé ? Mr Steward ?

— Non.

— Le boy, alors ?

— Je ne sais plus.

Le polissoir s'est arrêté. Ethel a changé de côté mais sa main gauche, moins habile, ne parvient pas à conserver la trajectoire. Le polissoir tangue, se redresse, tangue de nouveau.

— Il t'a graciée ?

— Ne peux-tu pas faire des phrases complètes ?

— Le sultan. Il t'a graciée, n'est-ce pas ?

— Puisque tu le sais, à quoi bon le demander ? C'était un cas de légitime défense.

Dorothy roule des yeux vides. Elle voudrait arrêter là. S'enfermer dans sa chambre et enfouir sa tête dans l'oreiller. Elle ne supporte pas l'idée que sa mère puisse avoir tué un homme, ni la douleur qu'elle lit dans ses gestes saccadés.

Vivian ronge ses ongles méticuleusement, doigt après doigt. Elle s'acharne sur une envie récalcitrante. Entre ses incisives elle a réussi à saisir une petite peau. Elle l'arrache avec délices et à grand bruit de succion aspire le sang le long de son poignet.

— Mom ?

Vivian. Ethel sait que Vivian va l'entraîner sur un autre chemin. La dérouter, lui faire perdre pied. Elle tressaille.

— Pourquoi t'es-tu mariée en bleu ? Tu attendais déjà Dorothy, n'est-ce pas ?

Ethel se détend. Vivian, ma fille, tu vas trop vite. Ta manie de toujours donner les réponses avant d'écouter ton interlocuteur te perdra. Tu me tends une perche, alors tu auras la réponse que tu attendais.

— Oui. Quelques jours. Peut-être quelques semaines d'avance. Mon ventre s'est arrondi rapidement et mon corps a changé. J'étais très mince. Une vraie poupée ! Dorothy et toi avez hérité la stature des Proudlock ! Les hanches larges et les os lourds. Beaucoup moins gracieux, il faut dire.

Mom n'a pas déclamé dans sa chambre. Elle n'a pas poussé les meubles, ni déménagé l'armoire, ni fermé le rideau pour accueillir Mr Maugham. Pas un bruit, juste le grincement du sommier quand elle est allée se coucher. Et le cliquetis du cordon de l'ampoule contre le pied de la lampe de chevet.

Vivian l'a regardée traverser le salon comme une chaloupe à la dérive. Ethel a eu du mal à monter l'escalier, juchée sur ses mules à talons compensés. Arrivée au premier palier, sous l'horloge – un affreux coucou bleu offert par des amis qui revenaient de la Forêt-Noire –, elle a indiqué la commode de l'étage.

— Le deuxième tiroir. Vous trouverez tout ce que vous devez savoir dans le deuxième tiroir...

CONDAMNÉE À MORT
LE PRIX DE L'HONNEUR D'UNE FEMME*

Mrs Proudlock reconnue coupable par la cour de justice de Singapour d'avoir tiré sur son assaillant présumé.

Pour la police, c'est un meurtre.

L'affaire relance le débat à Londres. Une femme peut-elle tuer pour défendre son honneur ?

Londres, le 24 juin 1911

Le procès pour un meurtre au sein de la bonne société singapourienne est au cœur de toutes les discussions. Le verdict de culpabilité et la condamnation à mort de Mrs Proudlock relancent un débat crucial : cette Anglaise de Singapour avait-elle le droit, ou non, de défendre son honneur en prenant la vie d'autrui ?

Celle qui, à moins d'un recours en grâce, montera sur le gibet est Mme Ethel Mabel Proudlock, épouse de William Proudlock, proviseur en l'absence de l'Institut Victoria à Kuala Lumpur. Dans la nuit du 23 avril dernier, elle a à son propre domicile tué par balles William Crozier Steward, un ingénieur des Mines.

Le procès, qui a débuté le 8 juin pour une durée exacte de dix jours, a été dirigé par le juge Sercombe Smith à Singapour. Bien sûr, à ce jour, il se pourrait que de nouveaux éléments aient été rendus publics. Mais vu la distance qui sépare

* Extrait du *New York Times*, 2 juillet 1911.

Londres de l'Asie lointaine, nous ne pouvons en rendre compte. Le récit ci-dessous reprend l'affaire avec précision, au plus proche des sources, et permet déjà de se faire une idée du fait-divers dans son intégralité.

Mr Steward a dîné dans la nuit du 23 avril à l'hôtel Impérial et, soudain, a quitté précipitamment ses amis en s'exclamant : « J'ai un rendez-vous à 9 heures. » Il s'est alors rendu en rickshaw au domicile de Mr et Mrs Proudlock.

Selon Mr Proudlock, lui-même dînait chez Mr Ambler le soir de la tragédie, tandis que son épouse était restée à la maison.

Vers 21 h 10, le gardien est arrivé chez les Ambler et a demandé à parler à Mr Proudlock, qui a tout de suite compris qu'il s'était passé quelque chose. Il est rentré à la maison et, en arrivant, est tombé sur son épouse qui a accouru vers lui en titubant, sa robe et sa joue couvertes de sang. Incohérente, elle lui a dit qu'elle venait de tirer sur un homme. La véranda était dans un désordre épouvantable.

Quand Mrs Proudlock a enfin récupéré ses esprits, elle lui a raconté que Mr Steward était passé et, tandis qu'ils conversaient, qu'elle se serait levée afin de lui montrer un livre qui se trouvait sur une étagère. C'est alors que Mr Steward l'aurait enlacée. Mr Proudlock a ensuite demandé à son épouse où se trouvait Mr Steward, ce à quoi elle a répondu : « Je ne sais pas. Il a couru. Il a couru. »

Mr Proudlock est ensuite parti chercher Mr Steward et a trouvé le corps à vingt ou trente pas des marches de l'escalier de la véranda. Il a aussitôt averti la police. Le revolver, a ajouté Mr Proudlock, avait été acheté sur sa suggestion le 18 avril. Mrs Proudlock et lui-même l'avaient utilisé plusieurs fois pour s'entraîner. Il a eu l'impression que sa femme avait sur le moment perdu toute raison, et celle-ci lui a confirmé avoir été submergée par la panique. Il a remarqué que sa robe était déchirée et en a déduit qu'elle avait dû lutter avec son assaillant. L'expertise médicale a fait constat d'une blessure fatale par balle au niveau de la poitrine et du cœur de Mr Steward. Ce dernier a cependant dû courir sur une courte distance après avoir été atteint une première fois, car cinq autres impacts ont été constatés sur la nuque, la mâchoire et la tête.

Mr Ambler, maître assistant à l'Institut Victoria, qui a raccompagné Mr Proudlock chez lui après la venue du gardien, a globalement confirmé les dires de l'époux de la détenue.

Il est important de s'attacher aussi au témoignage de l'inspecteur de police Wyatt à son arrivée sur le lieu de l'attentat, la nuit du meurtre. Ce dernier a affirmé ne pas avoir vu de sang dans la véranda, alors que la robe de la prisonnière et l'arme du crime en étaient couvertes. Il a aussi trouvé une balle dans la terre, sous le corps de la victime, ce qui tendrait à prouver qu'un coup au moins aurait été tiré alors que Mr Steward était déjà à terre. Les seuls signes d'une lutte éventuelle dans la véranda se limitaient à une petite table renversée et quelques objets, qui s'y trouvaient probablement, éparpillés sur le sol.

Au début de l'audience, l'accusation a affirmé que la visite de Mr Steward n'avait rien de fortuit et qu'au contraire elle semblait prévue. Puis l'accusation s'est interrogée sur ce qui pouvait justifier que l'accusée ait, après avoir déjà tiré sur Mr Steward, poursuivi le pauvre homme au-delà de la véranda pour l'achever.

Mr Proudlock a ensuite été appelé à la barre des témoins. Il a relaté les paroles de son épouse à son retour, la nuit du meurtre. Dès qu'il l'a vue, elle se serait écriée : « Du sang ! Du sang ! J'ai tué un homme ! » Elle semblait désorientée.

Ensuite, d'après Mr Proudlock, elle aurait expliqué qu'elle achevait son courrier quand Mr Steward était arrivé. Il aurait renvoyé le coolie et son rickshaw, serait venu dans la véranda, pour finalement l'enlacer et lui dire qu'il l'aimait, ainsi que pour faire d'autres propositions ne laissant aucun doute sur la noirceur de ses intentions. Mrs Proudlock se serait débattue et, tandis qu'elle aurait cherché à allumer la lumière, serait tombée par hasard sur le revolver. Saisie de peur, elle aurait appuyé sur la détente une fois, mais se serait néanmoins souvenue d'avoir entendu deux détonations. Ensuite, vacillante, elle n'aurait repris ses esprits qu'en se retrouvant au beau milieu de la véranda, ensanglantée, le revolver à la main. Dans le box des témoins, l'accusée a confirmé les dires de son époux et précisé que, lorsqu'elle s'était ressaisie, elle avait promptement jeté le revolver puis appelé un serviteur afin qu'il aille chercher son époux qui dînait chez les Ambler.

Le rapport de l'expert va à l'encontre de la déclaration de l'accusée puisque Mr Steward portait toujours, quand on a découvert son corps, l'imperméable dont il était vêtu à son arrivée.

10

Cruz Chica, Argentine
Septembre 1954

William sursaute. La sonnerie du téléphone a chassé le chat, qui a détalé. Réfugié sous la table, il roule des yeux jaunes. À cette heure-là, personne ne téléphone jamais. D'ailleurs, personne ne lui téléphone plus depuis longtemps.

William a laissé tomber la mollette de cuivre qu'il tenait au bout d'une pince dans l'intention de la replacer sur son axe. Il a toujours aimé restaurer les montres, mais comme il n'y en a jamais assez à réparer il ouvre celles en état de marche, avec la délicatesse d'un biologiste procédant à une dissection. Une à une, il déplace les pièces et, avec une sorte de perversité sadique, souffle dessus pour le bonheur de réassembler ensuite le puzzle de dents, tiges et rondelles qu'il a créé. Un jour, il aura le courage de casser une montre ou un réveil rien que pour ce frisson d'excitation qui le prendra quand il aura redonné vie à l'objet détruit. Mais, lâche de nature, il n'a jamais osé saisir son marteau et passer à l'acte. Il préfère parler de respect. Respect du travail bien fait – dans ce cas-là, il imagine l'horloger qui a fabriqué la montre –, ou respect de la vie. Car les montres vivent puisqu'elles ont une histoire. William sait aussi démonter les motos, mais n'ayant pu un jour remonter sa Buell favorite, il a depuis renoncé. Il se contente donc de victimes plus modestes : les montres, les réveils, les revolvers et les fusils de chasse. Mais uniquement les anciens modèles, car cela fait des années qu'il n'est plus membre d'aucun club de tir.

Il ne reconnaît pas la voix de Dorothy. Incrédule, il regarde le combiné. Comment le pourrait-il ? Trop d'années ont passé depuis le temps où il fermait la moustiquaire sur les poings serrés de sa petite fille. À Kuala, se retournait-elle dans le lit en soupirant qu'il se réveillait, anxieux et émerveillé de cette chaleur qui, tout à coup, envahissait sa poitrine, son cœur battant la chamade jusqu'à ce que, enfin, il se fût assuré que tout allait bien. « Ridicule. Tu es ridicule, sifflait Ethel dans son sommeil. Il ne peut rien lui arriver, et si elle pleure, l'*amah* se déplacera. » Quand Dorothy pleurait, il était toujours le premier à la prendre dans les bras, la rassurer contre les monstres et autres bestioles diaboliques qui l'effrayaient, le plus souvent le cri d'un gecko ou les vagissements d'une civette sur le toit. « Les enfants pleurent pour se faire la voix, commentait Ethel le lendemain, l'air docte. Je l'ai dit et redit à l'*amah*, on ne se déplace que lorsque le cri est strident, perçant ou hoquetant, laissant supposer un étouffement. »

La ligne grésille.

— Dad, c'est moi.

Il sent ses oreilles bourdonner et ses tempes devenir chaudes. Jamais, depuis l'embarquement pour l'Angleterre de Dorothy et sa mère, Dorothy ne l'a plus appelé Dad. C'était le 18 juillet 1911. Il n'a pas oublié la date, ni la voix flûtée de Dorothy sur le quai. « *Good-bye*, Dad ! » Même à Londres, au zoo, du haut de ses quatre ans et demi, elle l'avait appelé Will.

— Dad, tu m'entends ?

Bien sûr qu'il l'entend. À la mélodie un peu lente de sa voix, il devine la gravité de l'appel.

— L'enterrement de Pa s'est bien déroulé. Heureusement, pour un mois de juillet, il ne faisait pas trop chaud. Nous avons lu le poème de Kipling qu'il aimait tant. Tu sais ? « *If you can dream and not make dreams your master…* »

Bien sûr qu'il sait, c'est lui qui a présenté Kipling à Pa. L'écrivain venait d'acheter Bateman's, à Burwash dans le Sussex. Une immense bâtisse, froide, sans le moindre confort, dont il s'était entiché sans doute pour oublier la mort de sa fille Joséphine, quelques années plus tôt. Jasper avait semblé impressionné, et lui qui avait toujours méprisé l'oisiveté des hommes de lettres avait entretenu avec lui une correspondance qui l'emplissait de fierté. Le poème était un bon choix. Mais il répond une banalité.

— Ta sœur et toi, vous allez bien ?

— Dad ?

— Oui ?

— Nous savons pour Mom. Le meurtre, la grâce du sultan. Dad, tu la connaissais bien autrefois, n'est-ce pas ?

Quelle étrange question…

Il ne sait répondre. Dans les moments importants, William ne sait jamais répondre. Ce n'est qu'après plusieurs minutes qu'il trouve enfin les mots. Mais Dorothy n'attend pas. La ligne est mauvaise, crachote, comme prise d'assaut par une nuée d'insectes. La communication s'interrompt. À moins que Dorothy n'ait tiré sur le crochet. Ou lui, peut-être. Il ne sait plus.

Il regarde le combiné mais ne le repose pas. Il ne répondra plus au téléphone. Il va le démonter. Pour mieux l'examiner, il a ceint son front d'une lampe de mineur que lui a donnée Angelina. Il déteste les lumières violentes et ferme les volets au premier rayon de soleil. Une habitude prise en Malaisie pour combattre la chaleur. La lampe projette un faisceau blanc cruel sur ses doigts qui tremblent. Comment dire à Dorothy que personne ne connaissait vraiment Ethel ? Ni lui, ni même Jasper.

Tout s'était passé si vite. Ils s'étaient mariés en coup de vent. Il ne se souvient que de la haie d'honneur de la brigade de Selangor, de chaque côté de l'allée centrale de St Mary. Et Ethel marchant vers lui, si pâle dans sa robe bleue, accrochée au bras de Mr Mc Cormack. En passant devant le banc où étaient assises sa sœur Marjorie, Mrs Charter et tante Annie Charter, elle avait marqué un temps d'arrêt. De loin, il ne distinguait pas bien son visage, mais il lui avait semblé que ses lèvres remuaient. Que leur avait-elle dit ? Les trois femmes avaient pâli et Marjorie bougé le bout des doigts, comme quand on dit au revoir à un enfant sur le quai d'une gare. Puis Ethel avait repris la marche. Hors tempo. Un instant, il avait redouté qu'elle ne fasse demi-tour, qu'elle ne s'enfuie et ne disparaisse, engloutie par l'énorme œil de lumière blanche que formait la porte de l'église. Mais elle s'était approchée et, comme le veut le protocole, avait relevé sa voilette du bout des doigts. Deux longues traînées humides balafraient ses joues, pourtant ses yeux étaient secs.

Après la cérémonie, Ethel avait accepté de mauvaise grâce une photo devant le porche de l'église puis exigé d'aller chercher les valises sans attendre à Bukit Lamang, la maison de ses parents, sur Bluff Road. Mrs Charter avait fait dresser quelques tables sous la colonnade et invité une dizaine d'amis de Mr Charter pour *tiffin*. Le journaliste du *Mail*, Mr Chapman, chargé de la rubrique mondaine, était venu à la sortie de l'église, mais le regard glacial de Mrs Charter lui avait fait comprendre qu'il ne serait pas convié à la réception. Vexé de cet accueil, il avait donc précisé dans l'entrefilet que la mariée, qui « venait d'avoir dix-neuf ans, portait une ample robe bleu électrique ornée d'exquise dentelle virginale ». Arrivée à Bukit Lamang, Ethel n'avait même pas daigné descendre de la voiture. Elle avait simplement rappelé à sa mère que, le train pour Penang partant à trois heures et demie, si elle souhaitait lui dire adieu elle devrait la rejoindre à l'Institut Victoria, où les collègues de son époux, les membres de la brigade de Selangor, avaient préparé une petite fête. Quelques tables, de la glace aux fraises et à la crème, d'après une recette du *Planters*, confectionnée sans fraises et sans crème mais avec de la banane écrasée, de la glace pilée et du lait concentré. Une idée de Jasper.

William a totalement démonté le téléphone. L'écouteur, le cadran, la membrane, le crochet. Il s'attaque maintenant à la partie centrale et, une à une, détache les pièces minuscules qu'il fait tomber dans un vase. Parfois, il écrase les pièces entre les doigts comme des insectes malfaisants. Les rondelles de cuivre, fines comme du papier, se plient et cassent dans un bruit sec. Il a entrepris de dénuder le cordon qui relie l'écouteur au corps du téléphone. Au lieu d'ouvrir le manchon d'un trait de lame de rasoir, il tire sur chaque fil de la cordelière multicolore. Jaune. Rouge. Vert. Blanc.

Comment n'avait-il pas compris, aux cascades de rires d'Ethel, que ce n'était pas leur union qui la faisait soudain rayonner sous la volière de l'Institut, mais la présence de Jasper ?

À chaque brin tiré, la cordelière se vrille et reprend sa forme. Il sent renaître en lui un amour caché par des années de colère, puis d'oubli. Elle était si gaie dans le train qui les menait à Penang…

— S'il te plaît, parle plus doucement, lui avait-il soufflé, gêné du regard réprobateur des autres passagers.

Pour toute réponse, elle avait ri plus fort encore, et avec le sans-gêne d'une adolescente avait dénoué ses souliers pour glisser ses pieds sur la banquette d'en face, occupée par Jasper.

— Je suis libre, tu ne comprends pas ? D'ailleurs, avait-elle repris en fronçant le nez, tu n'aurais pas dû te changer, la veste blanche de la brigade te conférait une allure folle. Je t'aurais presque demandé en mariage !

Chacun sait que les phrases les plus simples s'interprètent au gré de l'humeur. Coincé entre deux cartons à chapeau et une opulente dame tout occupée à broder un antimacassar, il y avait vu un compliment qui lui avait fait bomber le torse. Jasper, lui, prétendait somnoler, les yeux perdus dans le paysage qui défilait derrière la vitre sale. D'interminables rangées d'hévéas, interrompues parfois par des clairières sableuses parsemées de minuscules maisons en treillis perchées sur des pilotis. Dès que le train ralentissait, c'est-à-dire toutes les vingt minutes, des grappes d'enfants accouraient, agitant comme des éventails des régimes de *pisang susu*, ces minuscules bananes au goût de lait si appréciées des Anglaises, alors que les indigènes, eux, les considéraient comme des fruits tout juste bons à donner aux singes accrochés sous les vérandas. Aux abords des villages, le train s'arrêtait le temps de laisser passer des files d'écoliers sérieux, livre de lecture à la main, le front barré du tarbouch de velours noir. Chacun se levait, s'étirait. La dame faisait admirer son antimacassar aux autres passagers. Puis, récompense sans doute de leur attention polie, distribuait des boules de gomme et de la limonade.

Ethel babillait.

Avec Jasper.

— Demain, nous serons sur l'océan. C'est mon premier long voyage en paquebot. Ceylan-Singapour, ce n'est rien en comparaison de cette traversée !

Comme Jasper ne répondait pas, elle insistait d'une voix haut perchée et rapide :

— Les cabines sont-elles grandes ?

Une foule de questions innocentes et parfaitement correctes entre elle et son nouveau beau-frère. Rien que des banalités. Sur les repas, le capitaine – invitait-il toujours les jeunes mariés à sa table ? –, les distractions, la table de bridge et le billard. Soudain, elle s'interrompait, secouait ses boucles dorées et regardait autour d'elle, le regard inquiet.

— Mes pilules, j'ai oublié mes pilules roses. Crois-tu, Will, que l'infirmerie du bateau vend les pilules du Dr Williams ? Il y a bien une infirmerie, n'est-ce pas ? Mon Dieu... Si j'ai le mal de mer ? Et si je me sens pâle ? Et du véronal ? En ont-ils ? Je ne pourrai jamais trouver le sommeil !

Six fois au moins, entre Kuala et Penang, Ethel avait cherché ses pilules. Elle avait tout retourné, alarmé les autres passagers et, sous leurs yeux effarés, renversé sur la banquette le contenu de son sac, de sa pochette et des deux cartons à chapeau pour chaque fois retrouver la précieuse boîte noire, à grand renfort d'exclamations triomphales.

À destination, Jasper et Ethel étaient descendus les premiers sur le quai, tandis que William aidait la dame à l'antimacassar à réunir ses bagages.

— Je vous remercie, monsieur, mais permettez-moi de vous donner un conseil.

Elle avait alors posé sa main sur son poignet et désigné Ethel et Jasper qui cherchaient un porteur sur le quai. Sa voix était basse et impérieuse.

— Monsieur, cette femme est hystérique. Croyez-moi, je suis médecin. Et ce ne sont pas les pilules roses du Dr Williams qui la guériront ! Laissez-la avec son jeune époux et oubliez-la, car je vois bien que vous en êtes épris.

Il n'avait pas osé lui dire que c'était lui, le jeune époux, pas Jasper. Abasourdi, il était resté assis quelques minutes de plus sur la banquette. Jusqu'à ce que Jasper s'impatiente et frappe à la fenêtre.

— Le bateau, Will ! Le bateau !

Le bateau... Ethel avait bu, ri, dansé. Parlé fort sous les lustres du Royal Bar. Exhibé son ventre rond avec indécence, savourant entre ses deux hommes sa victoire sur son père, les préjugés et la bonne société de Kuala. William avait décidé d'oublier la mise en garde de la dame à l'antimacassar et l'avait laissée danser avec Jasper, amusé de leur complicité.

Le soir, enfin, ils s'étaient retrouvés dans la cabine. Plutôt grande, elle était pourvue d'un large hublot, de meubles en bois sombre verni et d'une petite terrasse privée fermée par des volets ajourés. Avant de laisser passer Ethel, il avait entrebâillé la porte pour vérifier qu'on avait bien livré le bouquet de roses qu'il avait commandé en hâte à la gare de Penang. Sur le bureau trônaient deux coupes de champagne et une bouteille offerte par l'équipage. Mais rien ne s'était passé comme il l'avait espéré. Ethel, soudain de méchante humeur, l'avait suivi sans attendre. D'un coup d'œil circulaire, elle avait jugé la cabine, plus vaste, certes, que celle qu'on lui avait attribuée en arrivant sur le bateau, mais vulgaire. Trop de laiton, un jeté de lit blanc grossier et une insupportable odeur de renfermé. Plantée sans grâce dans la lumière crue de la lampe, elle avait alors dénoué son corsage bleu et libéré ses cheveux et ses seins. Ethel voulait en finir avec cette stupide journée. D'ailleurs, puisqu'elle s'était déjà donnée à lui et attendait un enfant, à quoi bon prétendre qu'ils se découvraient pour la première fois ?

Il l'avait assise sur le rebord du lit, à demi nue et coléreuse, puis il avait enlevé ses chaussures et ses bas. La robe bleu canard gisait abandonnée au milieu de la pièce. Une tache brillante formant un curieux petit lac aux eaux mouvantes sans cesse soulevées par l'air que brassait le ventilateur. « Fais vite, j'ai trop bu et je suis fatiguée. »

Il s'était donc exécuté, sans passion mais sans hâte. Suffisamment pour l'observer à loisir et le lendemain lui demander si elle était bien certaine d'être la fille de Mr Charter. Stupéfaction. Brune ! La jolie créature blonde qu'il avait épousée était en réalité brune. Ethel avait secoué la tête, abasourdie, plus inquiète de s'assurer qu'il la préférait blonde que de douter de ses parents.

— Tu es en colère ?

Une délicieuse rougeur avait rosi ses joues et couvert son nez de minuscules gouttes d'eau.

— Je me suis fait teindre les cheveux avant de partir pour Kuala. Et puis, mon Will, c'est la mode ! Toutes les jolies femmes sont blondes, n'est-ce pas ?

L'explication était enfantine. Une simple coquetterie de jeune fille.

Alors qu'il aurait pu se sentir trompé, l'affaire amusait William. Il avait dès le début été séduit par le contraste entre l'étonnante pâleur de ses cheveux et les tonalités chaudes de la peau d'Ethel. La découverte de cet exquis triangle noir et soyeux ajoutait à son mystère et la rendait plus désirable encore. Elle était si belle au milieu des coussins, le ventre rayé d'ombre et de lumière.

L'affaire avait derechef été traitée de main de maître par Ethel, qui, à peine débarquée à Londres, avait écrit à sa mère. Deux mois plus tard arrivait une carte postale de Singapour : « Je suis votre mère, profitez bien de votre séjour. » Signée : « Mrs Charter. » La réponse de Mr Charter n'avait pas été moins lapidaire. « Je n'ai aucun doute sur ma paternité. » Mais Ethel n'avait pas souhaité lui écrire et l'avait affronté directement dans ses bureaux de Tanjong Pagar à Singapour au retour d'Angleterre. Elle en avait même profité pour lui reprocher de vive voix son absence le jour du mariage. Un règlement de comptes dont Ethel n'aimait guère parler. « Non, Will, il ne s'est pas excusé de son absence. Mais il a proposé de contacter le chirurgien du sultan afin d'extraire ma dent surnuméraire. J'ai refusé. Je ne lui dois rien, même s'il ne fait aucun doute qu'il est mon père. » L'affaire avait été oubliée, enfouie avec les secrets de famille. William s'en était fait complice et, sur l'insistance d'Ethel, avait même demandé expressément à son médecin privé de garder le secret. Ethel était blonde, blonde comme les blés.

Sans doute pour se faire pardonner son mensonge, Ethel avait été radieuse pendant une bonne semaine. Tous les soirs avant de se coucher, elle procédait à un même rituel : elle brossait ses cheveux collés par les embruns. Ses gestes fermes et appuyés lissaient, gonflaient et lissaient à nouveau. Puis elle chauffait dans sa paume une pâte verte rapportée de Ceylan, qu'elle appliquait ensuite sur les pointes avec un soin infini. Dans ces moments-là, elle prétendait ne pas savoir qu'il la regardait à travers les lattes des claustras, mais le coin de ses yeux riait de se sentir désirée. L'attente silencieuse pouvait durer de longues minutes. Ethel écoutait les craquements du bois sous le poids de William, et soudain ses mains énormes se posaient sur ses épaules, la ployant comme la tige d'une tulipe trop lourde. Puis il plaquait ses lèvres sur sa nuque, avide, anxieux de boire sa sève à la source. Parfois, feignant la colère ou le désespoir, elle se refusait à lui, mais il connaissait les règles du jeu. Elle gigotait, riait et finissait par s'abandonner avec cette aisance simple des filles de joie qui le laissait embarrassé mais comblé. Il avait épousé une déesse vivante. Jamais il ne renoncerait à son amour.

La deuxième semaine, prise d'épouvantables nausées, Ethel s'était enfermée dans la cabine et, dès lors, passait ses journées emmitouflée dans des couvertures sur la terrasse, face aux vagues. Elle se plaignait de la mer toujours grise, du ciel trop blanc, du vent souvent froid et du temps sans limite. Le soir, elle se faisait servir son souper sur le pont. Elle trempait ses lèvres dans le bovril brûlant puis repoussait avec dégoût l'assiette de roast-beef froid. William, Jasper, le chef du restaurant, le médecin de bord et même le capitaine lui avaient fait savoir leur inquiétude et demandé quel plat elle pensait pouvoir avaler. Ethel, indifférente, avait répondu à tous :

— Un bol de bovril et du roast-beef froid pour souper, du thé, des crackers et de la confiture le reste du temps.

— Mais, madame, vous ne survivrez pas à un tel régime ! s'était exclamé le médecin, ajoutant un fatidique et condescendant : Dans votre état !

Le lendemain, il lui faisait porter du miel et de l'huile de foie de morue.

— Ridicule ! avait jappé Ethel. De quel droit se permet-il de commenter mon « état » ?

— Mais il est médecin, *my dear*, était intervenu William. N'est-il pas normal qu'il se préoccupe de l'enfant que tu portes ?

Elle l'avait foudroyé du regard.

— Je ne porte rien pour l'instant. Rien. Rien que quelques grammes de sang et de muqueuses.

Jasper avait tenté à son tour de la raisonner, mais sans grande conviction. Puis il avait essayé de la distraire avec un jeu d'échecs et des cartes. Peine perdue, Ethel, plus pâle que la brume, refusait les attentions, se contentant d'observer les oiseaux marins qui sillonnaient le ciel et plongeaient dans les eaux. Elle avait lié connaissance avec Mrs Bramfield, une Anglaise de cinq années son aînée qui se disait exploratrice et revenait de Bornéo avec un tarsier apprivoisé qu'elle avait appelé de son nom local, Simpalili. Les deux femmes passaient des heures à regarder le curieux petit animal aux doigts d'enfant se déplacer dans la cabine. Pour le contraindre à bouger, Mrs Bramfield le piquait légèrement du bout d'une baguette d'osier. Simpalili tournait alors sa tête minuscule encombrée d'yeux globuleux et pressait son museau noir humide contre ses paumes, ce qui avait le don de réjouir les deux amies. Elles riaient, applaudissaient, terrifiaient le pauvre animal et s'engageaient dans d'interminables et futiles discussions sur ces sujets qui tiennent les femmes en haleine : la longueur des jupes, les douleurs intimes et, sans doute, leurs exécrables époux.

William s'était réjoui de cette rencontre providentielle qui faisait oublier à Ethel son ennui et ses lipothymies. Le reste du voyage se serait sans doute fort bien passé si Mrs Bramfield, qui disposait d'une double cabine, n'avait décidé la nuit d'y enfermer Simpalili qui, en bon animal nocturne, profitait de l'abondance de cafards et d'insectes pour y mener une vie de chasse et de ripaille. Une épouvantable odeur musquée n'avait pas tardé à envahir le couloir et les cabines adjacentes. Refusant de se soumettre à l'idée de partager sa vie avec Simpalili et persuadé qu'un peu d'autorité ne nuisait pas à la vie de couple, William avait alors commis l'irréparable. Il s'était plaint auprès de l'équipage des effluves de l'animal. Mrs Bramfield avait donc été courtoisement rappelée à l'ordre et sommée d'enfermer le tarsier dans sa cage et de conserver celle-ci dehors, sur les coursives de l'autre côté du pont. Dès lors, le voyage s'était transformé en enfer.

Ethel n'avait plus prononcé un seul mot jusqu'à l'arrivée du bateau en Angleterre.

« Sinistre ! Cet endroit est sinistre ! » avaient été les premiers mots d'Ethel en entrant dans la petite maison d'Adelaide Square que Margaret, une des sœurs aînées de William, avait accepté de leur prêter pendant leur séjour à Bedford. « Comment as-tu pu imaginer une seconde que je pourrais aimer une telle horreur ? » avait été son second commentaire. Les reins cambrés et la poitrine haute, elle avait arpenté d'un pas rapide les pièces de la petite maison. Du bout de son parapluie, elle avait pointé les tentures sombres, le papier qui se décollait, les vitrines poussiéreuses et les objets hétéroclites, figurines en cristal, bonbonnières et vases, qui encombraient les meubles. Puis elle avait poussé du pied les tapis pour découvrir un plancher fatigué, désigné les cercles poisseux sous les flacons de l'étagère de la salle de bains, avant de s'effondrer sur le lit pour aussitôt se relever et porter la courtepointe à ses narines, l'air suspicieux.

— Tout ici sent le moisi et la vieille fille.

— Mais, *darling*, Margaret est une vieille fille ! C'est charmant de sa part de nous prêter sa maison !

Ses talons martelaient le plancher, râpaient, piaffaient, butaient, puis s'immobilisaient.

— Cela ne m'étonnerait pas qu'il y ait des punaises sous le matelas. Et des blattes. Toutes ces traces le long des placards. C'est répugnant ! Sais-tu bien qu'il ne faut jamais écraser un cafard ? Ce faisant, tu diffuses ses œufs ! L'hygiène déplorable de ta sœur est une honte.

Ethel parlait. Et en parlant elle écoutait sa mère, Mrs Charter, répétant chacune de ses phrases en prenant soin de copier avec perfection chacune de ses inflexions de voix. Elle se détestait pour cela, mais elle ne savait faire autrement. Enfin elle s'était interrompue, la bouche entrouverte. Les larmes avaient envahi ses yeux.

— C'était une erreur de venir en Angleterre, Will !

L'accent de sincérité qui faisait trembler sa voix avait troublé William.

Aujourd'hui, William trie les pièces du téléphone. Il a étudié la différenciation des signaux, il y a quelques années. Par ennui d'abord, pour meubler ses soirées solitaires en Argentine, puis ardemment, pour le simple plaisir de l'apprentissage. C'est lui que le directeur du collège appelle toujours dès que la ligne téléphonique s'interrompt. *El viejo mato* sait tout faire. Réparer les téléphones, démonter les montres, greffer des pruniers, tailler des chevalets pour son violon avec son canif, parler de littérature, discuter de politique, d'ornithologie, chasser le tigre, entraîner des équipes de football, enseigner l'ablatif absolu à des gamins obtus, mais il ne sait pas comprendre les femmes et encore moins les garder. Il s'en veut de ne pas avoir compris qu'Ethel se noyait, se perdait.

Quand il était revenu un peu plus tard avec les bagages, Ethel dormait tout habillée. Elle avait recouvert le lit et les meubles de draps, ouvert la fenêtre et poussé la liseuse contre le mur, sans doute pour cacher les auréoles d'humidité qui montaient des plinthes. L'armoire grande ouverte dévoilait l'intimité de sa précédente occupante : des blouses, des serviettes en piles parfaites, séparées par des savonnettes roulées dans des linges, et, dans la partie droite vidée de ses draps, des objets qui ne plaisaient pas à Ethel, c'est-à-dire tous les objets, à l'exception d'un embauchoir à gants en ivoire et d'un petit réveil jaune. Les murs étaient couverts de taches pâles à l'emplacement où, quelques minutes auparavant, étaient encore accrochés les visages sévères de la famille Proudlock.

Il avait contemplé Ethel endormie dans l'espoir naïf qu'elle ouvrirait les yeux, l'attirerait en gloussant comme elle le faisait à Kuala. Mais il avait dénoué ses bottines, enlevé l'épingle de son chapeau tout doucement pour ne pas la réveiller. Puis il avait baisé le bout de son nez froid et quitté la pièce.

Aujourd'hui, il aurait compris qu'Ethel l'appelait à l'aide. Une pensée qui rassure William et l'inquiète tout à la fois.

Peu à peu, Ethel avait appris à aimer la maison. Le jardin fleuri de lupins, de bâtons de saint Jacques et de fritillaires tout autant que la proximité de Londres avaient calmé son mécontentement. Afin de lui éviter la fatigue quotidienne que lui occasionnait l'escalier, William avait installé sa chambre au rez-de-chaussée, face à un petit bassin couvert de nénuphars. Embarrassée par ce ventre qui ne cessait de grossir, Ethel passait la plupart de son temps emmitouflée dans une couverture à dévorer des magazines féminins. Parfois, aussi, elle s'installait dehors avec des pinceaux et une boîte d'aquarelles que lui avait offerte Jasper dans l'intention de meubler les longs mois de grossesse. Elle montrait à William ses aquarelles comme un enfant qui cherche l'approbation de ses parents. Mais, n'aimant ni les reproches ni les compliments, qu'elle jugeait condescendants, elle finissait toujours par abandonner. Ses dessins, des fleurs, des animaux le plus souvent – le binturong de tante Annie et Simpalili –, mouraient délavés par la pluie sur le muret où elle les mettait à sécher.

Quand, fin août, Mr Shaw avait demandé à William comme une « faveur personnelle » d'écourter son séjour en Angleterre et de revenir au plus tôt à Kuala Lumpur après la disparition brutale d'un professeur de l'Institut dans l'incendie de sa maison, Ethel n'avait pas émis d'objection et avait semblé presque soulagée.

— Je suis un fardeau dans cet état, Will ! Je me débrouillerai fort bien toute seule. Et puis Jasper est à Londres, et ta sœur Margaret pourra toujours me venir en aide si j'en ai besoin. Les accouchements, tu sais, ce sont des affaires de femmes !

Malgré son état, elle avait tenu à l'accompagner jusqu'à Liverpool. Ensemble, grâce à un ami de Jasper, ils avaient encore visité le *Mauretania*, à quai, sur le port, trois mois avant son voyage inaugural pour New York. Ethel avait promené son ventre sous les lustres, ri de son reflet dans les miroirs, répété à l'infini, s'était laissé enlacer sous les lustres de la salle de bal et avait appuyé sa tête avec langueur contre ses épaules.

Pourtant le soir, de retour à l'hôtel, le Royal Liverpool, elle s'était plainte de nausées et de frissons. Inquiet, William avait insisté pour qu'elle reprenne le premier train pour Bedford sans attendre son départ. Pour calmer les reproches que déjà il se faisait de laisser Ethel seule, il s'était persuadé que les adieux l'embarrassaient…

11

Whitechapel, Connecticut
Septembre 1954

L'eau coule, froide et drue. La tête renversée sous la pomme de douche, Ethel tente de garder les yeux ouverts sous le jet serré. Elle entrouvre les lèvres et savoure la fraîcheur. Elle grelotte et tourne le robinet vers la droite. La tuyauterie éructe, vibre, et l'eau se réchauffe doucement. À peine, car le ballon doit être vide. L'eau glisse sur son dos, sa poitrine, emplit sa bouche, ses narines. D'un coup sec, Ethel baisse le levier d'alimentation. La maison tremble jusque dans le sous-sol.

Depuis que les filles ont exhumé les articles du *New York Times*, Ethel ne trouve plus la paix. Sans cesse en alerte, elle ne parvient plus à calmer ses angoisses. Le passé ne la lâche plus. Obstiné, il la traque dans ses gestes les plus insignifiants. Ainsi, hier, elle a éteint une bougie que Vivian avait laissée allumée sur le manteau de la cheminée. Ethel déteste les bougies, et elle ne supporte pas cette habitude qu'ont les filles de préférer la lueur vacillante d'une mèche à la clarté d'une ampoule. En soufflant sur la flamme, Ethel a vu la silhouette de son père, Mr Charter, penchée sur le corps souple, enveloppé d'un sari violet, d'une gamine de l'exploitation. Jathi. Une amie de jeu avec laquelle elle disputait d'interminables parties de badminton derrière la maison. Ethel avait onze ans à peine. Elle venait voir Jathi pour lui rendre un volant oublié dans l'herbe. Peut-être aussi pour lui raconter ses secrets de petite fille. Jathi vivait avec sa mère dans une dépendance derrière la lingerie. Comme il n'y avait personne dans la première pièce, Ethel s'était avancée vers le cagibi qui servait de chambre aux deux femmes. La porte était entrebâillée. D'abord, Ethel n'avait pas compris. Incapable d'articuler le moindre son, elle avait croisé le regard suppliant de son amie qui lui disait : « Pars, ce n'est pas pour toi », mais au lieu de fuir, de disparaître, elle était restée plantée là, contre le chambranle de la porte. Pétrifiée, les bras ballants. Les cuisses dorées de Jathi, longues et serpentines, étaient enroulées autour du cou rougeaud de Mr Charter, qui s'agitait avec vigueur et soufflait comme un buffle. Jathi avait une fois de plus regardé dans sa direction mais cette fois-ci avait imperceptiblement tourné la tête. Et soudain, une mèche de cheveux s'était embrasée, dessinant un diadème étincelant autour de son visage. Une violente lumière avait envahi la petite pièce. Ethel, médusée, avait regardé Jathi se tordre sur le lit, les yeux agrandis de stupeur. Belle et mystérieuse comme la statue de bronze de Shiva dansant dans les flammes. Elle ne semblait pas souffrir. Mr Charter avait grogné et à l'aide de coussins étouffé le feu qui déjà se propageait au bois du lit. Puis il s'était retourné, le visage convulsé, couvert de transpiration, et l'avait aperçue, elle, Ethel, droite comme un I, les mains recroquevillées devant sa bouche. Le lendemain matin, aucune allusion n'avait été faite à l'incident. Ni le surlendemain. Ce genre d'accident était fréquent : ce n'était pas la première fois qu'un domestique mettait le feu à son maigre mobilier. Les blessures se limitaient le plus souvent à une oreille fondue, à une écharpe de peau rose autour du cou ou à quelques doigts étrangement palmés. « D'ailleurs, répétait Mrs Charter, il faut reconnaître aux indigènes cette qualité unique d'être moins sensibles que nous à la douleur. » Jathi n'avait plus jamais joué au badminton. Et sa mère, qui travaillait à l'étuve, avait quitté son poste sans même récupérer ses gages. Mrs Charter s'en était étonnée. Elle avait l'habitude des décisions brusques des locaux, qui pouvaient abandonner leur travail du jour au lendemain, mais aucun n'était jamais parti sans réclamer son salaire.

Quelques jours après le drame, Mrs Charter avait appelé Ethel dans la véranda. À l'heure du thé, quand l'indigo du ciel se reflète sur les frangipaniers, l'heure des singes aussi, et des *tic polonga*, ces petits serpents à la morsure mortelle tellement certains de leur pouvoir que jamais ils ne reculent devant le danger. Mrs Charter, nerveuse, portait sur le visage son air d'offense indignée des mauvais jours. Elle avait sanglé sa taille malgré la chaleur, fixé un faux-cul passé de mode sous sa jupe et boutonné sa blouse jusqu'à la dernière agrafe, sous le menton. Celle qui laisse une trace dans la peau et empêche toute personne normalement constituée de rire, de parler fort ou de pleurer tant elle serre le gosier.

— Mais cette Jathi, à toi, elle a bien dû raconter quelque chose ? Tu jouais toujours avec elle sur la pelouse !

Regard inquisiteur et sourire maternel.

— Non. Je ne sais pas.

— Voyons, Ethel, on ne disparaît pas du jour au lendemain comme cela ! Surtout après un aussi tragique accident ! Entre amies, on se fait des confidences, je le sais bien. Et puis tu parles sa langue, n'est-ce pas ? Le tamil.

Mrs Charter n'avait jamais apprécié qu'Ethel puisse s'exprimer dans une langue autre que l'anglais. « Qui sait ce que ces gens peuvent bien fourrer dans la tête de nos enfants à notre insu ? »

— Non, Mrs Charter, Jathi parle le cinghalais.

— Cela revient au même ! Cinghalais, tamil, quelle importance, dis-moi ! Reprends plutôt un peu de cette exquise confiture de fraises que ta sœur a rapportée de Simla ! Un délice ! Et de la crème rose ! Va, sers-toi !

Voix douce. Mrs Charter avait poussé devant Ethel une coupelle en verre remplie de morceaux d'ananas, de mangues et de pruneaux, dans une crème couleur de guimauve.

Ethel avait poliment secoué la tête.

— Je n'aime pas la crème aux insectes.

— Aux insectes ?

— On écrase des punaises pour fabriquer la poudre de cochenille. Leur ventre. C'est Jathi qui me l'a dit. Une punaise, quand on l'écrase, ça fait du jus jaune, là, c'est rouge. Comme du sang. On le sèche et...

En temps normal, Mrs Charter aurait renvoyé Ethel dans sa chambre pour l'insolence de sa réponse. Mais en temps normal, Ethel n'aurait pas été assise à cette table. Et si elle y avait été malgré tout invitée, elle se serait contentée d'un simple pruneau, à condition bien sûr qu'il fût dénoyauté. Parce que c'est bon pour la digestion. Mais rien n'était normal ce soir-là, ni les ruines calcinées dans la cour, ni le silence buté des domestiques, pas plus que l'absence remarquable de Mr Charter ou l'amabilité feinte de Mrs Charter. Alors Ethel en profitait.

— On le sèche au soleil ou dans un four et on le broie. Ensuite, on s'en sert dans la cuisine pour les desserts roses. Les crèmes et les biscuits roses de France.

Mrs Charter avait pris une expression dégoûtée, aussitôt habilement transformée en une grimace aimable.

— Tu vois bien, cette fille savait des tas de choses ! Elle a certainement voulu te voir après l'incendie. Elle ne serait pas partie sans te dire au revoir !

Ethel avait levé les yeux vers Mrs Charter.

— Peut-être sa mère et elle sont-elles allées au couvent des sœurs de Khumbalgarh ? Au moins, là-bas, Jathi sera heureuse car elle pourra jouer avec tous nos chatons !

Interloquée, Mrs Charter avait brutalement reposé sa cuillère sur la nappe et fixé la tache brune de thé qui s'étalait en dièse dans la trame. Le sujet n'avait plus jamais été abordé.

Deux mois plus tard, Mr Charter, qui revenait d'un voyage d'affaires à Kuala, avait déposé un carton marqué « *John Littel's of Singapore* » sur le lit d'Ethel. Avec une délectation coupable, Ethel avait soulevé le couvercle et découvert la plus jolie poupée qui soit. Blonde, vêtue d'une exquise robe blanche ornée de minuscules boutons de rose en satin. Ethel avait longtemps joué avec elle. Puis, un jour, une à une, elle avait arraché les fleurs jusqu'au petit fil qui les retenait, tiré avec une pince à épiler. Ensuite, elle avait approché la tête de la poupée d'une flamme. Les cheveux s'étaient recroquevillés pour se transformer en filaments noirs. Alertée par l'odeur, Mrs Charter était accourue. Ethel avait sans broncher tendu ses mains bien à plat devant elle. Dix coups de trique sur la deuxième phalange avaient mis fin à l'histoire de la poupée devenue chauve. Un jour, Ethel vengerait Jathi...

Ethel se sent traquée. Depuis leur découverte, Dorothy et Vivian ne lui laissent plus de répit, la suivant partout, espionnant le moindre de ses gestes, interprétant chaque parole comme le signe d'un scénario qu'elles essaient vainement d'inventer. Elle a beau leur répéter que ce Steward n'était pas son amant, elles persistent à l'interroger. Certes, elle ment, mais elle ne peut décemment pas leur dire que son unique talent était sexuel ! En revanche, il est vrai qu'il n'était rien pour elle. Ethel soupçonne Dorothy d'avoir écrit aux archives du tribunal de Selangor. Peut-être même a-t-elle envoyé un télex à la rédaction du *Mail* à Kuala Lumpur. Dorothy a participé à plusieurs congrès internationaux de documentalistes. Elle connaît des bibliothécaires aux quatre coins du monde et reçoit des lettres de Londres, d'Amsterdam, mais aussi de Calcutta et de Hong Kong. Appréciée pour son opiniâtreté à la bibliothèque de Hartford, Dorothy possède cette faculté si précieuse aux chercheurs de vivre en apnée, coupée du monde extérieur. Une nonne copiste nourrie de sa quête. Ethel redoute sa ténacité. Mais que pourrait-elle bien apprendre qui ne fût déjà dans l'article du *New York Times* ? Le déroulement du procès ? La virulence gênée des Malais, la perfidie du procureur britannique ou la mollesse condescendante de son avocat ? Peut-être les déclarations des témoins ? Comment croire les dires des locaux ? Un gardien avait bien failli faire accuser William du meurtre de Steward. Il aurait vu un homme traverser le Klang à la nage peu après minuit, avait-il raconté à la barre. « Un Blanc », avait-il précisé, non sans une certaine jubilation. Mais qui aurait pu être assez fou pour se risquer dans les eaux traîtres de cette rivière infestée de crocodiles ? Son témoignage avait pourtant porté tort à William, qu'on avait un moment soupçonné d'avoir surpris son épouse dans les bras de Steward. Pris d'un coup de jalousie, il aurait couru dans la maison, saisi le revolver et abattu son rival.

Heureusement, les témoignages n'avaient pas manqué, et William avait été innocenté. D'ailleurs, à l'arrivée de la police au bungalow, il portait les mêmes vêtements que chez les Ambler. Sa chemise était sèche, sans la moindre trace de lutte ou de boue. « On pourrait toutefois imaginer que Mr Proudlock se soit enfui après avoir roulé en boule ses vêtements sur la berge. Profitant de l'obscurité, il a très bien pu revenir les chercher et prestement les enfiler, avait avancé un petit assesseur à lunettes fraîchement arrivé de Londres. D'ailleurs, qui nous dit qu'il n'a pas prémédité ce scénario ? Le dîner chez les Ambler n'était peut-être qu'un savant alibi. Imaginons qu'il ait tout organisé lui-même ! Ne s'est-il pas absenté alors que les autres convives venaient à peine d'arriver ? » Mais pourquoi alors Ethel Proudlock aurait-elle endossé ce crime et risqué la pendaison ? « Fort simple, avait rétorqué le petit homme en replaçant ses lunettes sur son nez. Mr Proudlock a sans doute fait chanter son épouse et menacé de dévoiler aux yeux de tous ses multiples aventures, sa vie dépravée, ce qui, vous l'admettrez, n'aurait pas manqué de la couvrir de honte ! Elle a donc accepté ce marché, certaine que jamais une cour de justice malaise n'oserait condamner une Anglaise. Un audacieux pari… » Des hypothèses si ridicules que même l'impassible juge Sercombe

Smith avait souri. Mr William Proudlock n'aurait jamais eu la folle idée de traverser le Klang à la nage en pleine nuit, et puis cette histoire de vêtements ne tenait pas debout... Pas plus que cette courte absence en début de soirée, aussitôt justifiée par l'intéressé, Mr Ambler, et plusieurs témoins. Les deux hommes avaient fumé un cigare dans la véranda afin de discuter affaires, mais aussi de ne pas importuner l'odorat délicat des épouses invitées. Une galanterie qu'il convenait de souligner.

Bientôt, la presse s'était emparée de l'événement, et dans les fumeries de Kuala et de Singapour, on ne parlait plus que de l'affaire Proudlock, chacun allant de ses suppositions et de ses fantasmes. Les colonnes du courrier des lecteurs du *Mail* regorgeaient d'hypothèses plus saugrenues les unes que les autres, d'avis enflammés, de dénonciations. « Aucune femme n'est à l'abri de l'outrage suprême dans les FMS, s'indignait un chroniqueur dans le *Times* d'Ipoh. Chacun le sait et personne n'ose le dire. Quand, enfin, rompra-t-on ce silence complice ? » « Hypocrisie ! rétorquait un lecteur la semaine suivante, nos femmes de Singapour et des FMS meurent d'ennui. Elles n'ont rien d'autre à faire pour occuper leurs journées que tromper leur mari ! Le loisir est en passe de devenir le sport féminin le plus en vogue dans cette partie du monde, avant même le tennis ! » En quelques semaines, la querelle s'était envenimée et étendue à toute l'Asie. Le *Capital*, à Calcutta, avait même osé s'ériger contre le jugement : « Le verdict est ridicule.

S'il est prouvé que le pauvre homme a été attiré dans un piège dans le but d'être froidement éliminé, le verdict doit alors être sans pitié. Mais s'il venait à être prouvé que cette femme n'a fait que défendre son honneur, quel homme digne de ce nom pourrait affirmer qu'elle a eu tort ? Nous en concluons donc qu'une femme qui défend son honneur ne doit attendre aucune clémence de la part d'un juge britannique dans les FMS. Quant à ce Mr Sercombe Smith, qui se prétend juge, il n'est qu'un bouffon qui déshonore la noble hermine de la justice. Il en va de l'honneur de l'Empire britannique. »

Parmi tous les témoins qui avaient été appelés à la barre, le pauvre bougre qui avait déposé Mr Steward chez les Proudlock n'avait pas dit grand-chose. Juste que son client, Mr Steward, semblait pressé. « Mais, avait-il ajouté en fixant obstinément ses pieds, les clients occidentaux sont toujours pressés. Avec eux, il faut aller vite, toujours plus vite. Ils ont besoin de sentir qu'ils en ont pour leur argent. D'abord, ils marchandent la course ; ensuite, ils ne sont satisfaits que lorsque le coolie est au bord de l'épuisement. »

Une foule de visages connus et inconnus s'étaient succédé. Des coolies opérant dans le centre de Kuala – « Avez-vous eu l'occasion de conduire Mrs Proudlock ? Où se rendait-elle ? Vous demandait-elle de l'attendre ? » –, des serveurs – « Que buvait Madame ? » –, des gardiens croisés aux portes du théâtre ou dans les maisons voisines. Ethel se demande encore comment ils pouvaient bien se souvenir d'elle alors qu'elle les confondait tous. Au mieux distinguait-elle leur race, mais le plus souvent ils n'étaient qu'une fresque quotidienne, une suite de visages aux yeux vides, sans la moindre expression. Les gardiens sikhs de l'Institut, la cuisinière, la bonne et même l'*amah* de Dorothy avaient été interrogés. Quand l'assesseur, sans même lever le nez de ses papiers, lui avait demandé son nom, sa date et son lieu de naissance, Ethel avait soudain réalisé qu'elle ignorait jusqu'au prénom de cette petite femme qu'elle avait tout au début appelée « *Key* », comme une clé, puis tout simplement « *Amah* ».

— Kwan Siew Kee, vingt-deux ans, je suis arrivée de Tung Koon il y a six ans.

— Pourquoi avez-vous quitté votre pays ?

L'*amah* avait paru étonnée. Ethel pouvait lire sur son visage que jamais personne ne lui avait demandé pourquoi elle avait laissé son père, sa mère et ses frères et sœurs pour partir si loin et ne jamais revenir.

— Notre village était pauvre.

Son front lisse s'était plissé. Elle parlait vite, comme pour en finir avec cette question qui remuait des souvenirs pénibles.

— Tous les ans, il y a la catastrophe et les mauvaises récoltes. Les inondations, les famines et les insectes. J'ai payé dix dollars au passeur. Je suis restée un an à Hong Kong. Dans une famille chinoise. Puis à Singapour, et à Kuala. Je travaille pour Mr Proudlock depuis le retour d'Angleterre de la Mem avec son bébé. Dans le mois de juin.

Une vie en une minute. Sa voix était claire, précise. Elle s'exprimait en pidgin, comme la plupart des domestiques. Chaque mot était articulé avec netteté, et les phrases s'échappaient par courtes salves, saccadées, suivant le rythme naturel monosyllabique de la langue cantonaise.

— Poursuivez ! Et n'encombrez pas votre témoignage de fioritures inutiles.

Fioritures. L'*amah* avait jeté un coup d'œil inquiet à Ethel.

— Je m'occupe de Dorothy. L'après-midi, je promène l'enfant aux jardins botaniques. Je fais aussi les courses pour la cuisinière. Je peux faire bon *ta foo tau*[1]. Le maître et Mrs Proudlock sont très généreux.

Elle avait marqué un léger silence et repris son souffle, avant de poursuivre en se disant que, si elle avait évité les « fioritures », elle pouvait continuer ses explications.

— Quand il y a le repos, je joue au mah-jong chez mon frère. Deux demi-journées par mois.

Puis elle avait ajouté :

— Je prends la petite. Elle joue avec mes nièces. La nièce numéro un et la nièce numéro deux.

À ces mots, un brouhaha indigné s'était emparé des premiers rangs où étaient assises Mrs Charter et quelques dames de la communauté anglaise venues la soutenir.

---

1. Coutume consistant à laisser les domestiques conserver la monnaie des sommes qu'on leur a confiées, épargnée grâce à leur marchandage.

L'avocat général avait pointé un doigt accusateur vers Ethel.

— Vous laissez, madame, votre enfant arpenter les rues de Kuala et fréquenter les *coolies fong*, ces sordides antres à coolies où pullule la vermine ? Avec pour seule protection une simple domestique chinoise ? Quelle inconscience !

L'*amah* s'était levée. Elle paraissait grande, soudain, seule face à l'assemblée.

— Mon frère n'est pas coolie. Il tient une boutique sur Main Street.

L'indignation faisait briller ses yeux. Elle savait maintenant ce qu'était une « fioriture ».

— Il vend toutes sortes de marchandises. Des fruits, les crackers Jacob's, le poison à rats. Et la boîte d'asperges. Mrs Proudlock aime beaucoup les asperges ! La petite mange bien le riz glutineux. Je lui prépare souvent son dessert préféré à la noix de coco. J'achète le riz chez mon frère. Il nous fait le bon prix. Et ensuite on va brûler les bâtons d'encens. Au temple Looi, sur Jalan Ampang. Nous prenons le bus. C'est moins cher que le rickshaw...

Sans prêter la moindre attention à la femme qui poursuivait sa litanie, l'avocat général faisait déjà signe au témoin suivant de venir à la barre quand Ethel s'était levée.

— Je suis une meurtrière, soit, mais cela justifie-t-il qu'on me conspue ? Qu'on salisse l'amour d'une mère pour sa fille ? Sa dévotion ?

Livide, les yeux chavirés, Ethel avait alors soupiré, chancelé, noué ses mains devant sa poitrine, soupiré de nouveau, mordu ses lèvres et toussé pour éclaircir sa voix. « Les bons comédiens, disait Mr Chambers, savent faire entendre leur voix avec une même clarté des loges au poulailler. »

— Comment pourrais-je confier ma fille, l'être que je chéris le plus au monde, à cette femme, si je n'étais sûre de sa moralité ? Ne devons-nous pas éduquer nos enfants dans la connaissance de la culture de ces hommes et de ces femmes que nous côtoyons au quotidien ? Ouvrir ma fille dès son plus jeune âge à la diversité du monde, c'est œuvrer à la grandeur de l'Empire britannique de demain.

Épuisée, Ethel avait laissé retomber ses bras le long de son corps, et ceux qui l'observaient, comme William, l'avaient vue fléchir sous le poids d'un insupportable fardeau avant de se rasseoir dignement sur sa chaise de bois.

L'*amah* avait silencieusement regagné sa place au fond de la salle. Un coup de marteau sec avait mis fin à la séance.

Ethel caresse du bout des doigts la carafe de cristal. La monture en argent est signée *William and George Sissons*, de Sheffield. Elle voulait l'offrir à William pour ses trente-deux ans. Une surprise à son retour précipité de Malaisie. Le pauvre, chassé de son poste comme un moins que rien ! Comme cela, du jour au lendemain, après le scandale. Elle s'était dit qu'un petit présent lui mettrait du baume au cœur. Jasper l'avait accompagnée dans les magasins d'antiquités et les brocantes de Londres. Ils avaient aussi écumé tous les bouquinistes de Windsor pour trouver un cadeau susceptible de plaire à William. Et puis, dans une toute petite boutique de Bloomsbury, ils étaient tombés sur cette carafe. Un vrai bijou, ciselé d'un dessin dans un médaillon, un dieu antique sur un char tiré par huit chevaux. William buvait volontiers un verre de vin de Bordeaux, le soir. Ethel et Jasper s'étaient arrêtés près du British Museum pour acheter du papier rouge et blanc à rayures et un ruban de satin. Mais quand, un mois à peine après son retour, William avait claqué la porte sur sa vie avec Ethel, il avait oublié la carafe, et Ethel l'avait « empruntée ». Elle ne s'en était jamais séparée, et la carafe avait échappé, avec quelques rares objets, aux aléas des déménagements. Aujourd'hui, elle trône sur le guéridon. Les cercles de tanin ont disparu depuis longtemps, et la nuit, Ethel aime regarder les rayons de lune se fracasser en mille morceaux sur les facettes du cristal.

— Mom ! Je peux ?

Vivian a déjà tourné le bouton de la porte. Elle est bien trop grande pour qu'Ethel la gronde et lui demande d'attendre une réponse avant d'entrer. D'ailleurs, Ethel va être dans un de ses mauvais jours. Elle ne répondra pas aux questions de Vivian et repoussera la tasse de thé d'un air dégoûté.

Vivian a saisi la carafe et l'a posée sur la commode.

— Mom, je t'ai dit cent fois que ce guéridon était instable. Cette carafe va finir par se casser.

Vivian pose son livre et s'assied. Quand elle décide de passer du temps avec sa « vieille mère qui perd la tête », elle prend toujours de la lecture.

— J'ai fini *Mary Anne*, de Daphné Du Maurier. Je commence *Tendre jeudi*, le dernier Steinbeck.

Ethel lui dirait bien que *Rue de la Sardine*, le premier volume publié il y a une dizaine d'années, était plutôt drôle. Mais elle s'est promis de ne pas parler. Parfois, ce mutisme lui est insupportable, mais elle s'y est faite. C'est le seul moyen d'échapper aux questions. Dans quelques minutes, elle sait que Dorothy va pousser la porte à son tour. L'ange Dorothy. Son infirmière privée. Elle lui soulèvera les pieds avec deux coussins – « C'est mieux qu'un seul, et c'est bon pour la circulation sanguine des jambes » –, ce qu'elle déteste, et insistera pour qu'elle trempe ses lèvres dans son thé. Ce qu'elle fera. Peut-être. Puis, si elle s'ennuie trop, elle grognera, agitera les doigts. Ce qui signifie : « Je veux votre attention. » Cela fonctionne chaque fois. Et en récompense pour tant de patience, Ethel se « souviendra » un peu. Elle leur livrera alors quelques détails de son passé avec parcimonie. Pourquoi pas l'histoire de la carafe ? De quoi assouvir la faim des filles.

12

Cruz Chica, Argentine
Septembre 1954

William est immobile. Il ne se lasse pas de regarder les montagnes. L'air pur des Punillas fait du bien à son asthme. Depuis qu'il a emménagé sur les hauteurs de Cruz Chica, il respire mieux. Douze années dans le climat chaud et humide de la Malaisie ont eu raison de sa santé. Quand il suffoque, la nuit, il ouvre les fenêtres et remplit ses poumons d'air frais jusqu'à l'ivresse.

Pedro s'ennuie. William écoute le cliquetis des billes qui rebondissent sur les dalles. Il est passé tout à l'heure lui porter un pot de confiture de lait de la part de sa mère. William a compris qu'elle avait besoin d'argent. Il a dit à Pedro de jouer dehors, le temps de glisser des billets dans une enveloppe. Il lui a aussi demandé d'aller à la poste porter quelques plis urgents. Mais, pour cela, Pedro doit patienter et, comme tous les gamins à qui on demande d'attendre, il trouve le temps long. Toutes les cinq minutes, il pousse la porte et passe sa tête dans le salon.

— Entre, Pedro, je vais te donner quelques exercices d'algèbre. Prends ton cahier et...

William rit. Il a trouvé la parade. Pedro détale. Il va s'occuper dans le jardin et ne l'ennuiera plus.

William a écrit hier soir une longue lettre à Ethel. Une autre à Dorothy. Et un mot à Vivian. Pour la mort de Jasper. Il doit encore conclure la lettre destinée à Ethel avant de refermer l'enveloppe. Mais il ne trouve pas de formule qui traduise les sentiments qu'il éprouve. Une tristesse infinie l'étreint. Comme si une main invisible avait enroulé une corde autour de sa poitrine et serrait, serrait, jusqu'à ce que ses côtes se brisent.

« Reçois, ma chère Ethel, mes fidèles pensées. » Trop neutre. Sans intérêt.

« Accepte, ma chère Ethel, mes plus sincères condoléances. » Officiel et anonyme.

« À toi, mon Ethel, toute mon affection. » Non. Trop tard. Impossible.

« À la femme qui nourrit mes rêves depuis près d'un demi-siècle. » « Grotesque, dira-t-elle de sa voix haut perchée, et grandiloquent. »

Un poème, peut-être ? William pousse du bout du doigt le buvard qui tangue d'avant en arrière. Clac... Clac... Quand il ralentit, il le relance d'une chiquenaude. Clac... Clac... Il voit les yeux émerveillés d'Ethel, à Londres, en 1911, lorsqu'il avait sonné au petit appartement qu'elle louait sur Brandon Street depuis son départ de Kuala avec Dorothy, au lendemain de la grâce du sultan. C'était en hiver, William rentrait de Malaisie.

Le bateau, poussé par les vents, avait pris de l'avance, et plutôt que d'attendre le déchargement de ses malles, il était monté dans le premier train pour Londres, impatient de retrouver Ethel et Dorothy qu'il n'avait pas revues depuis six mois. Il rêvait de sa surprise quand elle découvrirait les sept plants d'orchidées qu'il lui avait rapportés de Kuala. N'apercevant personne à travers le judas, Ethel avait prudemment entrebâillé la porte et trouvé les pots qu'il avait déposés sur le seuil. Caché dans le renfoncement de l'ascenseur, William avait vu son visage s'illuminer d'un sourire radieux. Malgré l'heure avancée – il était presque midi –, elle portait un simple déshabillé, négligemment boutonné sur la poitrine.

— Je les ai arrosées tous les jours et arrimées au hublot avec des rubans pour qu'elles ne se brisent pas…

Elle avait sursauté, paru embarrassée.

— Mon Dieu ! Mais quand es-tu arrivé ?

— Je n'ai pas pu attendre. J'ai pris le train de nuit à Liverpool.

Ethel semblait tout à coup perturbée, inquiète.

— Tes bagages ? Où as-tu laissé tes bagages ?

— Au port. Ils seront débarqués aujourd'hui, mais j'ai pris mes dispositions. La compagnie maritime les entreposera jusqu'à ce que je les récupère.

Près de six mois s'étaient écoulés depuis son départ de Penang avec Dorothy. William l'avait poussée contre le mur de l'entrée et avait refermé la porte du talon. Ethel gigotait, se débattait, délicieusement chaude et tendre. Dix mois sans la douceur de sa peau, l'odeur tiède des baisers sous l'oreille, là où palpite une petite veine bleue qui se gonfle avec le désir. Dix mois sans lire dans ses yeux cet instant d'effarement quand il la pénètre. Grisé, il avait glissé ses mains froides sur sa nuque, ses épaules, son dos, et d'un même geste écarté les pans d'étoffe du peignoir tandis qu'elle se raidissait et tentait de le repousser. D'abord, elle avait crié : « Les fleurs ! Il faut enlever les fleurs du palier. » Puis : « Pas ici, je t'en supplie ! » Mais William n'entendait pas. Il s'était enraciné entre ses hanches, là, debout dans l'entrée. Sans même avoir retiré son imperméable. Il avait regardé leurs deux corps tanguer dans le miroir, ses lèvres s'ouvrir, se fermer au rythme de ce curieux accouplement. Articuler des mots inconnus.

William a cacheté l'enveloppe. Son dos, sa chemise sont trempés. Il appelle Pedro. Sa voix est faible, presque inaudible. Il hausse le ton et, aussitôt, la tête ébouriffée surgit dans l'embrasure de la porte.

— *¿Señor ?*

William lui tend les plis. Pedro déchiffre les adresses.

— Mais, *señor*, pourquoi tu n'envoies pas tout dans une seule enveloppe ? C'est la même adresse sur les trois lettres.

La logique du gamin fait sourire William.

— Tu donneras l'argent à ta mère. Et tu garderas la monnaie de la poste pour t'acheter…

William marque un temps d'arrêt.

— ... pour t'acheter ce qu'on achète à ton âge. Je t'ai laissé une enveloppe vide pour que tu ne la perdes pas. Au cas où tu voudrais l'économiser.

Mr Proudlock a l'art de tout compliquer. Trois enveloppes pour une seule adresse. Une enveloppe supplémentaire pour les billets que Pedro doit donner à sa mère. Une autre encore pour la monnaie des timbres. En tout cinq enveloppes alors qu'il aurait pu en utiliser une seule.

— Tu peux y aller ! Referme la grille du jardin.

Pedro serre les enveloppes contre son ventre mais ne bouge pas.

— Eh bien, file !

— C'est que, *señor*, ma mère a dit que tu étais bizarre et que je devais m'assurer que tout allait bien. Mais je ne sais pas ce que je dois faire.

William sourit. Bizarre ? Pedro n'a pas enlevé ses sandales et le tapis est couvert de gravillons qu'il a traînés sous ses semelles. En temps normal, il se serait mis en colère et aurait exigé du gamin qu'il nettoie les traces sur-le-champ. Mais Pedro l'amuse avec ses oreilles écartées et son air de chien battu. Il n'a jamais vraiment prêté attention à lui. En dehors des exercices d'algèbre, bien sûr. William aurait voulu avoir un fils. Une fille, pour un homme, ce n'est pas suffisant. Surtout quand on ne l'a pas connue. Peut-être n'a-t-il pas ressenti ce besoin pendant des années parce qu'il passait toutes ses journées en compagnie de ses élèves. En tout cas, c'est ce qu'il a voulu croire, mais à cet instant précis il regrette de ne pas avoir de fils.

— Je vais bien, Pedro. Je suis juste triste depuis le décès de mon frère.

William se surprend de parler d'une voix douce.

— Je sais ce que c'est, *señor*, mon frère est mort aussi. Il était malade. J'ai beaucoup pleuré.

— Ç'a dû être terrible pour toi.

— J'étais petit, à l'époque. C'est pour ça que j'ai pleuré. Ma mère aussi, elle a pleuré, mais moins qu'à la mort de Santa Evita[1]. Je crois qu'un homme ne doit pas pleurer.

William écoute avec attention. Il cherche les mots qui convaincront Pedro que les larmes n'ont rien de déshonorant.

— Pedro, laisse-moi te faire un cadeau. Est-ce qu'il y a quelque chose qui te ferait plaisir ?

Pedro ouvre de grands yeux.

— À toi ou ta mère. Choisis !

Pedro regarde autour de lui, les bras ballants. Il a posé les lettres sur la table. Les livres ne l'intéressent pas. Tout ce gâchis de papier ! Quand il aura de l'argent, plus tard, il s'achètera une voiture, pas des livres. Une Maserati, comme celle de Santa Evita. Il emmènera sa mère au cinéma à Buenos Aires. Et fumera des cigares.

— Le tourne-disque.

Il se mord les lèvres. Sa mère sera furieuse si elle apprend ce qui s'est passé. Il entend déjà

1. Eva Perón.

ses reproches. Mais Mr Proudlock ne semble pas en colère. Juste fatigué, comme s'il avait besoin de se reposer. Pedro, gêné, saisit les lettres.

— Je vais partir, *señor* Proudlock. Le bureau de poste va fermer et je dois encore rentrer à pied à la maison. Ma mère va s'inquiéter.

William ne se souvient pas d'avoir été si las depuis longtemps.

C'est Mr Mc Cormack qui l'avait averti de la grâce d'Ethel. À ses joues rouges, son air excité et sa Norfolk[1] fatiguée, William avait d'abord cru qu'il venait lui annoncer qu'un tigre avait été abattu dans une plantation, sur la route de la côte.

— Will ! Le vieux a signé ! Elle a été graciée !

William n'aimait pas le manque de retenue de Mr Mc Cormack, mais de tous ses collègues à l'Institut Victoria, il était le plus fidèle, le plus droit. Un homme jovial et simple qui, dès le lendemain de l'accident, lui avait fait savoir que quelle que soit l'issue de l'affaire il se tiendrait à ses côtés. « Faut se serrer les coudes, Will. Nous, les Anglais des FMS, nous sommes des déracinés. Une forêt, peut-être, mais le moindre coup de vent peut nous abattre ! »

Le directeur de la prison de Pudu avait téléphoné en fin d'après-midi à l'Institut. Les professeurs étaient déjà partis. Mr Mc Cormack avait pris l'appel, saisi son chapeau et couru au bungalow.

---

1. Veste de chasse à ceinture et larges poches.

— Elle est libre ! Ethel sortira demain matin ! Tu peux aller la chercher à partir de onze heures.

La nouvelle de la grâce d'Ethel s'était répandue comme une traînée de poudre. Toute la soirée, les visiteurs s'étaient succédé. Compatissants, soulagés, mais surtout curieux. À minuit, Mr Ambler était passé en rentrant du club, accompagné des Burgess et des Miller. William aurait voulu mettre dehors les importuns mais, soudain vidé de sa combativité, il avait ouvert une caisse de champagne et sorti son meilleur gin. L'arrestation d'Ethel et son emprisonnement ne lui appartenaient plus. L'affaire Proudlock était devenue le fait-divers le plus célèbre de la colonie depuis la mort de Mrs O'Driscoll, en 1905, mordue par un serpent. On avait soupçonné un temps que le reptile avait été introduit dans son lit par l'époux infidèle. De loin, assis dans le jardin, William regardait ses invités défiler devant les marches de la véranda. En l'absence du maître de maison, Mr Ambler avait pris les choses en main et, avec l'assurance autoritaire d'un guide de tourisme, il faisait visiter les lieux du crime. La voix de Mr Ambler, forte et profonde, résonnait dans la nuit : « C'est là, ici même, que ce pauvre Steward a trouvé la mort ! L'impact est encore visible ! » Ou : « Ici a été retrouvé un peigne de femme, un peigne malais. » Rires de femmes, exclamations étouffées, chuchotements et bruits de verre. C'est Key, l'*amah*, qui avait tiré William de ses pensées. Dorothy, réveillée par le bruit, ne parvenait plus à se rendormir et hurlait. L'air sérieux et intimidé, l'*amah* avait déposé la fillette rouge de colère dans les bras de son père. Étonné de cette familiarité inhabituelle de la part d'une domestique, William avait d'abord repoussé l'enfant. Mais Key avait insisté et baragouiné quelques mots dans le sabir haché des indigènes. Sans doute lui avait-elle dit que l'enfant avait besoin de son père et que celui-ci, bientôt, ne la reverrait plus avant de longs mois puisqu'elle rentrerait certainement à Londres avec sa mère. William n'avait rien compris, mais, quand Dorothy s'était calmée au contact de sa peau, il avait été bouleversé par ce petit d'homme, si vulnérable, entre ses mains.

Le lendemain, à onze heures trente précises, les portes de la prison de Pudu s'étaient ouvertes et avaient laissé passer la minuscule silhouette d'Ethel. Quatre journalistes l'attendaient, carnet à la main. William avait reconnu Mr Chapman, ce chroniqueur mondain que Mrs Charter avait refoulé à leur réception de mariage.

— Mrs Proudlock ? Quelques mots pour le *Mail*, s'il vous plaît !

Ethel s'était retournée. La main en visière pour se protéger du soleil, elle avait lancé un regard circulaire autour d'elle, mais, ne repérant pas William, elle avait posé son sac sur le sol et jeté un coup d'œil aux portes qui se refermaient derrière elle. Quand, enfin, le garde sikh avait repris sa place, impassible devant le panneau PRISON FÉDÉRALE DE PUDU, SULTANAT DE SELANGOR, elle s'était une fois de plus retournée vers les hauts murs de Pudu, baignés de lumière.

— Mrs Proudlock ! Pardonnez-moi, j'ai été retardé, l'administration est un enfer !

Un petit homme était accouru, une sacoche à la main. La quarantaine bedonnante, le front dégarni et couvert de gouttelettes de transpiration, il haletait bruyamment.

— C'est honteux ! Ils m'ont fait sortir par la porte arrière. Votre libération ne plaît pas à tout le monde !

Déjà, un petit attroupement s'était créé autour des deux silhouettes. Les reporters, maintenant au nombre de six, quelques badauds, et une foule de gamins qui, après avoir couru dans tous les sens quand Ethel était encore seule, s'étaient immobilisés à l'arrivée de l'avocat. « La coutume veut que les familles qui viennent accueillir les détenus à leur sortie donnent quelques pièces », avait expliqué Courtenay Dickinson.

— Mais je n'ai rien sur moi, vous le savez bien ! Et j'ignore où est mon époux !

L'avocat avait souri.

— Vous lui avez demandé d'attendre en retrait et de demeurer discret. Mr Proudlock patiente donc dans sa voiture, là-bas sur la place. Regardez, dans l'ombre du camélia.

Ethel avait redressé la tête, et soudain elle avait aperçu William, les bras croisés, appuyé contre le tronc lisse. Elle s'était hissée sur la pointe des pieds et, avec la vigueur d'une gamine, avait agité les bras. Une expression d'immense soulagement avait d'un coup adouci ses traits tendus. Jubilant d'une joie enfantine, elle s'était alors frayée un chemin et avait couru vers lui. En cet instant, William avait tout oublié, ses doutes, le procès, le verdict, la peine de mort et les caprices d'Ethel. La femme dont il caressait les cheveux, si frêle dans ses bras, était la sienne. Jamais il ne cesserait de l'aimer.

— Mrs Proudlock ? Juste quelques mots pour le *Mail* !

Ethel avait jeté un coup d'œil inquiet à William. Il s'était penché vers elle et, posant les lèvres contre le lobe de son oreille, avait chuchoté :

— Réponds, sinon ils ne te laisseront jamais tranquille... Ils t'ont défendue, tu sais, et cette histoire, c'est un peu la leur !

— Soit. Que souhaitez-vous donc savoir ? Les conditions de détention ? Lamentables. La nourriture ? Immangeable. L'hygiène ? Déplorable.

Ethel semblait essoufflée et respirait longuement après chaque phrase, comme si, pour ces quelques mots, elle avait dû réunir toutes les forces qui lui restaient.

— Juste quelques mots, Mrs Proudlock ! Qu'allez-vous faire, maintenant ? Est-il vrai que votre grâce est assortie de l'obligation de quitter les FMS dans les plus brefs délais ?

Ethel avait reconnu la voix flûtée du reporter du *Mail* à son léger zézaiement. Carnet au poing, le reporter agitait son crayon rapidement entre les phrases et levait les yeux toutes les dix secondes, comme pour s'assurer sur le visage d'Ethel de la sincérité de ses déclarations.

— Je vais en effet retrouver ma famille, Mr Chapman. Puis je retournerai à Londres. Je prendrai le dernier bateau de juillet en partance de Penang, opéré par la compagnie P&O.

Léger silence.

— Ne pensez-vous pas, Mrs Proudlock, que vous ne devez cette grâce exceptionnelle qu'à la couleur de votre peau ? Une Chinoise condamnée pour le meurtre de son amant n'aurait pas échappé à la peine capitale aussi facilement.

Avec un sourire désarmant qu'accentuait l'épuisement, Ethel s'était rapprochée du reporter. Elle le fixait maintenant droit dans les yeux.

— Mr Chapman, écrivez bien dans votre journal que j'exprime toute ma gratitude au sultan. J'admire sa droiture et son courage. Un vrai défenseur des droits de la femme, comme notre société, hélas, n'en compte guère. Nombre de nos compatriotes feraient bien de s'inspirer de lui. L'honneur d'une femme, monsieur, n'a pas de prix.

Après le départ brusqué d'Ethel et de Dorothy pour l'Angleterre, il avait semblé à William que sa vie s'arrêtait. Lui qui avait toujours vécu seul et ne craignait pas la solitude souffrait du silence qui s'était installé. Les colères d'Ethel, ses enchantements et la douceur de sa peau lui manquaient. Il avait d'abord renvoyé l'*amah*. Puis donné congé provisoirement à la bonne et au jardinier jusqu'au retour de Mr Shaw en septembre. Il avait réfléchi à lui envoyer une lettre afin de le tenir au courant des événements en son absence, mais il avait buté dès la première page, incapable d'écrire que son épouse avait abattu un homme. Il irait donc le chercher à la gare et lui expliquerait de vive voix. Mr Shaw était un homme intelligent et il comprendrait certainement. Mais les choses ne s'étaient pas passées comme il l'avait prévu et les rapports entre les deux hommes s'étaient rapidement détériorés. Les retrouvailles à la gare avaient été froides et Mr Shaw avait refusé d'aborder le sujet. D'ailleurs, il était au courant de tout, les journaux londoniens ayant suivi avec attention les rebondissements du procès. Il l'avait convoqué quelques jours plus tard dans son bureau de l'Institut.

— Mais dites-moi, mon cher Will, puisque nous sommes entre nous, à moi vous ne ferez pas croire que ce Steward n'était pas son amant ? Nos moitiés se morfondent, nous ne sommes que leurs princes consorts ! Dites-vous bien, mon ami, que vous n'êtes pas le premier !

Mr Shaw, l'air patelin, avait abordé les affaires de l'Institut en son absence. Rien de bien exceptionnel. D'ailleurs il ne pouvait que se féliciter de l'excellente gestion de son remplaçant. L'air concentré, il avait frotté l'ongle noirci de son pouce.

— Ces serrures des cabines sur le bateau ! P&O devrait penser à les changer. Vous connaissez cela, Proudlock, avec tous vos voyages.

Le ton s'était fait gentiment bourru. Pour un peu, il lui aurait lancé une claque dans le dos.

— Cette malheureuse affaire donne une piètre image de l'Institut, vous en conviendrez. Savez-vous qu'à Londres on ne parle que du « meurtre dans la véranda » ! Vous êtes célèbre, mon ami ! Votre lettre au roi a fait le tour des salons. Mais tout est bien qui finit bien, le principal est que votre charmante épouse ait échappé à une mort aussi tragique !

William avait laissé son regard glisser sur la cime des arbres. Le ciel violet du soir. Les nuées d'oiseaux affolés. Il n'avait pas envie de faciliter la tâche à Shaw. Une odeur acide de fruits et de tabac flottait dans la pièce. Il avait aimé diriger l'Institut, et sans cette « malheureuse histoire » il aurait volontiers pris le poste de directeur adjoint.

— En dépit de toute l'estime que j'ai pour vous en tant qu'ami et collègue, et croyez-moi, j'ai su apprécier votre dévotion et votre ardeur à la tâche pendant mes mois d'absence...

William méprisait ce petit homme gras et lâche, incapable de l'affronter. Au dîner organisé en l'honneur de son retour, Mr Shaw l'avait évité. Et même Mr Mc Cormack, plutôt effacé d'habitude, n'avait pas résisté à plaisanter. « Will, tu ne vas pas faire long feu. Je me demande quand enfin il va te présenter sa boîte de cigares ouverte avec une tape sur l'épaule pour trouver le courage de te virer ! »

— Proudlock, soyez-en sûr, je n'ai que des compliments à vous faire et je tenais à vous féliciter pour les acquisitions que vous avez signées pour la bibliothèque. J'y souscris tout à fait. Excellente sélection !

La boîte à cigares. Enfin, il avait saisi le coffret, caressé la marqueterie et ouvert le couvercle.

— Des Perfecto légèrement boisés... Très honnêtement, Will, je ne puis que vous encourager à rejoindre votre pauvre épouse, qui doit se sentir bien seule dans notre bonne vieille Angleterre. Il faut tenir chaud à cette chère Ethel, voyons ! (Large sourire grivois.) Il est un temps pour tout, Proudlock. Mais, croyez-moi, l'Institut perdra un de ses meilleurs éléments. Dix mois de salaire comme cadeau d'adieu, qu'en pensez-vous ? De quoi se retourner, mon ami !

Le lendemain, William donnait sa démission et s'installait dans une pension tenue par des Chinois sur Bukit Nanas Street, la rue de la Colline-aux-Ananas, à mi-chemin entre le temple et les quartiers de la police. Oh, pas un bouge comme on avait voulu le faire croire ! Quoi de plus excitant après la condamnation à mort d'une femme adultère que la déchéance d'un homme bon ? Rien qu'un hôtel modeste fréquenté par les petits planteurs désargentés, en route pour Sumatra ou Java. Les draps sentaient le whisky, la cigarette, et le bord du matelas le sexe des femmes, qui comptaient les billets après l'amour, assises près de la table de nuit.

Avant de regagner Londres, William s'était promis de venger Ethel. Certes, les multiples pétitions, peut-être même sa lettre au roi, avaient fini par infléchir la volonté du sultan et épargné le gibet à Ethel, mais l'injustice engendrée par le système des assesseurs le scandalisait, car William Proudlock était un homme foncièrement honnête. Comment accepter que la justice fût rendue par des amis, des connaissances, des hommes rencontrés quotidiennement au Spotted Dog ou au Teutonia ? William avait donc entrepris de dresser une liste détaillée des irrégularités du procès. Avec opiniâtreté, il avait relevé chaque anomalie et consciencieusement noté en marge les raisons de son mécontentement, tout comme les infractions, évidentes, à la loi. Mais les FMS en avaient assez de l'histoire Proudlock. Il suffisait qu'Ethel fût graciée. Les yeux bleu pervenche et la bonne foi de William Proudlock embarrassaient.

Le jour de son départ pour Londres, seul Mr Mc Cormack avait accompagné William à Georgetown. Plus de dix années dans les FMS s'étaient achevées ce matin de novembre 1911 dans une simple accolade et un violent typhon. Les vents avaient soulevé la mer et projeté les bateaux et les jonques sur la jetée. Les habitants de Penang s'étaient réfugiés sur les hauteurs pour fuir l'énorme vague qui avait tout englouti sur son passage. Mais William était loin.

Pedro est parti. Sa visite a fait du bien à William. Il se reproche de n'avoir jamais pris le temps de jouer au ballon avec lui. Tous les gamins aiment taper dans une balle. William était à peine plus âgé que Pedro quand Jasper était rentré de son séjour en Écosse. Un soir, il avait surpris Jasper recroquevillé sous les draps, les mains autour des genoux, le visage mouillé de larmes. « Va-t'en, avait-il hoqueté, je ne pleure pas. » William était entré sous les couvertures et, avec sérieux – ne surtout pas montrer qu'il avait vu que Jasper pleurait –, il s'était allongé à ses côtés sans rien dire. Les couvertures rabattues sur leurs visages, ils avaient attendu que les sanglots de Jasper s'espacent, puis tarissent.

— Je l'ai tuée.

— Qui ?

— Fionnghal, la fille d'oncle Allan.

— Ah ? Mais je croyais qu'elle était morte de la rougeole.

— Oui. Mais c'est moi qui l'ai tuée.

— De la rougeole ?

— Pauvre idiot ! Tu ne comprends rien.

Jasper s'était retourné en entraînant le drap.

— J'ai froid ! Tu prends toute la couverture !

— Je l'ai tuée parce que je n'ai rien dit.

— Rien dit de quoi ?

— Je savais qu'elle était malade. Elle avait de la fièvre.

Jasper avait baissé la voix.

— Je ne peux pas te raconter. Tu es trop petit.

— Trop tard, fallait pas commencer !

William n'avait rien compris, si ce n'est que Jasper allait lui confier un secret. La raison pour laquelle il avait tué Fionnghal, leur cousine, déjà morte de la rougeole.

Ce jour-là, en rentrant des falaises, au lieu d'avertir son oncle de la fièvre de Fionnghal, Jasper était monté dans sa chambre. D'ailleurs, quand oncle Allan travaillait dans la bibliothèque, il n'aimait pas qu'on le dérange. Mais Jasper n'avait pas trouvé le sommeil. Fionnghal l'obsédait. Ses cheveux roux. Les flammes dans ses yeux. Ses lèvres pâles, si pâles qu'elles se fondaient dans sa peau claire. Comme les vierges sans bouche des peintures anciennes sur la nef de l'église, à Kirkwall. Fionnghal avait souri quand il avait poussé la porte de sa chambre. Et tendu les mains. Il l'avait prise dans ses bras, contre lui. Il sentait son dos contre sa poitrine. Elle était si légère, si petite. Il avait compté les taches de son sur ses joues, sur son cou et le lobe de ses oreilles. Puis ses doigts avaient glissé le long de sa clavicule. Elle riait, se débattait pour le principe. Il la serrait, l'emprisonnait par jeu. Elle l'avait supplié de rester et il n'avait pas résisté.

— Résisté à quoi ?

— Crétin ! Tu ne comprends jamais rien !

— Mais alors, elle est morte ?

— Le lendemain matin. La fièvre l'a emportée.

— Donc, tu ne l'as pas tuée.

Le secret avait rapproché les deux frères. Jamais plus Jasper ni William n'avaient parlé de Fionnghal. Jusqu'à ce soir de janvier 1912, dix-huit années plus tard.

William travaillait depuis une quinzaine de jours dans une librairie de Charing Cross. « En attendant qu'un poste de professeur se libère », répondait-il à ceux qui s'en étonnaient. En réalité, il avait décidé que l'enseignement n'était pas fait pour lui. Rendu amer par les tracasseries des dernières semaines en Malaisie, dépité de son brutal renvoi, il comptait laisser passer quelques mois avant de demander un nouveau poste. Au grand désespoir d'Ethel, qui détestait la vie à Londres, et plus encore le petit appartement de Brandon Street. Elle s'étiolait, arrosait sans conviction les orchidées sur le rebord de la fenêtre de la cuisine et nourrissait les pigeons ramiers du toit rien que pour irriter les voisins, furieux des déjections qui tapissaient leur balcon. Heureusement, à Noël, la venue de sa sœur Marjorie l'avait distraite. Marjorie avait traîné Dorothy à Hyde Park, les deux femmes avaient couru les boutiques et joué des mazurkas à quatre mains en riant. Quand il rentrait, William les trouvait assises sur le canapé du salon. Elles gloussaient comme des adolescentes, s'échangeaient des chiffons et applaudissaient aux facéties de Dorothy, qui n'était jamais couchée avant minuit. Ethel posait alors la fillette dans le lit entre elle et William, et s'endormait le sourire aux lèvres. William aurait souhaité plus d'intimité, mais la soudaine affection qu'Ethel développait enfin pour sa fille l'attendrissait.

Ce soir-là, William avait quitté la librairie plus tôt. Marjorie devait repartir le lendemain à Singapour et il souhaitait passer cette dernière soirée avec sa belle-sœur. En guise de cadeau pour le bateau du retour, il lui avait rapporté le dernier livre de Charlotte Perkins Gilman, une Américaine, farouche avocate des droits de la femme. Marjorie était une jeune femme étonnante, beaucoup moins jolie qu'Ethel mais pleine d'une fougue et d'un enthousiasme auxquels il était difficile de résister. Irrévérencieuse et spirituelle, elle apparaissait comme le parfait contrepoint d'Ethel. William aimait discuter avec elle et, en lui donnant ce livre dont une partie se passait au Tibet, il espérait attiser légèrement la jalousie d'Ethel et peut-être l'éveiller enfin, grâce à sa sœur, à des discussions plus élevées que les habituels potins londoniens.

Livre, *stilton* de chez Paxton and Whitfield, le meilleur fromager de Londres, et bouteille de porto sous le bras, il avait poussé la porte de l'appartement, l'humeur enjouée. Le cadenas n'étant pas fermé de l'intérieur, il en avait déduit qu'Ethel était à la maison, sans doute en train de coucher Dorothy, malade depuis plusieurs jours. En passant devant le salon, il avait aperçu sur la table dressée un paquet joliment emballé de papier à rayures rouges et blanches. Probablement pour le départ de Marjorie, à moins que ce ne fût pour son anniversaire qui approchait.

La cuisine était plongée dans l'obscurité, illuminée simplement par les halos de brouillard des lampadaires dans la rue. Il allait s'étonner de la quiétude de l'appartement quand un bruit avait attiré son attention. Puis des soupirs. Des gémissements. Un curieux frottement contre le mur. Pris d'un monstrueux doute, William avait posé les paquets sur la table. Et respiré. À longues goulées pour calmer le feu qui broyait ses entrailles. Comme tout sportif de haut niveau, il n'était pas homme à se laisser dominer par ses émotions. Sans hâte, il s'était approché de la fenêtre et avait perdu son regard dans le spectacle de la rue en contrebas. Un couple qui s'enlaçait. Un groupe de jeunes gens éméchés qui titubaient. Un chien boiteux. Une femme. Peut-être une péripatéticienne en quête de client. Il avait fermé les yeux pour remonter le temps, prétendre ne rien avoir entendu. Pousser la porte de nouveau et trouver Marjorie et Ethel en plein jeu de *rummy*. Mais il avait reconnu la voix d'Ethel, légère, enjôleuse, et, en écho, celle plus chaude, plus caverneuse de Jasper. Un instant pétrifié, William s'était appuyé contre le mur. Pour se faire mal et maîtriser la colère qui serrait ses poings, il avait encore écouté les bruits. De plus en plus rapides, de plus en plus intenses. Les yeux rivés sur le rai de lumière qui filtrait sous la porte du couloir, il avait laissé la souffrance s'engouffrer en lui, ronger ses espérances et engloutir ses souvenirs. En quelques minutes, son amour s'était consumé, réduit en cendres. Et quand, enfin, les rumeurs du passé s'étaient tues, il s'était levé et avait marché en direction de la chambre.

Ses pas résonnaient dans l'appartement vide. La porte de la chambre avait volé en éclats. Il n'avait pas senti sa force. Jasper ne s'était pas défendu. William s'était acharné. Le visage congestionné, les dents plantées dans les lèvres. À coups de poing, à coups de pied. Enfant, il était déjà le plus fort. Quand Jasper et lui se battaient, il remportait chaque fois. Puis il avait approché son visage de celui de Jasper et planté son regard dans ses yeux.

— Tu l'as tuée. Tu as tué Fionnghal !

Les mots avaient surgi des tréfonds de l'enfance. Des mots oubliés qui frappaient plus sûrement que ses poings.

Jasper avait blêmi.

Puis Ethel avait crié.

William n'aime pas penser au passé. Maintenant Jasper est mort. Renversé par une voiture. Il ne doit pas décevoir Pedro et il tiendra sa promesse. Au diable les remontrances d'Angelina. Il fera une sélection de disques demain.

13

Whitechapel, Connecticut
Octobre 1954

Dorothy traverse une mauvaise phase. Depuis la mort de Pa, elle n'a pas repris son travail à Hartford. Judy, sa supérieure, se montre compréhensive car elle ne veut pas perdre une bibliothécaire aussi efficace. Mais le temps se fait long et le congé s'éternise. Les livres s'empilent sur les chariots. Les fiches n'ont pas été classées. La semaine dernière, quatre lettres de Mark Twain destinées à une prochaine exposition n'ont pu être retrouvées. Judy a appelé plusieurs fois à la maison pour demander à Dorothy de revenir au plus vite. Sinon, a-t-elle dit, elle se verrait obligée de « prendre des mesures ». Dorothy, dépitée, a raccroché le téléphone avec force. Le combiné a rebondi sur la clenche de métal et, pendu le long du fil, s'est balancé contre le mur. Maintenant, Dorothy s'efforce d'enlever la traînée noire en arc de cercle sur la peinture blanche. À genoux sur le carrelage de la cuisine, elle frotte la marque sombre. Elle laisse retomber l'éponge dans le seau et soupire.

— Ça ne partira pas.

La moindre contrariété lui porte les larmes aux yeux. Vivian la trouve pitoyable. Assise par terre comme une pauvresse contre le bahut, Dorothy berce un torchon sale. Les yeux vitreux, elle chantonne *Itsy Bitsy Spider*[1]. Puis elle s'anime, fait courir ses doigts le long de ses jambes. *Itsy bitsy spider*... Elle rit, attrape la petite araignée et s'illumine. *Down came the rain and washed the spider out*[2]. Dorothy frappe dans ses mains. Elle se balance, les paumes à plat sur les dalles. À gauche, à droite. Chaque fois, comme elle est assise en tailleur, ses genoux touchent le sol. Elle rit encore. Prétend tomber. Et se redresse. D'un coup.

— Arrête ! Tu vas finir à Downunder !

Downunder, c'est ainsi qu'on appelle l'Australie. Mais c'est aussi le surnom de l'hôpital psychiatrique de Norwich. Tout le monde a peur de Downunder.

L'air sombre, Dorothy essore l'éponge dans le seau pour la dixième fois. L'eau gicle. À chaque tour de poignet, Dorothy aspire sa salive avec un petit sifflement mouillé. Vivian ne supporte pas sa sœur dans ces moments-là. Les crises surviennent sans raison, alors que personne ne s'y attend. Mais Vivian a remarqué que les plus fortes explosent quand Dorothy semble heu-

1. Petite chanson américaine pour enfants.
2. « La pluie est tombée/Et a emporté l'araignée. »

reuse. Comme si, ne pouvant se pardonner de vivre un instant doux, elle devait aussitôt se flageller pour en profiter. « Je n'ai pas le droit, tu comprends ? » Dorothy lève alors ses grands yeux que la peine fait virer au gris, et cherche désespérément l'approbation dans le regard de l'autre. Autrefois, Vivian avait la patience de s'asseoir à ses côtés, de lui prendre la main et de lui susurrer que « non, elle n'était pas responsable de la mort de Bobby, et qu'elle devait profiter de la vie ». Elle lui disait toutes ces niaiseries que l'on profère aux malades pour se donner bonne conscience : « Si Bobby était là, il t'en voudrait de te laisser aller. Jamais il ne voudrait que tu souffres. » Dorothy répondait : « Tu crois ? » Et Vivian acquiesçait. Mais maintenant Vivian ne s'embarrasse plus de ces discours lénifiants. « Non, tu n'as pas le droit, répond-elle à Dorothy froidement. Gâche ta vie et celle des autres. C'est normal. De toute façon, tu es la seule à croire en ta culpabilité. Et tout le monde s'en fiche. Bobby est mort. »

Mais aucune des deux stratégies ne fonctionne. Ni la colère ni la douceur ne parviennent à calmer le feu qui ronge Dorothy.

Itsy bitsy spider, out came the sun and dried up all the rain[1]. Vivian s'est mise à chanter. De sa voix forte et claire de Noël quand elle agite une clochette pour l'Armée du Salut. Dorothy lève des yeux ahuris vers sa sœur, qui s'arrête tout

1. « Minuscule toute petite araignée/Le soleil est arrivé/Il a fait sécher la pluie. »

net. Vivian s'accroupit, pousse le seau et pose le torchon sale sur l'anse. Elle n'est pas en colère. Elle caresse les joues mouillées de Dorothy. *And the itsty bitsy spider went up the spout again*[1]... Elle fredonne, murmure presque, les lèvres contre les oreilles de Dorothy.

— Dotty, viens... Tu ne crois pas qu'un jour nous devrions aller sur la tombe de Bobby ? Nous pourrions lui parler de Pa. Lui raconter. Aucun d'entre nous n'est jamais retourné à Swastika.

Dorothy écarquille les yeux. Ses lèvres tremblent. Vivian saisit sa main et l'essuie tendrement. Elle prend l'éponge, l'essore, la passe sur le pain de savon et frotte le mur.

— Regarde, la marque part. Tout part quand on s'y applique.

Elle s'assied à côté de Dorothy, le dos contre la porte de la cave.

— Tu te souviens ? Autrefois, Mom nous disait qu'il y avait un tigre dans la cave. Pour nous faire peur... Nous l'avons vu, n'est-ce pas ?

Dorothy hoche la tête.

— Oui, à Swastika.

— Bobby aussi, il l'a vu. Il hurlait de terreur.

— Et quand Pa a dessiné une tête de tigre sur un papier derrière le soupirail... Il y a cru, le pauvre ! Tu crois que le dessin est toujours dans le carton de Pa ?

Dorothy sourit enfin.

---

1. « Et la minuscule toute petite araignée/À la gouttière a grimpé de nouveau. »

— Dorothy, nous devons aller là-bas. Josh et Mary ont dû changer. Ils ont vieilli. Je me demande si Mary roule toujours des sucettes de sirop d'érable dans la neige.

La respiration de Dorothy se calme. Sa poitrine se soulève encore par à-coups, mais ses lèvres ne sifflent plus.

— Mais Mom ? Que fera-t-on de Mom ? On ne peut tout de même pas la laisser.

— On ne va pas l'emmener. Elle se débrouillera bien toute seule. Il y a Jack et Marge, les voisins. Tout le monde dans la rue connaît Mom.

Dorothy paraît soucieuse.

— Si Pa était encore là, ce serait si simple.

— Pa n'est plus là. Viens.

Vivian gronde. Gentiment, elle saisit Dorothy sous les aisselles et l'aide à se redresser. Comment n'y a-t-elle pas pensé plus tôt ? Peut-être qu'en voyant enfin la tombe de Bobby, Dorothy acceptera sa mort. Vivian ne garde aucun souvenir de la fameuse nuit. Tout ce qu'elle sait, c'est que, la veille encore, Bobby gambadait dans la cour et que, le lendemain, il n'était plus là. Jamais plus elle ne l'avait revu. Mom et Pa avaient beaucoup pleuré. Crié aussi. Plus tard, à l'école, l'institutrice lui avait posé des questions. Puis à Josh et Mary. Mom et Pa avaient été convoqués au poste de police. Le bureau de l'inspecteur était petit, crasseux, encombré de dossiers verts retenus par d'énormes élastiques. Jamais Vivian n'en avait vu d'aussi larges. Dans un coin, un employé notait tout ce que Mom et Pa disaient.

Même quand Mom toussait, il se penchait sur sa machine et tapait vigoureusement sur les touches. « Mrs Proudlock tousse. Mrs Proudlock regarde l'horloge. Mrs Proudlock tousse. » Après quelques vérifications d'usage, l'inspecteur avait demandé à Mom et Pa de partir. Dorothy et Vivian étaient restées seules, assises sur une vilaine chaise de métal entre le vilain inspecteur et son vilain employé. L'une après l'autre, elles avaient raconté la soirée. Le blizzard, le poulailler à fermer, Bobby à coucher, le lait à faire chauffer.

— D'ordinaire, qui prépare le lait ?

— Mom. Mais pas tous les soirs. Cela dépend.

— Dépend de quoi ?

— Si Bobby est malade, s'il fait froid, si Pa rentre dîner.

Il s'était tourné vers Dorothy.

— Tu avais souvent fait chauffer le lait ?

— Oui. Vivian aussi.

— Ta mère boit aussi du lait ?

— Oui, avant de se coucher. Quand elle dort mal, elle en fait tiédir dans la casserole, en verse un fond dans un verre pour diluer ses médicaments, et met le verre dehors, sur le rebord de la fenêtre, pour qu'il refroidisse.

— Pourquoi ?

— Mom dit que le lait chaud sent le pis de la vache et ça l'écœure. Par contre, elle aime le lait froid. Glacé.

— Tu as pu te tromper et prendre l'autre verre ?

— Oh non, jamais ! Les médicaments, c'est trop dangereux. Mom nous l'a souvent répété.

— Tu sais, petite, tout le monde peut se tromper...

Dorothy avait tremblé de tous ses membres. Paniquée, elle avait regardé le vilain employé qui déjà notait, sans doute : « L'enfant Proudlock est saisie de tremblements », puis le vilain inspecteur qui, du pouce, avait fait claquer l'élastique sur le dossier vert devant lui.

Et là, Vivian s'était levée.

— Vous n'avez pas le droit ! Vous n'avez pas le droit !

Dressée devant le bureau de métal, elle avait crié le plus fort qu'elle pouvait, comme quand elle voulait effrayer les renards, le soir, dans le poulailler. Mrs Jones, l'institutrice, avait enseigné aux enfants que, pour éloigner les prédateurs dans la forêt, il fallait les affronter, gesticuler et faire du bruit. Surtout ne pas fuir. Tom, un petit de cinq ans, avait chassé un ours brun en hurlant. Jamais Vivian ne permettrait qu'on fasse du mal à sa sœur.

Pa avait accouru, alerté par le vacarme. Puis Mom, accrochée à son avant-bras comme à une bouée. Puis Josh et Mary, qui patientaient dans la salle d'attente. Vaincu, l'inspecteur avait formulé de vagues excuses, des condoléances, et tendu à Mom une liasse de papiers qu'elle avait signés d'une main hésitante, tandis que Dorothy sanglotait en silence, le visage enfoui dans son cache-nez. Vivian avait fourré dans sa poche un gros élastique tombé par terre.

Simple vengeance.

— Tu me promets qu'on ira à Swastika ?

Dorothy supplie et répète, dans une sorte d'incantation :

— Tu me promets qu'on ira à Swastika ?

— Oui. Je te le promets. Nous allons téléphoner à Josh et réserver un train dès que Mom ira un peu mieux. En octobre, il fait encore beau au Canada...

Elle lui parle comme à une enfant. En articulant avec soin.

— C'est loin. Il faudra s'arrêter à Montréal. Ou Toronto.

Dorothy est apaisée. Les deux rides qui s'étaient creusées le long de ses joues ont disparu. Elle désigne le mur.

— La marque est partie, mais il y a une trace brillante là où tu as frotté. Comme d'habitude, tu fais tout trop vite, trop fort, sans réfléchir !

Vivian s'en fiche. La trêve est passée. Sa sœur l'irrite de nouveau avec son perfectionnisme. Bientôt, pour une simple éraflure sur le mur il faudra repeindre la cuisine entière, et pourquoi pas la maison. Elle hausse les épaules.

Mom s'est installée sous le porche, face à la rue. C'est étrange, Mom n'aime pas se donner en spectacle. Elle adore regarder les voitures qui passent, commenter les habitudes des voisins, mais ne supporte pas de saluer les passants qui croisent son regard. Surtout maintenant. Ils vont lui présenter leurs condoléances ou se sentir obligés de s'arrêter et de bavarder quelques minutes. « Ce pauvre Mr Proudlock. Un bien brave homme. C'était toujours un plaisir de causer avec lui à la poste. Un homme si cultivé. Il était avocat autrefois. Quelle modestie ! Il aimait les tulipes, n'est-ce pas ? Je vous apporterai des oignons. » Ou bien : « Ah, Jasper ! À son âge ! Soixante-seize ans ? Il ne les faisait pas. Et quel comédien ! Il fallait qu'il parte en fanfare ! » Tout ce que Mom déteste. Vivian la soupçonne de vouloir fuir les interrogations de ses filles. Car Mom a peur de leurs questions. Et cette peur intrigue Vivian, car à dire vrai la découverte de l'article n'a pas bouleversé leurs vies. Au contraire, Vivian a trouvé cela plutôt amusant. Elle n'aurait jamais imaginé que sa mère eût mené une vie si romanesque. Dorothy semble plus intriguée. Sans doute parce qu'elle a vécu à Kuala Lumpur et qu'elle se sent concernée. Elle a regardé avec attention toutes les photos de Pa et interrogé Mom pour essayer d'en savoir plus. Elle a aussi écrit des lettres à Londres, à Bedford, à Singapour et à Calcutta, où vivrait encore l'une des sœurs de Mom, Marjorie. Mais il faudra sans doute des semaines avant de recevoir la moindre réponse. En attendant, Mom a fait de la maladie sa meilleure alliée. Elle prétend avoir tout oublié et manque de s'évanouir dès qu'on la presse. Elle incite régulièrement Dorothy à retourner à Hartford. Pour une fois, la présence de Vivian lui est plaisante car elle ne pose pas beaucoup de questions.

— Mom, Dorothy et moi allons acheter des billets pour Swastika. Nous voulons nous rendre sur la tombe de Bobby. J'ai pensé que cela ferait du bien à Dotty et l'aiderait à tourner la page.

Mom ne bouge pas. Elle remonte le plaid sur son ventre et respire bruyamment. Prise d'une quinte de toux, elle articule dans un souffle rauque :

— Et qui s'occupera de moi ?

— Toi, Mom. Tu es parfaitement capable de rester seule pendant quinze jours.

Nouvelle quinte de toux. Plus sèche et saccadée.

— Quinze jours ? Mais, grand Dieu, qu'allez-vous faire dans ce village sinistre ?

Vivian, sans complaisance, s'est assise à califourchon sur la balustrade. Elle a quarante-deux ans et, dans son jean étroit, en paraît dix de moins.

— Du thé, Mom ?

Puis, sans laisser le temps à sa mère de répondre, elle se ravise. Elle veut partir avant la quinte de toux finale. Car elle sera abominable. Mom sera au seuil de la mort, phtisique et moribonde.

— Pardon, Mom, je dois filer au cinéma. J'y serai ce soir, demain toute la journée et après-demain. Je passerai à la pharmacie en rentrant, si tu as pris froid. On joue toute une série de bons films. Je dois faire les critiques pour l'édition du week-end.

Elle sort un programme de sa poche, le pose sur les genoux de Mom. Attrape son sac et sa veste de tweed et dévale l'escalier.

Vivian est partie.

Tassée dans son fauteuil, Mom chausse ses lunettes et parcourt des yeux les titres des séances.

Les hommes préfèrent les blondes, L'Homme des vallées perdues, Comment épouser un millionnaire. Elle essuie les verres sales sur le rebord de sa jupe. Elle exècre porter des lunettes. D'ailleurs, en public, elle préfère ne rien y voir plutôt que de s'enlaidir avec ces affreux lorgnons. Et puis voir trouble lui permet d'ignorer les autres.

Cela fait longtemps qu'Ethel ne va plus au cinéma, même si Vivian pourrait la faire entrer gratuitement. Pour aller au cinéma, il faut un homme qui vous enlace la taille, un homme qui, aux premières gouttes de pluie, vous entraîne dans un hall d'immeuble et vous couvre de baisers dans le noir. Ethel se demande souvent pourquoi Vivian, pourtant si jolie, ne sait pas garder un homme plus d'un ou deux mois sans se lasser. Ethel ne songe pas une seconde à faire la morale à sa fille. Elle, elle a aimé les hommes avec une telle avidité, une telle frénésie qu'elle ne saurait décemment inciter sa fille à la modération. Mais tout de même, il serait temps qu'elle s'installe et arrête de mener cette vie de célibataire rebelle et sans attache. Vivian fréquente depuis quelque temps un certain Burt Warren. Un journaliste raté qui gagne sa vie en chantant dans les night-clubs de Philadelphie. Il se prend pour Bing Crosby et, en dépit de sa voix de châtré, remplit les salles. Burt ne revient à Whitechapel qu'une ou deux fois par mois pour proposer de nouvelles enquêtes au journal et rendre visite à sa mère qui habite dans une rue parallèle. Ces soirs-là, quand Ethel regarde Vivian se préparer, la mélancolie lui tord le cœur. Elle enrage contre l'âge qui chaque jour lui dérobe un peu plus les plaisirs de la vie. Lorsque Vivian rentre le lendemain matin, fiévreuse, la bouche pâteuse et l'air de je-ne-sais-quoi dans le regard qui fleure la jouissance et le sexe, Ethel serre les jambes l'une contre l'autre très fort et ferme les yeux. On dit que l'âge endort le désir mais il n'en est rien. Ethel aime, désire avec la même violence qu'à vingt ans.

Ethel reprend le programme. Vivian rentrera tard ce soir, car le Royal Theater joue deux films à la suite : *L'Insoumise*, avec Bette Davis et Henry Fonda – quelle idée de jouer ces vieux films ? –, et, en seconde partie, toujours avec Bette Davis, *La Lettre*. Ethel relit le programme avec attention. *La Lettre*, de William Wyler, 1940, avec Bette Davis, Gale Sondergaard et Herbert Marshall. D'après la nouvelle de Somerset Maugham écrite en 1924.

Au même moment, Vivian descend de scooter et passe les doigts dans ses cheveux pour leur redonner du volume. Elle espère retrouver Burt. S'il ne l'attend pas devant le cinéma en début de soirée, lui a-t-il dit, il passera la chercher entre les deux films, ou à l'entracte. Assise au sixième rang, un petit carnet sur les genoux pour prendre des notes, Vivian écoute distraitement les actualités. Les éclats de lumière blanche lui brûlent les yeux. Les paupières fermées, elle entend la voix du président Eisenhower. Les mots se succèdent à un rythme soutenu, la jeune reine Élisabeth II se promène dans le parc, Edmund Hillary évoque son arrivée sur le toit du monde, Ted Williams, des Red Sox de Boston, se remet de sa fracture de la clavicule. Vivian bâille. Elle ne souhaite plus vraiment que Burt la rejoigne. Elle est fatiguée et déjà lassée de passer sa vie à l'attendre. Une musique chinoise un peu forte lui fait lever les yeux vers l'écran. Une silhouette d'homme se découpe sur un fond d'enseignes brillantes, couvertes de caractères chinois. « D'après l'éclatant succès de Somerset Maugham, *La Lettre*. » Gros plan sur les yeux globuleux de Bette Davis. Dieu qu'elle est laide ! Les hommes ont des goûts étranges. Bette Davis ressemble aux poissons dans les aquariums des Trois Bonheurs, le restaurant chinois de New Haven. Pa les y a invitées autrefois. Vivian n'a pas oublié l'aquarium, les tortues et les poissons. En sortant, Mom s'était fait faire une robe chinoise de soie bleu pétrole chez un tailleur de Chinatown. Une robe dans laquelle, avait-elle tenu à préciser, aucune de ses filles ne rentrerait jamais, pas même Dorothy qui pourtant a une taille fine – mais de gros mollets de footballeur. « Je jure que jamais je n'ai écrit cette lettre. » La voix grésille. « Quels sont les secrets contenus dans la lettre ? » Vivian soupire. La musique dramatique s'écrase dans les haut-parleurs du cinéma. Vivian déteste les présentations de films. Au lieu de lui donner l'envie de les voir, ils l'en dissuadent. « Par quel mystérieux sortilège cette femme a-t-elle bravé la loi de l'Orient ? » Les amants s'embrassent. « Un instant lady, l'instant suivant tigresse. » « Tigresse » en lettres capitales. Bette Davis descend l'escalier, revolver au poing, et tire. Un, deux, trois, quatre, cinq... Vivian compte. Elle ouvre les yeux. « Quand on aime, on peut tout pardonner. » Une femme grossièrement grimée en Chinoise de pacotille écarte des rideaux de bambou. Gros plan sur un poignard. « *La Lettre*, le plus grand frisson de votre vie. » Le cinéma s'est illuminé. Les rideaux se referment sur le mot « Entracte ». Vivian grelotte. Elle voudrait disparaître dans le siège, dans l'obscurité. Être engloutie dans cette marée de velours grenat. Elle ne remarque pas Burt qui s'assied à côté d'elle. Vivian compte. Elle compte les cinq coups de revolver. Cinq, pas six. Mais le plan a changé alors que Bette Davis visait une dernière fois l'homme tombé à terre. Somerset Maugham. Mom.

Vivian tressaute. La main de Burt s'est emparée de la sienne et la serre. Il approche ses lèvres, mais Vivian détourne le visage. Surpris, il n'insiste pas. Le premier film commence. Dans deux heures, après *L'Insoumise*, Vivian annoncera à Burt qu'elle en a assez de jouer la femme de marin à Whitechapel. Burt va se récrier, la prendre dans les bras, lui jurer qu'il ne voit personne à Philadelphie. Elle va hausser le ton dans le grand hall du cinéma et, comme tous les hommes, il battra en retraite devant les regards curieux qui se tourneront vers ce couple qui se dispute. Aucun regret, Burt est un amant médiocre.

Dans quatre heures trente minutes exactement, le rideau se refermera sur le mot « Fin » du second film. *La Lettre*. Vivian va enfin comprendre qui est sa mère. Peut-être.

14

Cruz Chica, Argentine
Octobre 1954

William feuillette son agenda. Méthodiquement, il en arrache les pages l'une après l'autre. Il est des jours sur lesquels il aimerait s'attarder, mais il n'a plus le temps. Le feu va s'éteindre. Il regarde les feuilles s'enflammer. Certaines brillent plus fort que les autres. Les photos gémissent, se roulent, se parent d'un halo bleu saphir, résistent longtemps avant de se consumer et de disparaître dans un interminable chuchotement. Du bout du tisonnier, il pousse la reliure du carnet dans les braises. Le carton se tord, s'arque, se rebelle et refuse de céder à la fournaise. « Calendrier perpétuel », peut-il encore lire. L'auréole rouge serpente, encercle les lettres qui vacillent, puis cèdent dans une salve d'étincelles. Un visage de femme surgit entre les pages, noircit. La pellicule brillante de la photo se soulève comme un copeau, ocellée de reflets jaunes. Impatient, William attise les flammes. Les dernières liasses de papier se dressent, tournées par une main inconnue, et s'effondrent enfin, englouties par le nuage de cendres. Satisfait, William vérifie qu'il ne reste plus rien sur le bureau.

Il approche ses mains et sent la chaleur de sa vie passée irradier ses paumes. Gladys Miller. 26, Crescent Road. Albany. New York. Il se souvient de son adresse par cœur. Jamais il n'aurait dû rencontrer Gladys. Mais ce soir de janvier 1912, quand il avait quitté l'appartement de Brandon Street avec ses valises, laissant Ethel et Jasper hagards, barricadés dans la chambre, il ne savait pas où aller. Il avait d'abord pensé louer une chambre dans le premier hôtel venu, mais il était finalement retourné à la librairie car il savait que Douglas Skene, le propriétaire, un célibataire endurci, y travaillait tard. Parfois jusqu'à minuit. « L'heure des bons livres et des femmes de petite vertu. » Quand il avait frappé au carreau de la porte, Douglas l'avait accueilli avec un sourire soulagé.

— Mon cher William, vous arrivez à point nommé !

Dans la boutique sombre se tenait une femme. Une grande femme vêtue d'un tailleur violet et d'une étole de fourrure fauve. À sa tenue excentrique et sa façon désinvolte de lui tendre la main sans même se lever, il avait tout de suite deviné qu'elle était américaine.

— Mme Miller est critique musicale. Elle se rend à Paris...

— Américaine, certes, mais mon grand-père est hongrois, avait interrompu l'inconnue, devinant les pensées de William.

Douglas avait repris.

— Mme Miller se rend à Paris dans l'intention de parler à ce M. Stravinski qui compose un ballet dont on reparlera. Je ne connais pas grand-chose à la musique moderne et j'ai pensé que vous, William, qui êtes un violoniste accompli, saurez la renseigner sur un ou deux ouvrages qu'elle cherche désespérément à se procurer.

Quatre mois plus tard, William laissait Londres derrière lui et partait pour Paris. Gladys était belle, terriblement belle. Une de ces femmes sur lesquelles les hommes se retournent sans même avoir croisé leur regard. Une femme forte, indépendante, qui plongeait ses yeux indigo droit dans son âme, sans ciller, et dont le corps musclé de danseuse l'intimidait. Avaient alors débuté onze années d'une liaison si intense qu'il avait cru oublier Ethel pour toujours.

Des heures d'entraînement de gymnaste de haut niveau avaient sculpté le corps et l'esprit de Gladys. Gladys se levait tôt ; Gladys domptait ses muscles à la barre qu'elle avait fait fixer au mur de la chambre de leur hôtel, rue Dauphine ; Gladys avalait un œuf cru battu dans de la vodka – héritage du grand-père hongrois – et travaillait sa voix en s'accompagnant au piano, un don de sa mère cantatrice. Une fois le rituel matinal achevé, elle se lavait à l'eau glacée, laissait couler une goutte de *Narcisse noir*, de Caron, dans le creux de ses reins et glissait son corps encore froid sous les draps, à côté de William. Gladys était irréelle, fantasque, drôle et cultivée. Mais aux yeux de William, sa qualité la plus précieuse était d'être tombée follement amoureuse de lui.

— Tu me fais rire, lui chuchotait-elle avec son drôle d'accent. Raconte-moi encore le jour où la civette a avalé le perroquet !

Et William reprenait pour la dixième fois le récit du perroquet qu'il avait acheté pour Dorothy. Un perroquet si bête que, contrairement aux autres volatiles que gardaient les Anglais dans leurs jardins, celui-ci s'enroulait chaque nuit avec sa chaîne autour de son perchoir, et que chaque matin les domestiques devaient, au risque de se faire trancher le doigt par le bec acéré, libérer le pauvre animal qui pendait tête en bas, ficelé comme un rôti. Un jour, les cris du jardinier avaient ameuté la maisonnée. « *Burung bodoh habis*[1] *!* » La chaîne pendait, vide. Trois plumes vertes gisaient sur la pelouse. Le perroquet avait été dévoré pendant la nuit par la civette qui, depuis une semaine, pleurait chaque nuit sur le toit.

— Mais sais-tu bien que les civettes qu'on appelle là-bas « *luwak* » sont des animaux recherchés ?

Gladys glissait ses pieds entre les jambes de William.

— Dis-moi ! suppliait-elle, comme s'il allait lui confier le secret le mieux gardé du monde.

— Eh bien, ces petites bestioles raffolent des baies du caféier. Et à Java, on torréfie le meilleur café du monde, un café fermenté dans l'estomac des *luwak* !

1. « Cet idiot d'oiseau a disparu ! »

— Tu veux dire qu'on égorge ces pauvres bêtes ?

— Bien sûr que non ! Réfléchis un peu.

Les histoires de William faisaient chaque fois leur effet.

— Tu veux dire que... Dans leurs excréments ? Mais c'est absolument répugnant ! Comment peut-on avaler un tel breuvage ?

Gladys prenait un air choqué, puis dégoûté. Et William, triomphant, savourait l'attrait qu'il exerçait à si peu de frais sur cette femme si belle. Car Gladys, l'indomptable critique du *New York Times*, était sincèrement éprise de cet homme doux et droit, apparu sans crier gare dans une librairie de Londres.

Les improbables amants étaient d'abord restés à Paris. Un an exactement. Le temps d'assister au tumulte de la représentation du *Sacre du printemps*, sur les Champs-Élysées, et de rencontrer MM. Debussy et Ravel. Gladys avait écrit plusieurs articles et jeté les bases d'un ouvrage qu'elle souhaitait présenter à un éditeur londonien. Son travail terminé, elle avait été rappelée à Albany. Et William l'avait suivie. Ils s'étaient installés au 26, Crescent Road, avaient planté un noisetier provenant de la haie de l'ancien jardin de Bourgogne de M. Debussy, et recueilli un chien aussitôt baptisé *Hobo*[1]. Hobo parce qu'il errait dans les rues et avait été vu à Albany, à

1. Nom donné aux clochards itinérants et travailleurs migrants à la fin du XIXe siècle et pendant la Grande Dépression.

Saratoga et dans le Vermont voisin. Peut-être aussi un présage de la crise économique qui allait s'abattre sur le pays. Plusieurs années s'étaient écoulées. Gladys, fatiguée des constants trajets en train pour New York, avait arrêté d'écrire pour se consacrer à son unique et réelle passion, la danse. Une méchante fracture avait autrefois coupé court à ses ambitions professionnelles, mais elle n'avait jamais renoncé à son projet de fonder une école. En attendant de trouver les fonds suffisants pour ouvrir l'institution de ses rêves, qui accueillerait les enfants comme les adultes, même débutants, elle enseignait donc cinq fois par semaine au conservatoire de la ville. William, de son côté, avait déniché un poste de professeur de littérature anglaise et française dans une petite école, à dix minutes à peine de la salle de danse. La simplicité de leur nouvelle vie, l'atmosphère provinciale d'Albany et les longues promenades dans la vallée de l'Hudson avaient naturellement effacé leurs différences.

William retourne les cendres refroidies. La pelle de fonte crisse sur les pierres et lui hérisse le poil. Il versera le contenu du seau sur les rosiers dans le jardin. Un petit morceau de papier brillant et gros comme un timbre scintille dans l'âtre. William le ramasse et souffle pour en chasser la poussière grise. Du bout du doigt, il caresse le visage épargné par les flammes et sourit. Gladys a toujours été rebelle. Comment pourrait-elle accepter de finir ainsi, comme une hérétique brûlée sur un bûcher de fortune ? Gladys était un joyau. Une pierre unique. Et pourtant, elle était partie.

« Je m'en vais tant que notre histoire est encore belle », lui avait-elle écrit dans le petit mot trouvé sur la table du salon, un soir en rentrant de l'école. « Joli ! Mais tu crois que cela me suffira comme explication ? » avait-il commenté tout haut en se retournant vers le tapis du salon où elle avait l'habitude de faire ses étirements. Il lui avait parlé comme si elle était encore devant lui, assise sur le sol, le buste plaqué sur ses longues jambes, les mains tendues, prête à s'envoler. « Tu manies bien les mots ! Mais tu oublies que je t'aime, moi ! » Mais William savait très bien pourquoi ce matin-là elle avait fait ses valises pour ne jamais revenir. Depuis des mois, il redoutait ce moment comme l'arrivée d'un typhon que l'on sait inéluctable.

William et Gladys avaient rêvé de fonder une famille. Mais les semaines, les mois et les années avaient passé sans que le ventre adoré s'arrondisse. Ils avaient consulté les meilleurs médecins de Boston, de New York et de Philadelphie. Le corps parfait de Gladys se refusait obstinément à la maternité. Gladys, sur les conseils d'un médecin français de Montréal, avait même pendant près d'une année entière arrêté de danser. « L'exercice physique n'est pas conseillé aux femmes. Il contrarie leur corps et assèche ce merveilleux nid de maternité qu'est le ventre. Du moelleux, madame, du moelleux ! » avait-il fanfaronné en observant d'un air consterné les hanches fines et le ventre plat, tendu comme une toile de tente, de sa cliente. Mais rien n'y avait fait, ni l'oisiveté forcée, ni la médecine indienne et ses décoctions de baies de ronces des tourbières, pas plus que les bains chauds ou les longs massages que lui prodiguait William.

Peu à peu la flamme dans l'indigo des yeux de Gladys s'était éteinte. Et quand, fatigué de sa journée, William se contentait d'effleurer ses paupières d'un baiser sans même passer une main sous ses vêtements, Gladys traduisait : « Je suis las d'essayer, je renonce. » Et lorsque William la prenait dans ses bras, elle comprenait : « Essayons une fois encore. » Sa volonté se cabrait, mais parce qu'elle avait promis à William de se plier à toutes les méthodes, même les plus farfelues, elle coinçait deux coussins sous ses reins et, avec application, demeurait le plus longtemps possible le bassin relevé, les yeux rivés sur la pendule. « Au moins vingt-cinq minutes, le temps d'une messe, avait conseillé le médecin canadien. La semence de l'homme a besoin de s'épanouir, de respirer. »

Leur relation si joyeuse et sans contrainte s'était, au fil du temps, embourbée dans les aigreurs quotidiennes. Jamais plus William ne pouvait évoquer Dorothy sans que Gladys se rue sur le piano pour se lancer dans des gammes frénétiques de colère et d'impuissance. William avait caché les photos de sa fille dans un tiroir afin de ne pas offenser Gladys. Même Hobo était devenu indésirable, depuis ce jour où une voisine s'était exclamée devant son caractère joueur :

« Ce chien serait un parfait compagnon de jeux pour des enfants ! » Le verdict énoncé, Gladys avait placé une petite annonce à l'église : « Gentil chien bâtard à adopter, cherche famille avec enfants, de préférence nombreux. » Une semaine plus tard, une dame se présentait, suivie de quatre gamins entre deux et neuf ans. Gladys s'était agenouillée et avait chuchoté quelques secrets dans le velours des oreilles de Hobo, qui avait docilement suivi la famille. Ainsi qu'elle le lui avait demandé, Hobo ne s'était pas retourné. « Je m'en vais tant que notre histoire est encore belle. » William avait relu le petit mot plusieurs fois. Les bras ballants, il avait cherché des yeux une veste, un foulard qui lui indiquerait que tout cela n'était qu'un mauvais rêve. Mais rien ne pouvait laisser deviner que le matin encore Gladys s'était allongée sur le canapé pour préparer d'imaginaires chorégraphies. Les coussins avaient été tapotés – pointes secouées et tirées – et replacés en parfaite symétrie. Même le plaid de lainage rouge dont elle aimait envelopper ses pieds avait rejoint sa place dans les étagères de l'entrée, entre le Webster et une pile de partitions. William s'était laissé tomber sur le tabouret du piano et, d'un geste mécanique, avait ouvert le couvercle du clavier. Gladys l'avait aussi prévu. Elle le connaissait si bien. Sur les touches l'attendait une seconde lettre, plus longue. Rien que des détails, une liste de points matériels à régler.

« Tu as trois mois pour quitter Crescent Road. Cela te laisse le temps de t'organiser. J'ai réglé le loyer d'avance jusqu'à septembre. Le propriétaire m'a confirmé que les nouveaux locataires n'arriveraient que le 12 septembre. Mais il souhaiterait que la maison soit vide dès le 31 août afin de faire repeindre le vestibule que Hobo a sali. Un camion viendra chercher mes affaires – regroupées dans la chambre, sous la fenêtre – et mes meubles début juillet. Si tu le souhaites, tu peux garder le piano. Mais ne cherche pas à m'avertir de ton choix. Je comprendrai en voyant le chargement. Je te demande enfin de ne pas essayer de me revoir. » Elle avait signé : « Gladys Miller. » Le lendemain, William avait encore trouvé, soigneusement épinglés sur son bureau, une dizaine d'offres de location à Albany et à New York, ainsi que les horaires et les tarifs des bateaux pour Londres au mois d'août. Gladys avait pensé à tout.

De ce jour, jamais plus William n'avait entendu parler de Gladys Miller. Jusqu'à l'arrivée dans sa boîte aux lettres, au printemps 1954, d'un pli volumineux en provenance de New York. Gladys était morte à la fin de l'hiver. Parmi ses dernières volontés confiées à son frère cadet, Laszlò, Mrs Miller avait dressé une liste d'une vingtaine de personnes à qui elle souhaitait que l'on fasse part de son décès. William Proudlock étant le septième nom, la lettre était partie avec un certain retard. Elle avait ensuite transité par l'Angleterre avant d'arriver en Argentine, plus de deux mois après le décès de Gladys. Gladys s'était éteinte paisiblement à New York le 15 février, entourée de sa famille. Une vilaine complication pulmonaire après un accident « ordinaire ». Toujours très sportive en dépit de ses soixante-cinq ans, Gladys courait chaque matin dans les chemins de Central Park. Début février, sans doute présumant de ses forces, elle était sortie à son habitude malgré le blizzard et avait glissé. Gladys était restée sans se relever plusieurs heures dans la neige avant qu'un passant ne la découvre transie au pied d'un arbre. De retour chez elle, elle avait développé une violente fièvre qui devait l'emporter une dizaine de jours plus tard. La lettre de Laszlò Miller précisait enfin que Mrs Miller léguait à William Proudlock le piano qu'il n'avait pas souhaité garder trente années auparavant. Dans le cas où il ne serait plus vivant, précisait Gladys avec son implacable sens de l'organisation, elle avait prévu qu'il soit donné au conservatoire d'Albany. Dans une enveloppe marron étaient réunis un certain nombre de documents : une copie de la lettre de legs à la ville d'Albany, le certificat d'acquisition du piano daté « Vienne, 13 décembre 1903 », le nom d'un facteur de Manhattan de bonne réputation et quatre placages d'ivoire de touches autrefois endommagées. Bien sûr, les frais d'acheminement pour « l'Angleterre ou toute autre partie du monde, y compris l'Asie » étaient entièrement pris en charge par la défunte. Les mesures idoines avaient été prises auprès de sa banque à Manhattan.

William a saisi l'anse du seau rempli de cendres et posé le fragment de photo au centre du tas. Il brille comme un éclat de mica. William se souvient d'avoir lu dans les Mémoires de l'aventurière Isabella Bird Bishop qu'au lendemain des crémations les moines coréens fouillaient les brasiers encore fumants afin de retrouver les « diamants » issus de la combustion. Ils ensevelissaient ensuite ces pierres précieuses dans de petits édifices en forme de bouton de lotus à l'entrée des temples, persuadés que la sagesse des grands maîtres zen se cristallisait après leur mort. À défaut de bouton de lotus, les rosiers seront le reliquaire de Gladys Miller.

William répartit les cendres. Un peu sur chaque pied. Il a griffé la terre avec un curieux outil qu'il a trouvé sur la margelle du puits. On dirait une serfouette à manche court pourvue de dents multiples. Parfait pour aérer le sol. Maintenant, il tasse les cendres légèrement avec ses paumes. Il lave ses mains qu'il a puissantes dans la cuve sous la gouttière. C'est là qu'il récupère l'eau de pluie. Les oiseaux viennent y boire, alors il a installé une planche contre le mur sur laquelle il laisse un peu de graisse et des graines. Il écarte ses doigts sous l'eau. Ses veines se gonflent. Jamais il n'a pu cesser de se ronger les ongles. La dernière phalange de son index a une drôle de forme, comme une sorte de capuchon. « Dommage ! Tu as des mains splendides, des mains de violoniste, des mains de sculpteur, des mains d'obstétricien qui donnent et prennent la vie. » Il écoute la voix de Gladys et tend ses mains humides vers le ciel, dans la lumière. L'eau ruisselle le long de ses poignets.

Un vent froid agite les branches et soulève les cendres qui se répandent sur les dalles de pierre. William bloque les volets et rabat le mousqueton sur la barre de métal en travers de la porte-fenêtre du salon. Pour rentrer dans la maison, maintenant que les issues sont bloquées côté jardin, il n'a pas d'autre choix que d'utiliser la porte principale. Il contourne la maison, empile au passage quelques pots qui pourraient bien se fracasser sous la force des bourrasques et causer des dégâts. Il vérifie d'abord que la boîte aux lettres, à peine visible sous les rameaux envahissants du tamaris, est vide. Le facteur ne passe qu'une fois par semaine, mais parfois certains parents d'élèves, inquiets des résultats de leur progéniture, déposent un mot. Comme si s'adresser à lui en dehors du cadre scolaire allait provoquer quelque miracle. William sourit, referme la porte et se dirige vers la cuisine. Au milieu de la paillasse trône le pot de confiture de lait d'Angelina. Soudain envahi d'un monstrueux sentiment de culpabilité, il ouvre le couvercle. Il doit faire honneur à Angelina. Il mangera au moins la moitié du pot que Pedro lui a donné. Il pourrait faire semblant, comme avec la *faina*, car la confiture de lait l'écœure, mais cette fois-ci il ne veut pas la tromper. Il veut qu'Angelina soit fière, peut-être attendrie d'avoir vu juste. Un peu de gourmandise fait du bien aux bleus de l'âme. À contrecœur, il étale lentement la pâte brune sur le pain.

Whisky, cigarette et tartine de confiture de lait. Le whisky fait passer le goût, comme un mauvais médicament. William entend sa mère : « Allez, Will, dans une seconde, c'est fini ! » Il répondait : « Oui, mère », gonflait les joues – « C'est pour mon bien » –, serrait les dents d'appréhension – « Et elle, arriverait-elle à ingurgiter sans broncher une cuillère pleine d'huile de foie de morue ? » –, puis avalait. Sans grimace, ni démonstration excessive de dégoût. Enfin, ça, c'est la version officielle qui lui valait toujours un regard satisfait. Quand il n'y parvenait vraiment pas, le ventre déjà retourné à l'idée d'avaler ce liquide sombre, il serrait les fesses et répétait bien fort dans sa tête les mots et insultes les plus grossiers de son vocabulaire : « couilles », « merde », « putain », « pisse ». Et quand cela ne fonctionnait toujours pas, il ajoutait les verbes « branler », « chier », « baiser », « pisser ». En bon grammairien, il savait déjà que les verbes impriment plus de force que les substantifs. L'effet était radical, il déglutissait avec courage et dignité. Et obtenait les mêmes félicitations de sa mère. Jasper, lui, couinait, se tortillait, mais finissait aussi par avaler. Sans doute dans l'espoir stupide d'être gratifié d'un sourire maternel. Ou peut-être d'une de ces récompenses communes aux enfants, aux chevaux et aux chiens : du sucre ou une pomme.

Ces souvenirs ont égayé William, qui mord avec vigueur dans sa troisième tartine. Avec un peu de concentration, il parvient à se persuader qu'il aime la confiture de lait d'Angelina. C'est bien ainsi. Il a toujours pensé que l'esprit devait contrôler le corps. L'hiver de ses quinze ans, il avait nagé dans la rivière glacée pour montrer à Jasper qu'avec un peu de volonté rien n'était impossible. Mais Jasper n'avait même pas paru impressionné. Il l'avait traité d'idiot et, quand le lendemain William avait grelotté de fièvre, il s'en était amusé.

— À quoi bon ? Le jour où tu plongeras dans une rivière gelée parce que des chiens aboient à tes trousses et menacent de te dévorer, là, je t'admirerai.

— Quel intérêt, si c'est la peur qui dicte mon courage et non la simple volonté ? Tu ne comprends jamais rien.

Jasper avait réfléchi à une réponse puis haussé les épaules. La logique de son frère lui était étrangère. Pour William, le monde pouvait se gérer avec des mots et un raisonnement appropriés, le corps adulé et soigné était les fondations d'un empire régi par la rigueur. Jasper avait l'intelligence brouillonne, comme disait Mr Bates, leur instituteur. Des années plus tard, quand Jasper était parti avec Ethel, William s'était rappelé cette petite discussion. Parfois, l'enfance surgit sans crier gare dans le monde des adultes. William avait senti les mâchoires de l'eau glacée de la rivière se resserrer sur sa poitrine puis entendu le rire moqueur de Jasper. La colère passée, il avait froidement analysé la situation et conclu qu'il ne savait pas rendre Ethel heureuse. Il l'avait donc laissée partir. Pas vraiment à contrecœur, puisqu'il venait de rencontrer Gladys. Ce n'est que lorsqu'il avait quitté la maison d'Albany pour Buenos Aires qu'il avait soudain compris l'ampleur du désastre qu'il laissait derrière lui. Jamais Ethel ne reviendrait. Et personne ne lui dirait jamais qu'en renonçant à son amour il avait agi en homme droit et sensible.

William mâche avec sérieux. Du tranchant de la main, il pousse les miettes sur le rebord du plateau pour en faire un petit tas. Il calcule qu'on est mardi et que les lettres n'arriveront pas au mieux avant une semaine, peut-être plus. Parfois, entre Cruz Chica et Whitechapel, le courrier peut mettre dix jours, même en express. Dans ce cas, elles arriveront le vendredi de la semaine suivante, sinon après le week-end, le lundi ou le mardi d'après.

Malgré cet en-cas de tartines, William a toujours faim et décide de préparer des œufs et du bacon. Il reste trois œufs, et comme il n'aime pas le gâchis, et encore moins les chiffres impairs, il les mangera tous les trois. Du dos de la cuillère, il écrase les coquilles et cherche des yeux le seau à compost qu'il laisse en permanence près de l'évier. Il se souvient qu'il l'a vidé hier, et par souci de rangement l'a retourné sur le muret du jardin après l'avoir lavé. Embarrassé par ses coquilles d'œuf, il écrit un petit mot à l'intention d'Angelina sur l'ardoise destinée à leur communication quotidienne. Un rituel avant l'accident de Jasper. Car depuis, Angelina, armée de bonne volonté et ayant décidé de le tirer de sa torpeur, est devenue loquace. Trop à son goût. D'ailleurs, c'est la même chose avec les coiffeurs. Dès qu'ils se permettent de devenir familiers au-delà de la conversation minimale de courtoisie sur le temps et la santé du client, il en change. Il connaît donc tous les coiffeurs de la région. William resserre la bague de cuivre autour de la mine du crayon pour qu'elle tienne bien, et écrit lisiblement en lettres majuscules : « NE PAS OUBLIER DE METTRE LES COQUILLES D'ŒUF SUR LE FUMIER. » Ces mots-là, Angelina les lit sans difficulté.

William savoure lentement son petit déjeuner nocturne. Tout à l'heure, s'il a le courage, il rangera encore la cuisine, nettoiera la poêle et son assiette. En attendant, il termine consciencieusement son dîner et ferme les yeux.

15

Whitechapel, Connecticut
Octobre 1954

Ethel retourne sa brosse. Avec le peigne, elle arrache les cheveux qui se sont enroulés autour des poils. Elle n'utilise que des brosses importées d'Angleterre, des Mason Pearson, dont les picots de sanglier sont montés sur un coussinet. Elles protègent les cheveux, les lissent mais ne démêlent pas bien. Pour cela, Ethel possède toute une série de peignes précieux en bakélite – l'ivoire et la corne s'abîment aisément et meurtrissent la chevelure. Il y a deux ans, elle a décidé de laisser pousser ses cheveux de nouveau. Après tant d'années de mauvais traitements, ils s'épanouissent avec une vigueur incroyable, épais et blancs. Afin de leur donner plus de souplesse, Ethel les masse avec de l'huile de sésame, comme le lui a appris Kunthi, et les enroule la nuit sur des bâtonnets de bois de camphre pour les discipliner.

Ethel passe ses doigts à travers les mèches. Ses cheveux ont blanchi il y a sept ans. Un matin.

Ethel s'apprêtait à appliquer sa teinture, comme elle le faisait depuis des années, quand elle avait remarqué que les racines se fondaient avec les reflets pâles de ses mèches. Elle avait attendu quelques jours, indécise, puis quelques semaines, et le miracle s'était produit : ses cheveux avaient renoncé à se battre et poussaient blancs. Aujourd'hui, Ethel ne les teint plus. Elle ne va plus chez le coiffeur. Elle a brisé les bols sur les marches de l'escalier, tordu les ciseaux avec une clé à molette et tondu les pinceaux. Elle n'a gardé que sa brosse Mason Pearson, la même qu'autrefois...

— Ne bouge pas ! Et ferme les yeux. Tu sais bien qu'une goutte suffit à devenir aveugle !

Ethel se tortille. Elle ne veut pas devenir aveugle. Elle a vu en bas de l'allée des gamins qui poussaient leurs orbites blanches contre les grilles du parc. Ils devaient la distinguer malgré tout, car ils avaient deviné sa présence quand elle s'était approchée. Ils tendaient des mains décharnées et criaient son nom. « Mem Ethel ! Mem Ethel ! » Kunthi était accourue. Elle les avait chassés à grands gestes comme on fait fuir des chiens galeux.

Ethel ferme les yeux très fort et fronce le nez. Le liquide dégouline, glisse en gouttes épaisses sur son front, s'engouffre dans les sillons le long des joues pour atteindre les commissures des lèvres. Haut-le-cœur. Ethel serre les poings. Un coup de trique s'est abattu sur ses mollets. Elle entend la voix de Mrs Charter : « C'est comme cela qu'il faut faire, Kunthi, quand elle n'obéit pas ! »

Un second coup la fait sursauter et emplit ses yeux de larmes. Ses yeux qu'elle ne peut pas ouvrir, si elle ne veut pas devenir aveugle comme les mendiants de la grille. Ethel serre plus fort encore les paupières et se fige, bonne fille, car à trois ans on est une bonne fille qui aime sa mère.

Chaque fois qu'Ethel se brosse les cheveux, les mêmes souvenirs l'assaillent. Les mains douces de Kunthi, les brûlures de l'eau oxygénée, l'insupportable odeur de la poudre que Mrs Charter touille dans un bol, et les coups qui pleuvent. Pour la faire tenir tranquille quand elle était toute petite, si petite que même sur la pointe des pieds elle ne se voyait pas dans la glace au-dessus de la table de toilette, Mrs Charter l'accrochait au lit, la tête renversée devant la fenêtre. « Pour que le soleil prenne. Imagine que tu es une princesse vénitienne ! » Et comme elle gigotait encore, incapable de rester immobile pendant l'interminable temps de pause, Mrs Charter s'énervait. Elle saisissait alors un des barreaux du lit – qui sortait de son cadre parce que Ethel le faisait pivoter la nuit quand elle ne parvenait pas à s'endormir – et visait l'os de la cheville. Puis la plante des pieds. La douleur était insupportable. Ethel hurlait, glapissait comme un renard pris au piège. Mais rien ne pouvait arrêter Mrs Charter : sa fille devait être blonde. Comme les blés, le soleil, les princesses vénitiennes, le crépi du mur ou le foin ; pourvu qu'elle fût blonde.

Le rituel se répétait deux fois par mois, c'est-à-dire, Ethel avait fait le compte, toutes les deux semaines, soit au minimum vingt-six fois par an, ou trois cent douze fois rien que pour les douze premières années de sa vie. « Ethel, dis-toi que c'est pour ton bien. Tu ne dois pas bouger. Les belles Vénitiennes entretenaient leur chevelure avec du citron et du safran. Ici, nous n'avons que le curcuma du curry, mais cela fait parfaitement l'affaire. Avec du thé pour les reflets cuivrés. Des cheveux de princesse tu auras, ma fille ! »

Mrs Charter s'approchait, la voix douce, prête à rassurer, convaincre. Ethel sentait son parfum. *Edenia*, de Lundborg. Un parfum allemand que Mr Charter lui rapportait quand il voyageait en Europe. « Des cheveux de princesse tu auras, ma fille ! » Alors Ethel souriait. Parce que les enfants sont toujours prêts à pardonner. Et les coups reprenaient. Car sourire impliquait bouger les traits du visage, faire couler le produit et devenir aveugle. Ou défigurée. « Tu seras couverte de rayures rouges comme une mangouste ! »

Mrs Charter saisissait le peigne des mains de Kunthi. Un coup à gauche, un à droite. Puis rabattait les cheveux raie par raie de façon à répartir la lotion que Kunthi n'avait pas mélangée correctement. « Il y a des grumeaux. Elle va ressembler à un dalmatien ! » Kunthi aussi était une sotte, une empotée. Mrs Charter tonitruait. « Vingt-six minutes exactement. Pas une seconde de plus. Pas une de moins. Sinon, il y a risque de brûlure. Et quand le cuir chevelu brûle, les follicules pileux ne repoussent plus. C'est fini. Elle sera chauve. Irréversible. »

Les années passant, Ethel n'avait plus posé de question. D'ailleurs, elle était si petite quand les teintures avaient commencé qu'elle n'avait aucun souvenir de ses cheveux bruns. Vers dix ans, Mrs Charter avait perfectionné les séances de torture en leur ajoutant une fois par mois une épilation complète du corps. Aisselles, mollets, bas du dos, dessus des lèvres. « Tu vas ressembler à un homme ! Les femmes à barbe, tu sais, on les montre dans les cirques. » Et cet espace entre les deux sourcils, « qui te fait ressembler à une poissonnière »... Un jour, Ethel avait cessé de pleurer. Aveugle. Défigurée. Chauve. Mangouste. Dalmatien. D'abord parce que les larmes lourdes de lotion décolorante coulaient dans la commissure de ses lèvres et laissaient un goût infect dans sa gorge. Aveugle. Défigurée. Chauve. Mangouste. Dalmatien. Femme à barbe. Poissonnière. Ensuite parce qu'elles avaient tari. Irréversible. Ses yeux ne produisaient plus de larmes, plus de tristesse, plus d'émotions. Rien. Et, lentement, Ethel s'était enroulée au fond d'elle-même jusqu'à ce que, enfin, se fasse le silence. Ethel était devenue blonde. À dix-huit ans, personne n'aurait soupçonné qu'Ethel Charter était en réalité brune. Irréversible.

Ethel écoute les bruits dans la maison. Les bruits du rez-de-chaussée remontent à travers les grilles d'aération de sa chambre mais demeurent inaudibles. Elle n'avait jamais pensé épier les discussions du salon et de la cuisine, jusqu'à ce jour où elle avait fait tomber une bague à travers les entrelacs de fer forgé. Pour la récupérer, elle avait soulevé la plaque et tendu sa main à travers le conduit, au risque de se démettre l'épaule. La joue contre le sol, elle avait entendu Jasper dans la cuisine qui téléphonait à Vivian. Rien qui méritât la moindre attention. À dire vrai, elle n'avait jamais abusé de sa découverte. Jasper n'avait pas de secrets pour elle. Pourquoi l'aurait-elle espionné ?

Ethel pousse le verrou de sa chambre. Écrasée contre le sol, elle ramasse impatiemment du bout des doigts la poussière qui s'est incrustée entre les lattes de bois. Ethel écoute. Elle entend son cœur qui bat, sa respiration qui s'accélère et le crissement de ses ongles sur le parquet. Vivian parle fort.

— Je te dis que Mom est l'héroïne de ce film. Va le voir, et tu comprendras.

Dorothy hésite, tergiverse. Elle n'a pas le temps. Elle croit sa sœur sur parole. Mais en fait, elle ne veut pas remonter le temps et se contraindre à voir son enfance à travers les yeux d'un cinéaste inconnu.

— Inconnu ? Mais tu te fiches de qui ? William Wyler n'a rien d'un novice !

— Il ne connaît rien à la Malaisie.

— Si tu veux, rétorque Vivian. Toi non plus, d'ailleurs ! Quant à Somerset Maugham, tu ne peux l'accuser de ne pas être allé enquêter là-bas.

— J'ai lu *La Lettre*, sa nouvelle. Il y a longtemps.

Le silence au-dessus de la grille est si lourd qu'Ethel recule le visage. Elle imagine l'incrédulité, la colère de Vivian. Son indignation.

— Mais quand ?

— Il y a longtemps. Cela ne t'a jamais étonnée que Mom prétende écrire à Somerset Maugham ? Qu'elle discute avec lui des nuits entières et fonde en larmes quand on lui dit qu'elle perd la tête ?

La voix de Vivian s'égare dans les battements de cœur d'Ethel. Vexée.

— Non. Mais tu aurais pu me le dire.

Ethel se serait attendue à ce que Vivian s'énerve, insulte sa sœur, qui sait, l'attrape par les cheveux et la griffe au visage comme quand elles étaient petites. Mais non, Vivian abdique.

— Mr Maugham s'est rendu en Malaisie en 1921. Il a enquêté sur le cas de Mom. Rencontré des témoins, le juge Sercombe Smith, l'avocat de Mom, Courtenay Dickinson, et plusieurs assesseurs.

— Mais alors tu étais au courant. Tu as vraiment fouillé dans les affaires de Pa ?

La voix de Dorothy est étrangement calme. Rien ne perce. Elle parle mécaniquement, comme sous l'emprise d'une immense lassitude.

— Oui. Je ne savais pas ce que j'allais trouver, mais je cherchais.

Ethel frémit. Dorothy, son ange gardien si parfait, savait ? Mais que pouvait-elle savoir ? Juste que Mr Maugham avait écrit ? Rien que des balivernes. Un tissu de mensonges. Certes, Steward avait des maîtresses, mais des Chinoises, des Malaises, comme la plupart des planteurs... Rien que des corps lascifs et dociles mais sans âme. On ne peut demander à une Chinoise de penser au-delà de ses occupations quotidiennes et légitimes. Les Chinoises savent tenir une maison, ont un sens aigu du commerce – et donc du profit –, mais là se limitent leurs attraits immatériels. Ethel sourit. Elle trouve cette histoire de lettre inventée par l'écrivain grotesque. Seul un homme serait assez fou pour se laisser prendre aussi grossièrement. Jamais une femme qui trompe son époux ne laisserait de telles preuves qui la trahiraient.

Les voix ont repris mais se sont éloignées. Vivian veut savoir si Dorothy en avait discuté avec Pa. « Non, s'ils avaient voulu oublier le passé, c'est qu'ils avaient leurs raisons. Pa adorait Mom et... » Les mots se perdent dans l'épaisseur des murs. Ethel, soulagée, se relève sans bruit et s'agenouille près de la commode où se trouve la seconde bouche d'aération, plus petite, circulaire. On ne peut pas la soulever car elle est rivetée au sol. Si Ethel colle son oreille au métal, elle peut entendre les filles qui discutent dans la cuisine.

Le bruit d'une chaise que l'on traîne lui indique que Vivian vient de s'asseoir. Vivian tire les chaises. Elle ne les soulève pas. Elle sait que Dorothy a dû se placer devant la fenêtre. En retrait car elle n'aime pas affronter les choses de face. Bruits d'eau qui gicle. Dorothy, qui ne supporte pas l'oisiveté, doit arroser les plantes ou frotter l'évier au vinaigre.

Les filles discutent de cette liaison ridicule que Somerset Maugham a imaginée. Ethel sourit : ni l'une ni l'autre ne croient à cette version absurde. Dans quelques minutes, elles seront devant la porte de la chambre, à moins qu'elles n'attendent demain pour lui demander des comptes. Ethel ne fuira pas. Elle leur répondra du mieux qu'elle pourra. Et leur dira que oui, elle a vraiment correspondu avec Somerset Maugham, et qu'en 1927 elle est rentrée d'Amérique pour passer six mois en Europe, à temps pour voir la pièce au Playhouse, à Londres. Elle s'était tassée dans son fauteuil, persuadée qu'à un moment ou un autre tout le monde allait la reconnaître. Mais personne ne l'avait remarquée. Chaque soir, pendant deux semaines, elle avait assisté à la représentation, jusqu'à savoir chaque ligne par cœur, anticiper chaque mouvement des comédiens. Quand elle avait jugé connaître la pièce aussi bien que Gladys Cooper, qui jouait le premier rôle, celui de Leslie Crosby, elle avait fixé avec un cabochon d'ambre le plissé éventail fraîchement repassé de son chapeau, enfilé un manteau d'organdi poudré couleur d'orage, et attendu le célèbre écrivain à la sortie des artistes. « Mr Maugham, je suis Ethel Proudlock, Leslie Crosby, si vous préférez ! » Somerset Maugham l'avait regardée avec un intérêt circonspect, légèrement hautain. Par courtoisie, sans doute, il l'avait écoutée jusqu'au bout pour conclure : « La vérité n'a guère d'importance, madame, au regard de l'œuvre littéraire, mais je vous souhaite d'oublier cette sombre tragédie. » Puis il avait fouillé dans la poche intérieure de sa veste et lui avait tendu sa carte avant de rejoindre un groupe de jeunes gens qui s'impatientaient dans une voiture garée de l'autre côté de la rue. Sans se retourner. Sans doute l'avait-il prise pour une de ces folles qui hantent les sorties de théâtre en quête de frissons et de célébrités. La voiture, en démarrant, avait roulé dans une flaque d'eau. Ethel, dépitée, avait regardé l'ourlet maculé de boue de son manteau et attendu que les lumières du théâtre s'éteignent tout à fait.

Ethel masse rapidement ses joues, là où la marque des arabesques de la plaque s'est imprimée. Si les filles frappent à la porte, elle prétendra être fatiguée et posera sa tête sur un coussin. Côté gauche. Non. Ethel vérifie dans la glace. Côté droit. Ethel passe la main sur son front et la presse vers la racine des cheveux pour lisser la peau. Elle doit épiler légèrement ses sourcils. Juste redresser la ligne pour qu'ils ne mangent pas l'éclat de ses yeux noirs. D'un coup de pince rapide, « comme le bec d'un oiseau », disait Kunthi. L'évocation de Kunthi est un réconfort de chaque instant. Après elle, il y avait eu d'autres *ayah*[1]. Miss Dungard, la Galloise à la peau marbrée de rose, Annette, une Française censée lui

1. Équivalent de *amah.* « Nourrice », « bonne ».

enseigner sa langue mais repartie par le premier bateau après un incident avec Mr Charter. Puis une Teutonne de Munich, que Mr Charter avait rencontrée sur le *Sankt Josef*, avait fait son entrée. Dotée d'un nom imprononçable, elle avait été baptisée « *Fräulein* ». Fräulein ne plaisantait pas, Fräulein était sérieuse en toute chose, Fräulein jouait du piano comme une walkyrie et Fräulein chantait comme un cerf qui brame. Mais avant tout, Fräulein était grande, très grande, la tête enturbannée de nattes. Blondes, bien sûr, comme les blés de sa Bavière natale. Mariam, enfin, avait été la dernière *ayah* d'Ethel. Longtemps employée dans une famille parsie de Bombay, elle parlait bien l'anglais, savait tresser des couronnes de bignones et d'achimènes et bouger la tête et les yeux en sens opposé.

À toutes, Ethel avait demandé : « Pourquoi ma sœur Marjorie, elle, ne doit-elle pas teindre ses cheveux ? » En dix-neuf ans, et jusqu'à son départ pour Singapour, elle n'avait obtenu qu'une seule et unique réponse, déclinée dans toutes les langues et en deux temps. D'abord : « Je ne sais pas. » Puis : « Sans doute sont-ils assez pâles. » Jamais Ethel n'avait pu obtenir plus. Sauf peut-être avec Annette, la Française. Son arrivée avait été précédée d'un cortège de commentaires désobligeants et d'interrogations : la jeune femme exigeait une chambre privée avec un cabinet de toilette. Petite, brune, Annette parlait vite avec un accent à mourir de rire. Malgré son jeune âge – elle n'avait que vingt et un ans quand elle avait embarqué pour l'Inde –, elle s'emportait et jurait comme un charretier. Mais, comme elle s'efforçait de ne proférer des jurons que dans sa langue maternelle, personne ne lui en tenait rigueur, pas même Mrs Charter, qui ne connaissait de la langue de Voltaire que trois mots : « vol-au-vent », « quenelles » et « biscuits », les biscuits roses de France, à la bouillie d'insectes.

Le jour de son arrivée, Annette, épuisée par le long voyage, avait eu droit à une visite guidée de la maison. Mrs Charter, consciente que la tâche qui lui incombait lui permettait aussi de meubler sa morne journée, lui avait donc fait visiter la propriété. Tandis que la pauvre fille bâillait, elle lui avait présenté successivement, avec la précision opiniâtre d'un conservateur de musée, l'interprète, le jardinier, le *punkah wallah* chargé d'éventer ces dames, le porteur d'eau, et bien sûr les cuisinières, les bonnes et le maître d'hôtel. Ensuite, elle l'avait entraînée dans le dédale de pièces du bâtiment principal. Des salons, le grand, le petit, le bleu et le fumoir, aux chambres. Puis au fameux cabinet de toilette. Là s'était engagée une longue discussion entre Annette et Mrs Charter, ponctuée de : « Oh, quelle horreur ! Jamais de la vie ! » L'objet de l'indignation de la jeune Française était une pièce de mobilier fort courante dans les salles de bains de l'époque, une sorte de chaise pourvue d'accoudoirs en bois portant le nom évocateur de « boîte à tonnerre ».

— Il faut vous en tenir à des horaires fixes, mademoiselle. Le corps se discipline aussi bien que l'esprit. Un domestique attendra à l'heure que vous aurez déterminée derrière la porte avec un linge, et à peine aurez-vous fini qu'il emportera le récipient afin de le vider. J'exige une parfaite et immédiate désinfection.

— Choquant ! Et horriblement gênant.

Annette avait refusé tout net.

— Ce sont les habitudes, ici, et vous vous y ferez. Vous utiliserez le papier bromo que vous reconnaîtrez à son emballage bleu et jaune. L'autre, plus épais, est destiné à Ethel. Plus résistant, il est huilé et permet d'enrober les mèches récalcitrantes lors de sa teinture.

L'éclat qui avait suivi avait fait trembler la maison. Un flot de paroles incompréhensibles et indignées. Jamais Ethel n'avait imaginé qu'on pût, sans même la connaître, la défendre ainsi, et qui plus est oser contredire avec autant de virulence Mrs Charter. Plus d'une heure durant, la jeune Française avait exposé son dégoût des manières victoriennes en matière d'hygiène, puis exprimé sans ambages son étonnement à l'idée qu'on pût teindre les cheveux d'une si jeune enfant. Sans raison objective, elle retournerait en France ou chercherait une place de gouvernante dans une famille plus raisonnable, avec des principes d'éducation moins ridicules. Mrs Charter avait claqué la porte du cabinet de toilette. Annette était ressortie le visage chiffonné par la fatigue du voyage tout autant que par l'étonnante discussion, et avait regardé Ethel curieusement.

— Pauvre petite, avait-elle dit en français, je parlerai à ton père.

— Mr Charter ?

Ethel avait ouvert de grands yeux. Affronter sa mère, peut-être, mais pas Mr Charter !

— Non, il vous fera du mal !

Annette s'était assise à côté d'Ethel, tremblante, et avait posé une main sur ses genoux.

— Les gens de mon pays ont décapité leur roi parce qu'il les volait. J'ai quitté la France parce que mes parents voulaient me fiancer à un cousin laid et borné. Ce n'est pas ton père qui me fera peur. Il écoutera ce que j'ai à lui dire, sinon j'irai enseigner à Bombay ou à Calcutta.

Annette avait passé les doigts dans les cheveux d'Ethel et caressé sa nuque.

— Je te promets, petite Ezel – Annette ne savait pas prononcer le « th » anglais –, que je découvrirai pourquoi tu dois subir ces grotesques traitements qu'on n'infligerait pas à un chien.

Deux mois plus tard, Annette repartait par le premier bateau. En sourdine, pendant la nuit. C'est Mr Charter, adversaire redoutable, qui avait gagné. Ethel avait cherché un petit mot d'adieu et l'explication promise. En vain.

Ethel avait regretté l'*ayah* venue de France. Mais, peu à peu, elle avait fini par oublier ce détail de son enfance. Le mensonge avait pris racine en elle pour devenir sa propre chair. Elle se regardait dans le miroir et admirait ses boucles. Son seul souci avait été finalement de trouver les meilleures décoctions pour obtenir des reflets pâles, presque blancs, très à la mode. Les traitements de décoloration des cheveux avaient fait de gros progrès en quelques années. Et la plupart des coiffeurs pour dames s'y prenaient fort bien, sans même qu'Ethel eût à se justifier. Être blonde était une coquetterie tout à fait acceptable et même honorable, car signe d'élégance et de raffinement, par opposition aux chevelures sombres des indigènes. Les femmes ne confient pas toujours à leur conjoint tous les détails de leur anatomie, et moins encore les rituels qui appartiennent au boudoir ou à la salle de bains. Quand William avait découvert son secret lors de leurs premières rencontres intimes, Ethel n'avait pas feint l'étonnement. Elle avait purement et simplement oublié, enfoui ce détail dans les tréfonds de son enfance.

Pourtant, l'insistance de William à comprendre pourquoi elle était en réalité brune alors que ses parents, ses sœurs étaient tous blonds aux yeux bleus l'avait irritée. Afin de mettre un terme une fois pour toutes à ses insinuations, elle était donc allée voir Mrs Charter avec, à la main, la carte postale qu'elle lui avait envoyée à Londres. Mrs Charter avait rentré le menton à la manière d'un dindon, puis répété, stoïque : « Ma chère enfant, que voulez-vous savoir de plus ? Je ne puis que le redire, je suis votre mère. »

L'échange rapide entre les deux femmes dans la nef de St Mary avait jeté le trouble dans l'esprit d'Ethel. Le vernis d'entente qu'elles entretenaient depuis des années s'était irréversiblement craquelé le jour du mariage. En remontant l'allée centrale au bras de Mr Mc Cormack, Ethel n'était que colère. En passant sous le porche de pierre, elle avait d'abord vu l'immense silhouette de William et son gentil sourire, un peu embarrassé.

À cet instant, elle avait commencé à l'aimer. Un peu. Juste ce qu'il convient pour unir un couple. Puis les visages s'étaient retournés vers elle. Une vague de chapeaux qui ondulait et lui donnait la nausée. Elle avait redressé la tête, pressé le bras de Mr Mc Cormack comme on fait pour faire stopper un cheval, et pilé net devant Mrs Charter, debout entre Annie et Marjorie.

— Mr Charter a violé et brûlé Jathi. C'est lui qui a mis le feu aux communs.

Mrs Charter n'avait pas cillé. Juste blêmi, puis avalé bruyamment.

— Pas que Jathi, *my dear*, beaucoup d'autres.

Un goût infect avait envahi la bouche d'Ethel. Tous complices. Elle avait failli faire demi-tour, jeter ce ridicule bouquet de fleurs en tissu qu'elle tenait à la main et courir. Mais elle avait croisé les yeux bons de Marjorie qui lui disaient : « Pars, fuis ! En te mariant tu t'évades ! » Alors elle avait fièrement cambré les reins pour accentuer son ventre naissant, bombé le buste et repris sa marche vers l'autel.

Ethel était aussi allée voir Mr Charter. Pour ce faire, elle avait choisi de passer à l'improviste dans ses bureaux des docks de Tanjong Pagar, à Singapour. Au-dessus de la porte d'entrée était inscrit en chinois et en anglais : « Si l'Égypte est le Nil et le Nil est l'Égypte, Singapour est le port et le port est Singapour[1]. » Ce n'est pas un endroit pour une lady, avait-elle pensé en traver-

1. Lord Rosebery.

sant les rues encombrées de ballots, de voitures et de coolies. L'air sentait la vase, le thé, la cannelle et une odeur suave et entêtante qu'elle ne savait définir. Elle avait laissé Dorothy à l'*amah* et jouissait de cette promenade enfin sans époux, sans chaperon et sans enfant. Mr Charter n'avait pas paru étonné de la voir. Juste intrigué de la savoir seule dans cet univers d'hommes et de marins que seules les femmes de petite vertu et les pêcheuses fréquentaient.

— Ma foi, ma fille, voilà qui est signe d'une grande témérité ! Mais au fond, je n'en doutais pas. On n'est pas une Charter pour rien !

La perche était trop belle. Ethel avait attaqué. Le front baissé, les poings fermés comme quand elle était petite et se battait avec ses sœurs aînées, bien plus grandes, bien plus fortes qu'elle.

— Une Charter, certes, mais une Charter noiraude. Qu'avez-vous à dire ? Mon époux s'en est étonné et exige une explication.

Ethel n'avait plus quitté du regard le visage avachi de son père, traversé de petits frémissements nerveux.

— Tiens donc ! Ne me fais pas croire que tu as fini par t'amouracher de ce mécréant sans avenir. Sache que je n'ai aucun doute sur ma paternité. Serait-ce, ma fille, une colère froide qui te viendrait parce que je n'ai pas assisté à ton mariage ?

Mr Charter, qui s'était remis à écrire, penché au-dessus d'un registre, avait adopté une voix grave et aimable.

— D'ailleurs, ma pauvre enfant, tu es affublée d'une dent surnuméraire. Comme toutes les femmes de la famille Charter. Demande à tes cousines ou à tes tantes. Tiens, Annie a dû te le dire. Cette chère Annie ! Il faut de telles femmes dans une famille : laides, célibataires et cultivées. Mais je m'égare.

Narquois, il avait enchaîné, tout en refermant le cahier de comptes devant lui.

— À en croire la légende familiale, un de nos ancêtres vivant à l'époque de Guillaume III aurait épousé une belette. L'explication te suffit-elle ? Ou dois-je encore parapher pour ton petit instituteur d'époux une lettre certifiant tes origines ?

Ethel avait instinctivement passé la langue sur sa gencive.

— Cette dent est fort disgracieuse. Si tu le souhaites, j'en toucherai un mot au chirurgien du sultan. Un Indien très doué qui a étudié à Londres. Il enlèvera ce vilain croc d'un coup de bistouri. Et sache que je suis assez généreux pour te faire cadeau de ses honoraires.

Il avait éclaté de rire, satisfait de son effet.

— Voyons, ma fille, considère cela comme un cadeau de noces !

Ethel avait failli se lever, ramasser ses gants et le *topi* qu'elle avait posés sur une caisse. Mais les mots qu'elle tenait enfouis en elle depuis si longtemps s'étaient échappés, d'un coup, avec une violence qu'elle n'aurait jamais imaginée.

— Jathi ! Vous vous souvenez de Jathi ? Ou l'avez-vous déjà oubliée ? Vous l'avez violée devant mes yeux. Elle avait mon âge ! Jathi était mon amie !

Ethel avait repris sa respiration.

— Violée, puis brûlée vive. Ensuite, qu'avez-vous fait d'elle ? Vous les avez chassés, elle et sa famille, comme des chiens !

Son cœur battait fort sous l'émotion. Les joues empourprées, la lippe retroussée, elle s'était levée et s'approchait du bureau.

— Alors ? Je suis la fille de qui, moi ?

Les mots fusaient plus vite que ses lèvres ne pouvaient articuler.

— D'une prostituée ? D'une gamine de onze ans ? Dites-moi ! D'une de vos maîtresses ? Une *bibi* ? C'est comme cela qu'on dit en Inde, non ? Laquelle ? Comment l'avez-vous violée ? Dans le lit conjugal ? Dans votre bureau ? Derrière les cannas ? Oh, non, à moins que vous n'ayez acheté votre jouissance comme tous les vieux porcs de votre espèce !

Ethel était maintenant tout près de Mr Charter, minuscule dans son fauteuil. Sa tête dodelinait comme celle d'un vieillard. L'attaque le prenait de court. Cette gamine, jamais il n'aurait dû la garder. Pourquoi elle plutôt que les autres ? Il n'aurait su dire combien de bâtards il avait engendrés à Ceylan. À Singapour, il s'était toujours montré prudent. Les Chinoises sont bien trop calculatrices, il y aurait toujours eu un frère, un oncle pour le faire chanter, exiger de l'argent, un dédommagement. Avec les Indiens, tout était bien plus simple. Un peuple servile, sans honneur, à l'exception des castes élevées. Lui, jamais il n'avait voulu garder cette enfant, d'ailleurs il aurait été bien incapable de se souvenir du visage de l'Indienne qui l'avait portée. Jolie, certes elle devait être jolie car il aimait les femmes nubiles, à peine formées, au corps souple et ferme, aux seins pointant sous les plis du sari. Celles dont le sexe étroit a la fermeté d'un gésier de poulet. Le sexe des Anglaises, fade, acide et mou, l'écœurait. Il avait dû s'accommoder des chairs flasques de Mrs Charter, mais cette dernière n'avait fort heureusement aucun goût pour la bagatelle. Quand elle avait appris qu'une des filles du bordel voisin attendait un enfant de son époux, c'est elle, à sa grande surprise, qui avait insisté pour le garder. Doucereuse d'abord. « Cette pauvre femme ! Sauvons au moins un de ces malheureux enfants, ce sera notre bonne action ! N'oublions pas que dans ses veines coule du sang anglais. » Puis, menaçante : « Soit nous l'éliminons, soit nous l'adoptons comme notre fille en payant cette femme pour qu'elle s'en aille vivre loin. Sinon, la nouvelle ne va pas tarder à se répandre et ta carrière sera finie. » Finalement, un soir, les yeux incandescents de rage, elle lui avait dit sa pensée : « Cette enfant sera un reproche vivant, ta mauvaise conscience incarnée. Je la garde. Elle sera ma fille. » Mrs Charter avait payé une généreuse dot à la jeune femme, qui avait été envoyée dans le nord de l'île. Ethel était arrivée un soir pendant la nuit, après que Mrs Charter se fut plainte de maux de ventre insupportables. Un hideux petit singe couvert de poils noirs et enfariné de craie blanche et jaune, comme le font les indigènes pour éloigner les mauvais esprits. Personne ne s'était interrogé. Mrs Charter avait le ventre gras et mou des femmes oisives, deux mois d'amples blouses et de nausées avaient suffi à berner les domestiques et les rares visiteurs.

— Peut-être ai-je fauté, mais ta mère, Mrs Charter, n'a fait que son devoir, elle t'a accueillie, élevée comme sa fille pendant toutes ces années. Tu ne peux lui tenir rigueur de s'être comportée avec noblesse et humanité.

Ethel ne voulait pas écouter. Elle avait assez patienté, tu sa colère. Les souvenirs grondaient. L'impuissance, les humiliations, les coups. Tout remontait par vagues salvatrices. Cet homme faible, effondré devant elle, la tête entre les mains et qui crachotait de vagues explications, attisait en elle une violence sourde venue du ventre.

— Ma mère ? Une pauvre femme. Elle a dû élever vos propres filles, et en plus les rejetons de vos maîtresses. Aujourd'hui, je la plains. Mais vous, avez-vous jamais pensé à moi ? Mes pleurs, les jours d'épilation, retentissaient dans toute l'exploitation et jusqu'à vos bureaux ! Qu'auriez-vous donc fait au Kenya ? La fille d'une négresse ! M'auriez-vous fait prendre des bains d'eau oxygénée ? Frottée à la chaux vive ?

Ethel était partie. Pour ne jamais revenir. Mr Charter, avait-elle appris des années plus tard, était décédé en 1936, renversé par un tramway dans les rues de Hambourg. Elle avait souri et espéré que sa mort avait été longue et douloureuse.

16

Ellen McCarthy
Akyab Road 112-24 B
Mount Elizabeth Lane, Singapore

Le 9 octobre 1954

Ma chère Dorothy,

Ta lettre m'a ravie et peinée tout à la fois. N'ayant plus de nouvelles de toi depuis près de six mois, je m'inquiétais un peu, et à juste raison ! Mon cœur ne me trompe jamais, tu le sais bien. J'avais eu un curieux pressentiment cet été déjà. Mais en voyant il y a quinze jours le facteur sortir le courrier de sa besace, j'ai tout de suite su que tu m'avais écrit. Et puis, vois-tu, nous n'avons pas d'enveloppes vertes, ici ! La bonne vieille Angleterre a toujours son mot à dire à Singapour. La fantaisie n'est pas encore entrée dans les mœurs sur l'île du Lion, nous nous contentons de papier blanc. Imagine ma peur quand j'ai vu le tampon « express » qui barrait les timbres ! Mon cœur s'est tordu d'angoisse, et si je n'avais reconnu ton écriture, je me serais évanouie. Mais peu importe. Je me suis finalement réjouie d'avoir de tes nouvelles, mais j'ai compris dès les premières lignes qu'un affreux accident était survenu. Je n'ai pas de mots, ma tendre amie, pour t'exprimer mon effarement face à l'horreur de cette tragédie. Je voudrais te serrer fort dans mes bras et te réconforter, hélas je suis trop loin et me sens bien désemparée devant ta peine. Crois cependant en mes plus sincères condoléances. Oui, je souffre avec toi… S'il te plaît, transmets mes pensées les plus chaleureuses à ta pauvre mère et à ta sœur Vivian.

Tu me dis qu'une enquête a été ouverte après le décès de ton père. Le lieutenant Hiller a-t-il avancé dans ses recherches ? J'imagine qu'avec la description précise de ton petit voisin il doit être possible de retrouver la voiture et ce chauffard. Mais il est vrai que je n'ai pas la notion des distances du Nouveau Monde ! Les États-Unis, c'est si grand par rapport à notre petite île ! La police a-t-elle transmis le signalement du véhicule aux autres États ?

Venons-en à ta demande. Je me suis renseignée auprès des rédactions du Mail, *et aussi aux archives du tribunal à Kuala Lumpur. Tu imagines bien que cela n'a pas été aisé d'avoir accès à ces vieux dossiers poussiéreux. Heureusement, ton Ellen est tenace, tu le sais ! Il est vrai que ma position d'archiviste assistante du conservateur du Musée national a grandement facilité ma tâche ! J'ai donc réussi à obtenir un certain nombre d'informations qui, je l'espère, te seront utiles. J'ai pris, pour cette recherche, près d'une semaine de congés que mon directeur m'a accordée sans problème. « L'étude des collections de céramique chinoise peut attendre », m'a-t-il dit. Je crois qu'il a un faible pour moi, et je dois admettre que j'ai tout fait pour l'attendrir. Le pauvre, s'il savait !*

J'ai pris des notes du mieux que je le pouvais car il faisait une chaleur absolument irrespirable dans le petit cabinet où j'ai travaillé pour toi. On a sans doute jugé que cette affaire était du plus haut intérêt bien que les dossiers n'aient pas été ouverts depuis des années, car un employé chinois, visage de musaraigne et lunettes rondes, a pris un malin plaisir à me fouiller chaque jour. Il a même retourné mon sac pour vérifier que je n'emportais aucun document ! Pour éviter aussi que je ne subtilise les précieuses archives, il m'a enfermée dans une petite pièce au sous-sol du tribunal. J'espérais y trouver un peu de fraîcheur, j'ai été bien déçue ! Ce fut une véritable épopée que je ne résiste pas au plaisir de te raconter. L'unique moyen d'accès à ces salles où sont entreposés les documents anciens est un monte-charge fermé de doubles portes de métal. J'ai donc été emprisonnée avec les dossiers dans une petite cellule pourvue d'un lavabo et encombrée de cartons. Quelle n'a pas été ma surprise quand, sur les portes, j'ai découvert des plaques inscrites en japonais ! « Commandement central, Syonan-to[1]. » Je crois que cet endroit était une salle de torture ou une cellule d'isolement sous l'occupation,

1. Nom japonais de Singapour pendant la guerre.

je ne peux rien imaginer d'autre… Les murs y sont couverts de graffitis en chinois et en malais. Des mots d'amour souvent, des messages destinés aux familles dans le vain espoir qu'un jour quelqu'un les découvrirait. Une atmosphère pesante, crois-moi, d'autant que, pour quitter ce sinistre endroit une fois mes recherches quotidiennes terminées, je n'avais d'autre moyen que de frapper aux barreaux de métal pour avertir le gardien de mon intention de revoir le jour.

Bref, je t'embête. Je voudrais tant voir ta moue impatiente ! Je m'égare, comme toujours. J'espère que tu trouveras ce que tu cherches dans les notes que j'ai prises. J'ai rempli un carnet entier à ton intention, mais comme les paquets mettent parfois plusieurs semaines pour atteindre les États-Unis, j'ai décidé de t'envoyer cette lettre séparément, en express, avec une sélection des éléments qui me paraissent le plus importants pour comprendre ce « cas Proudlock ». C'est ainsi que le procès est étiqueté. Le carnet complet te parviendra plus tard. En lisant tous ces documents, j'ai moi aussi essayé de comprendre ce qui s'était passé. Cette histoire est si incroyablement tragique et romantique ! Je n'ai eu aucun mal à trouver à la bibliothèque La Lettre, *de Somerset Maugham. Et je l'ai dévorée ! Cette nouvelle me semble fort bien documentée, mais j'ai la conviction que la façon dont Somerset Maugham résout l'énigme n'est pas la bonne. Je n'ai rien pour le prouver, rien que mon sentiment intime de femme.*

Je me suis bien sûr rendue dès le premier jour à l'Institut Victoria, à Kuala. Quelle surprise quand j'ai vu ses splendides bâtiments ! Le proviseur, Mr Atkinson, m'a aimablement accueillie dans son bureau, avec thé et langues de chat ! En réalité, il n'est que remplaçant pendant le congé de Mr Dartford, le proviseur en titre, qui est en Europe. Comme ton père et Mr Shaw. Je n'ai réalisé ma méprise que lorsque Mr Atkinson m'a expliqué que l'Institut avait déménagé en 1929. Le collège où enseignait ton père se trouve aujourd'hui à Petaling Hill, et l'école primaire à Batu Road. Les anciens locaux, construits dans une boucle de la rivière, étaient insalubres, constamment inondés par les crues du Klang. Sais-tu qu'à cette époque les professeurs avaient toujours un fusil sous leur bureau car il n'était pas rare de trouver des crocodiles dans les salles de classe ? Ce Mr Atkinson n'avait pas grand-chose à m'apprendre. Les vieilles histoires de l'Institut ne semblaient pas l'intéresser. J'ai même senti une certaine réprobation. Les meurtres sont une publicité dont le collège se passerait volontiers. Il m'a cependant montré une photo de ton père, William J. Proudlock. Un bel homme, avec les mêmes yeux clairs que les tiens.

J'ai donc croqué dans mon dernier gâteau et pris un rickshaw pour me rendre à l'ancien Institut. De la rue, on ne voit rien du fronton de l'époque. Il ne reste que les vérandas de bois sculpté envahies de végétation. Le parc est à l'abandon, une jungle de flamboyants jaunes magnifiques, parsemée de bâtisses à moitié détruites. Le bâtiment principal, m'a-t-on dit, aurait été pendant un certain temps utilisé comme commissariat de police. Dans le parc, il y a encore toutefois un établissement scolaire, le collège technique, installé dans l'ancien bloc numéro 1. Les courts de tennis ont disparu, tout comme les terrains de foot et la volière dont tu me parles. Le long de la rivière, j'ai repéré des bungalows en ruine. Je n'ai pas vu de crocodiles ! J'imagine que ces charmantes bestioles ont déserté le coin maintenant qu'il n'y a plus d'écoliers à dévorer ! Plusieurs familles s'y sont installées. Je me promenais près des berges quand un petit garçon d'une dizaine d'années a surgi. Intrigué, il m'a posé des questions et s'est proposé de me guider. Je lui ai raconté ce que je cherchais, et de toute évidence il savait parfaitement de quoi je parlais. Cette histoire de meurtre à l'Institut semble avoir fait la renommée du quartier ! Tout excité, il m'a conduite jusqu'à une petite barque de guingois, envahie par les herbes. J'ai eu les sangs glacés en imaginant ta mère, revolver au poing, face à ce pauvre homme allongé sur le sol. Le gamin m'a montré la véranda, l'escalier. Il y avait une marque dans les lattes, et même un sampan toujours accroché à un pilier. En cas de soudaine montée des eaux, l'embarcation permettait aux familles de fuir rapidement. Je venais de prendre congé du gamin quand un autre est apparu. Le même, juste un peu plus âgé, avec une cicatrice sur le bras. « Un crocodile ! m'a-t-il aussitôt expliqué en suivant mon regard horrifié. Il a sauté des eaux et m'a happé l'épaule quand j'allais à l'école. » Il a fièrement approché son avant-bras, qui était creusé d'une vilaine marque violine, de la taille de ma main à peu près. « Mais il n'y a plus de crocodiles, n'est-ce pas ? » lui ai-je demandé, inquiète. « Bien sûr que si ! Mais ils sont végétariens. Ils ne mangent que les bébés, les chats et les poules. J'étais petit à l'époque ! Il n'y a pas de danger pour vous ! » Je n'ai pas jugé utile de rectifier sa notion approximative du terme « végétarien » et me suis contentée de frissonner à l'idée de ma balade sur la grève au bord de l'eau, quelques minutes plus tôt.

Il m'a ensuite expliqué que le vrai bungalow de Mr Shaw avait été rasé lors de l'aménagement des rives du Klang et qu'il n'en restait plus rien. Le bungalow de tes parents était bâti d'après lui dans cette anse du fleuve qui a été endiguée pour combattre les crues. Et voilà, quelle naïve je fais ! Quand je pense que ce premier gamin à l'imagination débordante a réussi à me berner ! Il y a même gagné quelques sous en me montrant une simple planche trouée, car figure-toi que je l'ai récompensé pour sa visite guidée ! Je n'avais plus de monnaie pour le second, qui, lui, a dû se contenter d'un grand sourire de remerciements. Conclusion : l'honnêteté ne paie pas !

Ma douce amie, je crois que je t'ai tout raconté. Mon cœur voudrait te dire plus, t'aider dans ces moments douloureux. Tu le sais. Je ne peux oublier ces quelques jours à Londres avec toi. Nos promenades et nos rires. La douceur de ta peau sous mes mains. Et nos émois merveilleux. Quand je lis l'histoire de ta mère, je me dis que les hommes ne valent pas l'amour que les femmes leur vouent.

Porte-toi bien, ma Dorothy, n'hésite pas à l'avenir, s'il te manque quoi que ce soit, à m'écrire de nouveau. Tu sais bien que je ferai tout pour toi... Écris-moi, envoie-moi parfois de jolies photos de toi. Mais que je suis bête, elles ne peuvent être que jolies !

Je t'embrasse avec toute ma tendresse, et j'attends de te revoir. Peut-être au congrès de Philadelphie en avril prochain... Mais d'ici là, je dois économiser.

Ta fidèle Ellen

P-S : Tu trouveras ci-joint les quelques notes que j'ai sélectionnées pour assouvir ton impatience. Crois-moi, il n'y avait pas plus à en tirer.

NOTES

(octobre 1954, Kuala Lumpur et Singapour)

Je n'ai noté que les éléments importants et nouveaux. Je n'ai pas répété les fastidieuses descriptions du drame quand elles se recoupaient avec les documents en ta possession. Ne m'en veux pas, je n'ai pas résisté à quelques commentaires que tu trouveras entre parenthèses.

The Singapore Free Press and Mercantile Adviser, 3 mai 1911

À son arrivée, le témoin *(l'article ne précise pas de qui il s'agit. Peut-être Mr Ambler ?)* a trouvé la victime à trente pas environ des marches du bungalow *(et non sur les marches !)*. Les pieds reposaient sur l'allée et le reste du corps, au-dessus des genoux, sur la pelouse. Il pleuvait et le sol était détrempé. Le témoin a vu un trou ensanglanté dans la tempe gauche de Mr Steward. Le revolver maculé de sang se trouvait sur l'un des côtés du bungalow, avec un petit peigne de femme et des cartouches vides. Une balle a été retrouvée dans le toit du bungalow et l'autre dans la terre, près de la tête de la victime. Celle-ci portait un pantalon de couleur pâle, une chemise blanche et un imperméable. D'après ce même témoin, Mrs Proudlock était couverte de sang, vêtements, visage et cheveux, et l'index de sa main droite était noirci. La véranda était plutôt bien rangée. Le témoin n'a pas remarqué de désordre particulier. D'après le médecin appelé sur les lieux du crime, le Dr McIntyre, Mrs Proudlock était dans un état de grande agitation. Elle ne portait aucune trace de violence, ni bleus ni égratignures, pas la moindre blessure permettant d'évoquer une lutte avec son agresseur présumé. L'inspecteur Wyatt a relevé des traces de pas dans la boue, correspondant aux talons fins de Mrs Proudlock. Cependant, le chemin raviné par les eaux n'a pas permis une investigation plus poussée.

***Straits Times*, 6 juin 1911**

— Le couple Proudlock connaissait Steward depuis un an. Ils se fréquentaient régulièrement.

— L'arme du crime : Mrs Proudlock venait d'offrir le revolver à son époux à l'occasion de son anniversaire, en avril. Mr Proudlock a précisé qu'il avait lui-même suggéré ce cadeau à son épouse. La semaine qui avait précédé le meurtre, le couple était allé s'entraîner deux fois. Et l'après-midi même de la tragédie, ils s'étaient exercés une fois de plus.

— Des témoins affirment avoir vu Mrs Proudlock avec Mr Steward le samedi, la veille du crime, au Spotted Dog, au Selangor Club. Elle aurait suggéré à ce dernier de venir visiter l'Institut Victoria qu'il ne connaissait pas *(le soir ? un dimanche ? drôle de moment pour une telle visite !)*. Ce soir-là, les Proudlock sont passés boire un verre chez les Ambler, qui ont invité Mr Proudlock *(pas ta mère ! aurait-elle refusé ?)* à dîner le lendemain soir.

— Emploi du temps de Steward : il devait se rendre le dimanche à la plantation d'hévéas Sione, sur la route de Malacca. Mais sur place, après avoir visité l'exploitation, il aurait décliné l'invitation à dîner des propriétaires, prétextant un rendez-vous à Kuala Lumpur. Il est donc allé au Selangor Club, puis a dîné avec Mr Gillmore, de la Chartered Bank, et Mr Key, le gérant de Planters – les magasins *(le journaliste donne même le menu dans l'article : émincé de bœuf aux olives, quenelles de pintade et meringues fourrées à la crème de mangue. Ils ne s'embêtaient pas, à cette époque !)*. À neuf heures sonnantes, Mr Steward aurait brutalement pris congé de ses convives et serait parti en hâte à son rendez-vous.

— Emploi du temps de Mrs Proudlock : elle a assisté à la messe à l'église St Mary. Elle en est partie vers six heures trente pour passer en coup de vent au club, où elle a discuté avec Mr James McEvan autour d'une coupe de champagne *(si, à moi, on promettait du champagne après la messe, j'irais tous les dimanches ! Oh, pardonne-moi, j'adore te choquer, ma Dorothy, mais tu sais mes conceptions en matière de religion !)*. Elle serait ensuite rentrée à la maison à pied *(c'est vrai, ce n'est pas loin)*, où elle aurait soupé seule, légèrement, d'un bol de *laksa lemak (des nouilles cuites dans du lait de noix de coco avec des piments, de la citronnelle et du gingembre. Tu adorerais. C'est un délice !)*.

Straits Times, 9 juin 1911

— Mrs Proudlock aurait passé l'après-midi de la tragédie avec Mr Steward à écouter de la musique au bar du Spotted Club *(il n'était donc pas à la plantation d'hévéas ? Je m'y perds. J'imagine qu'ils parlent du samedi !)*. Elle aurait ensuite conversé avec Mr Grenier, un Français. Et aurait devant lui proposé à Mr Steward de venir visiter son bungalow afin de lui montrer l'ingénieux système de ventilation *(ce n'est plus l'Institut, mais sa maison ! Pas très excitant, cette idée de ventilation, pour un rendez-vous galant...)*.

Straits Times, 25 juillet 1911

Mrs Proudlock, dont la grâce a été annoncée par le sultan de Selangor le 8 juillet, a tenu, avant d'embarquer sur le *Hitachi Maru* qui la ramènera en Angleterre après une escale à Colombo, à remercier Mrs Wicherley, Mrs Liang et Mrs S.M.R. Nandu, qui ont réuni tous leurs efforts pour la soutenir pendant cette dure épreuve et fait circuler les pétitions contre sa pendaison. Mrs Proudlock paraissait épuisée et marquée par ses cinq mois d'incarcération à la prison de Pudu. Pâle, amaigrie mais souriante, elle a loué la sagesse du sultan de Selangor qu'elle a qualifié d'« homme bon, profondément humain et attentif aux droits des femmes ». Elle a enfin ajouté que son plus grand bonheur à la sortie de Pudu avait été de serrer dans ses bras sa fille Dorothy, âgée de trois ans.

***The Singapore Free Press and Mercantile Adviser*, 20 septembre 1911**

Mrs Proudlock est arrivée à Londres avec sa fille Dorothy. Elle y a été accueillie par son beau-frère *(j'imagine que le beau-frère, c'était ton Pa ?)*. Elle n'a pas voulu répondre aux journalistes, alors qu'à son départ à Penang elle avait accepté de faire quelques commentaires sur son procès. Elle a toutefois précisé qu'elle ne pensait pas pour l'instant retourner dans les FMS. « J'espère que mon époux pourra me rejoindre rapidement d'ici quelques mois, mais pour l'instant, rien n'est moins sûr. »

Annales de la cour de justice de Selangor

Témoignage du coolie qui a conduit Mr Steward chez Mrs Proudlock

« Le *tuan* est monté dans mon rickshaw à neuf heures devant l'hôtel Empire. Il était pressé. Ils sont toujours pressés, les Occidentaux. Quand nous sommes arrivés, le *tuan* m'a dit d'aller plus loin pour l'attendre. J'ai obéi et garé mon rickshaw en contrebas de la véranda, au bord du chemin. C'est ce que les étrangers disent quand ils veulent être tranquilles. Ils ont honte du rickshaw ou veulent qu'on ignore leurs fréquentations. C'est bête, car on connaît forcément les adresses puisqu'on les y conduit ! La véranda était illuminée. Je me suis assis dos au bâtiment, sur la banquette, et j'ai somnolé. Ce sont les coups de feu qui m'ont réveillé. Je me suis retourné. La véranda était toute noire. Plus une seule lumière. J'ai vu la *mem* anglaise qui courait sur le balcon. Tout était sombre. Il y a eu des cris et des éclats de voix d'homme. Et le *tuan* est tombé, comme s'il trébuchait. Vers l'avant. Je me suis caché au premier coup de feu. On ne sait jamais ! Au cas où le meurtrier me tirerait dessus ! J'ai fini par me relever quand même car d'autres coups de feu avaient retenti. La *mem* était dans le jardin maintenant, à quelques pas de moi, le revolver à la main. Elle avait l'air affolée, pleurait et essuyait ses mains pleines de sang sur sa robe, son visage. J'ai cru qu'elle était blessée, mais non. « Appelle vite à l'aide, a-t-elle hurlé. J'ai tué un homme. Du sang ! Il y a du sang partout ! »

Témoignage du *jaga*, le gardien malais

(Ce témoignage me paraissant important, je te le mets dans son intégralité, hormis les ennuyeuses enluminures administratives. Je l'ai retrouvé parmi les auditions de la cour refusées pour « incohérence » ou « valeur négligeable ».)

Le jaga : J'ai vu un homme blanc traverser la rivière.

La cour : Sois précis ! Quand ?

Le jaga : Tout le monde était réuni sur les marches de l'escalier. La *mem*, le coolie...

La cour : Comment, en pleine nuit, dans l'obscurité, as-tu pu voir que l'homme qui traversait le Klang était blanc ?

Le jaga : Nous ne savons pas nager. Et personne ne serait assez fou pour se risquer au milieu des crocodiles.

La cour : Un Occidental serait donc selon toi assez fou pour s'y risquer ?

Le jaga : Les Occidentaux ne nagent pas comme nous. Ils nagent plus vite, avec les bras qui passent par-dessus la tête.

La cour : Tu viens de dire que les locaux ne savaient pas nager, comment peux-tu alors comparer ?

Le jaga : Si ! Parfois, les enfants jouent dans l'eau. Mais pas les Chinois. Mais nous, les Malais, nous ne nageons pas. Nous avançons simplement dans l'eau. Sauf bien sûr ceux qui ont appris à nager dans leur enfance. L'homme était blanc, j'en suis sûr.

La cour : Soit. Portait-il ses vêtements ?

Le jaga : Je ne sais pas.

La cour : Bon. Poursuis ! Vers quelle heure était-ce ?

Le jaga : Peu après les coups de feu. Mrs Proudlock, qui était couverte de sang, parlait au coolie.

La cour : N'étais-tu pas allé prévenir Mr Proudlock ?

Le jaga : Si, mais c'était avant. Ou peut-être après.

La cour : Avant ou après ? Décide-toi !

Le jaga : Avant.

La cour : Soit. Comment as-tu vu Mrs Proudlock et le coolie puisque tu étais chez les Ambler ? La distance est faible, mais tout de même, tu ne cours pas si vite !

Le jaga : Alors c'était après, je me souviens bien, maintenant. Si je me suis trompé, je vous demande de m'excuser.

Témoignage de la cuisinière malaise

(Également dans le dossier des « incohérents » et « sans valeur » !)

La cuisinière : J'ai entendu les coups de feu. Je dormais derrière la cuisine. Dans le coin des domestiques. Je me suis levée en hâte et j'ai vu Mrs Proudlock qui tremblait, appuyée à la balustrade de bois de la véranda. Elle regardait en direction du chemin et avait les mains sur son visage. Je crois qu'elle pleurait.

La cour : Où était Mr Steward ?

La cuisinière : Le *tuan* invité ? Je ne l'ai pas vu. Mais ensuite, j'ai encore entendu deux coups de feu. Pang ! Pang ! La *mem* a alors couru en direction du jardin.

La cour : Le revolver à la main ?

La cuisinière : Je ne pouvais pas voir. Il faisait nuit. La véranda était noire. Seul le salon était allumé. La petite lampe du guéridon.

La cour : Si tout était plongé dans l'obscurité, comment as-tu vu alors qu'elle avait les mains sur le visage ?

La cuisinière : La lune éclairait un peu. Et elle portait une robe de couleur pâle. Ses cheveux aussi sont presque blancs.

La cour : Elle était donc sur la véranda quand les deux derniers coups de feu ont retenti ?

La cuisinière : Oui.

La cour : Ce n'est pas possible puisqu'il est prouvé que les deux dernières balles ont été tirées à bout portant, alors que la victime était déjà à terre. L'expertise est formelle.

La cuisinière : Peut-être, je ne sais pas. J'ai oublié…

La cour : Mais alors, es-tu certaine de tes dires ou as-tu oublié ?

La cuisinière : Peut-être qu'elle était déjà en bas.

La cour : Tu as sans doute, sous le choc, confondu la véranda et l'allée du jardin. Ou bien peut-être t'es-tu méprise avec les premiers coups de feu.

La cuisinière : Non, puisqu'ils m'ont réveillée. Je dormais, moi ! Pour une fois qu'il n'y avait rien à préparer ni à desservir ! La *mem* nous avait donné la soirée. Moi, je dis ce que j'ai vu. Elle était là, devant moi, appuyée à la balustrade. Comme je vous vois. Et elle pleurait.

La cour : Comment pouvait-elle être appuyée et avoir les mains sur son visage ?

La cuisinière : Ben… Maintenant j'ai tout oublié. Je ne sais plus.

La cour : Arrête de geindre et réponds : qu'as-tu fait ?

La cuisinière : Je suis passée par la porte de service qui donne sur le salon. En entrant, j'ai tout de suite vu que tout était en désordre. Le guéridon était renversé. La lampe aussi, mais heureusement elle n'avait pas pris feu. *Mem* était pleine de sang, debout au-dessus du *tuan* qui était allongé par terre. Pleine de sang !

La cour : Où ? Dans la véranda ? Dans le salon ?

La cuisinière : Non, en bas, dehors, sur le chemin.

17

Whitechapel, Connecticut
Octobre 1954

Ethel écoute le vent froisser les herbes. Elle s'emplit de ces bruits quotidiens comme si elle ne devait plus jamais les entendre. La porte de la cave qui claque, le grondement du poêle dans la cuisine. Les éclats de voix de Jack et de sa grand-mère, de l'autre côté de l'allée. Chaque instant devient précieux. Dans quelques heures, quelques minutes peut-être, les filles frapperont à sa porte. Vivian, sans doute, car elle est la plus téméraire. Non, plutôt Dorothy, l'opiniâtre. Peut-être l'appelleront-elles en bas ? À moins qu'elles ne profitent du dîner ou n'aient l'idée de lui préparer un de ses plats préférés. Comme pour annoncer une mauvaise nouvelle à un enfant. Un *fool* aux framboises. Ou des *cupcakes* au citron. Ethel regarde l'horloge et les minutes qui s'écoulent. Elle le sait, Dorothy a reçu une épaisse enveloppe de l'étranger, avec des timbres multicolores. Depuis, elle s'est enfermée dans sa chambre et n'en est sortie que pour arroser l'affreuse misère qu'elle a rapportée de Hartford. Hier soir, Vivian l'a rejointe. Toute la nuit, Ethel a entendu des murmures, des pas. Elle n'a pas cherché à les écouter. Car elle sait bien ce qui se passe. Elle attend et redoute ce moment depuis des années. Après plus de quarante ans, sa gorge se noue, comme dans la prison de Pudu quand elle attendait la visite du bourreau indien. Elle va devoir se justifier, expliquer sa vie. Parler à ses enfants, c'est affronter le tribunal le plus sévère qui puisse exister. Ethel respire fort, les mains sur la gorge. La sentence sera plus redoutable que la corde que l'Indien voulait passer autour de son cou. Elle devra supporter la déception de ses filles, peut-être leur pitié, et continuer de recevoir jusqu'à sa mort leur gentillesse et leur amour qui, chaque jour, lui rappelleront leur bonté et aussi ses mensonges.

Pour ce dernier acte, Ethel se prépare. Comme autrefois dans sa loge, à Kuala Lumpur, elle a placé une lampe de chaque côté du miroir, jeté une mousseline sur les appliques au-dessus du lit, et préparé une bouteille de champagne dans un seau en argent gravé des initiales « C.P. » dans un médaillon. Mais elle n'a prévu qu'une coupe car, après tout, c'est elle, l'héroïne du drame. La dernière fois qu'elle a ouvert une bouteille de veuve-clicquot, c'était il y a dix ans exactement. Elle l'avait bue toute seule, dans sa chambre, et avait dansé toute la nuit en regardant son ombre sur les murs. Elle était Isadora Duncan, Louise Brooks et Ava Gardner tout à la fois. Diva, elle avait tournoyé, déclamé, chanté jusqu'à ce que l'ivresse lui fasse oublier que ce soir-là elle fêtait la fin de sa vie de femme. La perte de sa féminité, un adieu poignant à sa jeunesse et à ce sang menstruel, sombre et noir, qui avait rythmé sa vie et ses passions.

Cette fois-ci, elle célébrera la mort d'Ethel Proudlock pour se métamorphoser définitivement en Mom, une vieille femme vaincue et sénile. Sans Jasper pour l'aider à faire sauter le bouchon, Ethel s'acharne. Ses poignets la font souffrir. Ses articulations se déforment lentement et lui ravissent toute force. Elle s'assied, place la bouteille entre ses cuisses, pousse fermement le bouchon de liège avec ses pouces. Elle se trouve obscène. Le bouchon cède enfin, explose, poussé par le liquide doré et parfumé. Autrefois, Jasper aurait fait couler quelques gouttes sur ses reins pour les laper avec volupté. Elle aurait frémi sans bouger, jusqu'à ce qu'il l'empoigne, écarte ses fesses et la pénètre. Ethel ferme les yeux. Le souvenir de son abandon la submerge. Une langue de désir s'enroule dans son corps. Nue devant la glace, elle observe son reflet. Ses seins plats, légèrement tombants comme deux larmes de chair, sa taille encore bien dessinée, son ventre bombé par l'âge. La peau sur ses jambes fines s'est tendue. Elle a pris la forme des os et des articulations comme sur une planche d'anatomie ou un dessin d'Egon Schiele. Un coup d'œil impitoyable à ses fesses à la rondeur disparue la convainc d'enfiler un peignoir. Pour quelques minutes seulement, car elle a déjà choisi les vêtements dans lesquels tout à l'heure elle se glissera. Une de ses plus jolies robes, et qu'elle ne porte plus depuis des années. Un modèle très simple de Mme Grès, en mousseline coquille d'œuf mouchetée de gris. Le plissé qui voile ses épaules découvre la naissance de ses seins et met en valeur sa taille minuscule. Ethel trinque à la vieille femme qui la regarde dans le miroir. Avant de s'habiller, elle polira ses ongles, les vernira, soulignera ses yeux d'un trait de khôl noir – cadeau de Kunthi, le même depuis des années, pas plus long que la phalange de son petit doigt – et brossera ses sourcils pour agrandir ses yeux. Et quand les filles frapperont à la porte, elle les attendra, royale, assise sur la bergère devant la fenêtre. Non, plutôt debout contre la cheminée, de façon à mettre en valeur son port de tête et ses cheveux blancs. Elle va les brosser et les retenir d'une barrette de rubis, celle offerte par Jasper pour célébrer la fin de la guerre, à Philadelphie. Ethel trempe ses lèvres dans le champagne qui déjà lui tourne la tête. Griserie divine. Quelques vocalises encore pour éclaircir sa voix. Ethel sourit, lumineuse. Elle doit se dépêcher. Le public n'attend pas. Déjà, elle entend des portes qui claquent et la musique qui monte du rez-de-chaussée. Son rôle, elle le connaît parfaitement. Il lui faudra sans doute improviser car, pour lui donner la réplique, elle n'aura que des débutantes face à elle, des comédiennes inexpérimentées. Mais n'est-ce pas là que se niche le talent des véritables actrices ? Trouver la note juste, l'accent de sincérité qui fait battre le cœur et monter les larmes aux yeux... Pas trop d'effets. Elle se souvient des conseils du metteur en scène à Kuala : « Ethel, ne surjouez pas, vous en faites trop ! Et soignez votre gestuelle ! » À l'époque, elle se sentait légèrement vexée, mais aujourd'hui elle a compris. Dommage que Mr Maugham ne puisse assister à la représentation. Elle n'a pas eu le temps de lui poster une invitation. Tout est allé si vite depuis la mort de Jasper, et le courrier pour la France met une éternité ! Mais peu importe, cette pièce, elle la jouera pour elle-même, égoïstement. À côté d'elle, Bette Davis ne sera plus qu'une ombre reléguée aux oubliettes de Hollywood. Personne ne lui volera plus jamais sa vie, son histoire. Ni les journalistes ni les écrivaillons. Mon Dieu, elle n'est pas encore prête ! La doublure de la robe est légèrement déchirée. Il est hors de question qu'elle descende chercher le nécessaire à couture en bas. Pourquoi l'habilleuse n'a-t-elle pas contrôlé sa tenue de scène ? Une épingle à nourrice fera l'affaire. Elle sera insoupçonnable dans les plis. Ethel vérifie le plateau. Tout doit être parfait. Elle a poussé la chauffeuse près de la fenêtre et dégagé tout un espace entre le lit et la commode pour permettre aux comédiens de se mouvoir sans encombre. Il faudrait encore aérer un peu car l'odeur du parfum, du vernis à ongles et de la laque lui retourne l'estomac. Ethel respire l'air frais à pleins poumons. Le vent glacé sur le tissu la fait frissonner. Elle portera donc une étole taupe qu'elle pourra si besoin rejeter sur le lit, ou tordre entre ses doigts pour exprimer son émotion. Un petit geste aussi anodin ne sera pas interprété comme superflu. Une dernière gorgée de champagne avant de passer le bâton de rouge sur ses lèvres et elle sera parfaite. Quand elle entre en scène, Ethel pense toujours qu'elle sera parfaite. C'est sa façon à elle de combattre le trac qui lui serre la gorge.

Rideau.

Acte 1

— Mom ?

Dorothy a poussé la porte sans frapper. Ce n'est pas dans ses habitudes, mais un soir de première rien ne se passe jamais comme on l'a prévu. Ethel sourit gracieusement. Un sourire qui s'entend dans la voix.

— Oui, mon ange ! Qu'y a-t-il de si urgent pour que tu prennes les mauvaises habitudes de ta sœur ?

— Vivian et moi souhaitons te parler.

Dorothy a son air des grands jours, son air de bibliothécaire frustrée. Un peu autoritaire. On croirait qu'elle va gronder un gamin qui aurait posé ses doigts sales sur une vitrine de la bibliothèque privée de Mark Twain. Elle est affublée d'une jupe de tweed beige informe et d'un vieux cashmere vert olive qui a appartenu à Ethel autrefois. Dans l'embrasure de la porte, Vivian, l'œil en coin, observe sa sœur.

— Mom, reprend Dorothy, il est temps que tu nous expliques ce qui s'est passé à Kuala Lumpur. Pa n'est plus là et son départ a laissé un vide énorme dans la maison et dans notre cœur. Des montagnes de points d'interrogation aussi. Vivian et moi avons beaucoup réfléchi à ce que tu nous as déjà dit, mais il y a trop de zones d'ombre.

Mon Dieu, que de platitudes ! Comme ce texte est ampoulé ! Ont-elles répété toute la journée pour une si piètre entrée en matière ? Ethel rectifie les plis du rideau et se dirige vers la coiffeuse. Il faut occuper l'espace, tout l'espace.

— Mom, nous t'aimons de tout notre cœur et ne souhaitons pas porter de jugement sur ton passé, mais tu dois comprendre que pour nous, tes filles, il est important de connaître la vérité.

Ridicule, Dorothy se lance maintenant dans une absurde tirade sentimentale. Et sa sœur qui ne cesse de la regarder avec des yeux de poisson-chat ! Le monde à l'envers ! C'était à Vivian de parler d'abord. Dorothy aurait pu intervenir un peu plus tard. Apporter cette touche d'émotion qui rend crédible la colère.

— Mom, tu nous écoutes ?

Ouf, Vivian intervient. Voilà qui est plus dans l'ordre des choses. Du naturel, mes filles ! Du naturel ! Ethel tressaille, se retourne et jette un coup d'œil négligent aux lettres que Dorothy vient de poser sur le lit.

— Oui, Dorothy, je suis là. Bien sûr que je vous écoute.

La réponse est plate, mais Ethel fera mieux plus tard. L'intrigue doit se mettre en place.

— J'ai écrit à Ellen, tu sais, cette amie documentaliste à Singapour que j'ai rencontrée il y a un an à Londres, au congrès...

Ethel fronce le nez. Elle ne connaît pas cette Ellen mais elle ne l'a jamais aimée. C'est comme cela avec elle, Ethel fonctionne à l'instinct, au flair. À vrai dire, elle n'a aucun grief précis pour justifier sa méfiance. Dorothy, à son retour d'Europe, avait simplement changé. Ethel n'aurait su dire ce qui la troublait mais, elle en était persuadée, cette Ellen avait eu une influence négative sur sa fille soudain devenue lointaine. Hors d'atteinte. C'est cela, inaccessible, comme si sa vie se déroulait désormais ailleurs.

— La secrétaire du conservateur, n'est-ce pas ?

Dorothy, exaspérée, lève les yeux au plafond. Dommage, elle pourrait être si jolie, si elle s'arrangeait un peu. Une jolie coupe de cheveux pour insuffler du volume à sa tignasse molle. Un peu d'ombre à paupières...

— Non. Elle est archiviste pour la bibliothèque du musée.

— Qu'a-t-elle fait pour que le conservateur lui paie un billet d'avion pour Londres ? Je me demande...

Dorothy pince les lèvres. Ethel observe les petites rides en étoile qui se dessinent autour des commissures. Dorothy vieillira vite. La peau des Proudlock. Contre toute évidence, elle a hérité leur cuir vulgaire, épais et sans attrait.

— Et moi, Mom ? La bibliothèque m'a aussi offert le voyage. De ton temps, les femmes ne savaient rien faire d'autre que coucher avec leur patron pour avancer dans la vie. Aujourd'hui, les choses ont changé !

La brusque colère de Dorothy amuse Ethel, qui peaufine sa réponse. Perfide et charmante. Elle déteste cette Ellen, car elle a surpris un soir Dorothy qui lui parlait au téléphone. Des confidences sucrées sur un ton feutré et joueur qu'Ethel connaît bien pour l'avoir manié avec brio. Avec des hommes.

— Oui, tu as raison. Aujourd'hui, les femmes préfèrent la compagnie des autres femmes à celle des hommes.

Regard glacé, ironique, puis tendre. En trois temps. Ethel étend sa main vers la joue de Dorothy et esquisse une caresse imaginaire. Dorothy a pâli. Et, pour une fois, Vivian ne semble pas avoir relevé. Elle a repéré la coupe de champagne sur la commode.

— Tu as bu, Mom !

Le ton est accusateur. Les yeux de Vivian furètent dans la pièce. Ethel s'en veut de ne pas avoir rangé le seau à champagne sur la coiffeuse. Elle déteste être prise au dépourvu. Il est temps de reprendre les choses en main.

— Oui, je me suis offert une coupe de champagne. Où est le mal ? Mais vous ne pouvez comprendre. Vous avez perdu votre père, mais moi, j'ai perdu l'homme que j'aimais !

— Mom, tu n'as pas besoin de te justifier...

C'est Dorothy qui est intervenue, avec sa voix douce d'infirmière. Quelle sotte ! Jamais elle ne progressera. À l'attaque, elle n'oppose que douceur et abnégation alors qu'elle aurait pu saisir sa vengeance, relever le défi.

— De toute façon, j'en ai assez, de toute cette hypocrisie. Mom, tu bois depuis des années. En cachette, seule dans la cuisine, dans ta chambre. Même dans le sous-sol. J'ai trouvé tes planques, les bouteilles sous l'établi... Ne va pas nous faire croire que tu n'as ouvert ce champagne que parce que ce soir la solitude te pesait ! Regarde ta peau, tes yeux bouffis, et ces veines en toile d'araignée sur tes joues ! Tu as beau les camoufler sous des tonnes de poudre, nous ne sommes pas dupes. Maintenant, tu vas écouter ce que nous avons à te dire et tu vas répondre à nos questions. Sans mentir, sans te cacher derrière tes airs de princesse offensée !

Vivian a craché son venin. Fin du premier acte. Il est temps de jeter l'étole taupe sur le lit.

Acte 2

Ethel est assise sur la chauffeuse. Les bras négligemment posés sur ses longues jambes. Elle tourne le visage en direction de la fenêtre, l'air lointain. Vivian s'est servi un verre d'eau et grignote des *cupcakes*. Des *cupcakes* au citron. Ethel en était sûre. Dorothy se lève et tend les lettres, résolue. Bravo, ma fille ! Quelle audace ! Tu oses enfin affronter ta mère après toutes ces années !

— Mom, tu dois lire ces papiers. Ellen est allée à Kuala, aux archives du tribunal. Elle a recopié plusieurs témoignages. Elle a aussi dépouillé les journaux de l'époque qui parlent du cas Proudlock et de ton procès.

Ethel laisse glisser son regard sur les pages couvertes d'une écriture un peu enfantine. Elle remarque que plusieurs passages ont été rayés au crayon à papier. Impossible de déchiffrer ce qui se trouve sous les gribouillis.

— Tout tient en ces quelques pages ?

— Non, Ellen a envoyé un paquet qui devrait arriver ces jours-ci avec des carnets plus complets. Mais avec ces premières notes, tout est déjà plus clair. À quoi bon attendre ? C'est à toi maintenant de nous donner ta version des faits !

La voix de Dorothy est calme, un peu triste. Elle se fait suppliante. Crescendo. Bien, Dorothy, tu assimiles enfin ton rôle.

— Mom, que s'est-il passé, ce soir d'avril 1911 ? As-tu vraiment tué cet homme ? Était-il ton amant ? Dans le film, Somerset Maugham raconte que tu as tué ce Steward par jalousie. Tu as vu le film, n'est-ce pas ?

Entrée en scène. Merci, Vivian ! Félicitations ! Voilà qui me facilite la tâche. Ethel redresse le buste, cambre les reins.

— Somerset Maugham s'est trompé. Il a inventé une histoire de toutes pièces, mais il n'a rien compris. D'ailleurs (Ethel rit), comment aurait-il pu comprendre ? Personne n'a jamais su la vérité, hormis moi.

— Et Pa ?

— Oui. Pa était au courant.

— Et oncle William ?

— Non. Lui, il ne sait rien. Il n'a jamais rien su, ni vu. Il n'a jamais compris pourquoi il me perdait. Il aurait pu me garder, me séduire, mais il n'a jamais fait l'effort. Sans doute tenait-il à moi sincèrement, mais comme on s'attache à une maison, à une plante ou à un bel objet. Pas à une femme.

— Tu ne l'as jamais aimé ?

Les questions fusent. Ethel, satisfaite de sa voix parfaitement placée, caresse du bout des doigts la barrette dans ses cheveux.

— Quand je me suis mariée, je ne le connaissais pas. Ou si peu. Il était absorbé par ses élèves, ses cours et ses matchs de foot et de cricket, je ne le voyais que le soir, et encore ! Il s'enfermait dans son bureau et travaillait, alors que moi, je ne rêvais que de danser, de vivre, d'aimer...

Ethel passe la main dans ses cheveux, ôte la barrette et secoue la tête.

— Mon ange, prendrais-tu un verre de porto ? Il y a trois verres sur le plateau marocain. Des verres à thé à l'origine, mais ils sont si jolis !

Dorothy se lève, docile. Vivian hésite. En leur offrant un verre de porto, Mom les rend complices. L'éclat de triomphe dans les yeux de sa mère lui confirme ses pensées. Dorothy s'est immobilisée, la carafe à la main.

— Alors, si je comprends bien, je suis née par simple devoir conjugal, c'est cela ?

Sa voix tremblote.

— Mais non, mon ange ! Tu es née un peu plus tôt ! Vous avez bien vu, ta sœur et toi, cette robe bleue que je portais le jour de mon mariage. Tu étais déjà là, mon aimée, dans mon ventre.

Ethel baisse les paupières pudiquement. La Madone de Fra Angelico. Une main sur le nombril, l'autre refermée autour du verre doré, elle murmure :

— Ton père et moi avions déjà passé quelques moments passionnés ensemble...

Dorothy s'illumine, apaisée. Quel enfant ne souhaite pas entendre que ses parents l'ont conçu par amour ?

— ... mais ton père était un amant déplorable. Et je m'ennuyais.

Coup de tonnerre. Ethel savoure le désarroi qui assombrit les pupilles de Dorothy. Nuage noir dans un ciel d'été. À la Madone succède la Gorgone.

— Tu voulais savoir la vérité ! Pourquoi vous parlerais-je comme à des enfants ? Vous êtes des femmes. Eh bien moi aussi, j'étais une femme. Je m'ennuyais mortellement à Kuala. Une ville jaune, chaude, laide et poussiéreuse. J'ai rencontré Jasper, je veux dire Pa, au même moment que William. Quelle ironie ! Il était venu pour assister à notre mariage. Il était si beau ! Irrésistiblement beau, drôle et intelligent. Nous sommes tombés follement amoureux. Mais Jasper vivait à Londres, à l'autre bout du monde. J'ai renoncé à notre amour.

Fin du deuxième acte. Ethel hausse la voix. Elle lit dans les visages soudain fascinés de Dorothy et Vivian qu'elles sont prêtes à s'enflammer. Elle les a retournées d'une main de maître ! Les femmes pardonnent toujours aux amoureux. C'est si facile de captiver une audience féminine, on le lui a toujours dit.

Acte 3

— Mais alors ? Et Steward ?

Vivian a déplié la table marocaine et posé le plateau sur les supports en croix face à Ethel. Elle a aussi pris deux coussins sur le lit et poussé l'assiette de *cupcakes* entre ses jambes repliées. Maintenant, les deux filles sont assises par terre. Ethel revoit leurs yeux émerveillés quand, au Canada, elle leur racontait des histoires au lit avant de s'endormir. La princesse et le dragon de feu. La petite fille aux allumettes. Là, c'est son histoire qu'elle raconte. Un conte de fées avec, comme dans tous les contes pour enfants, un moment tragique.

— La vie à Kuala était morne, sans rien d'autre à faire que tourner en rond à la maison pour meubler mon ennui. Aller à l'église, broder des antimacassars, et de temps en temps boire un verre au bar du Selangor Club, le Spotted Dog, les jours autorisés aux femmes. C'est là que j'ai rencontré Steward, un planteur sans intérêt. Enfin, disons que je l'avais croisé une fois il y avait fort longtemps, quelques semaines à peine après mon arrivée dans les FMS. Mais il m'avait entretenue de plantations d'hévéas et je l'avais oublié.

Regards interrogateurs. Ethel boit une gorgée de porto.

— Oui, il a été mon amant. Pas très longtemps, mais assez pour me distraire et me donner envie de vivre.

— Mais alors, pourquoi l'avoir tué ? Il n'a jamais voulu te violer, n'est-ce pas ?

— Mais grand Dieu, jamais !

Air de confidences. Ethel penche son visage et baisse la voix.

— Je l'avais invité à la maison pendant que William était allé dîner chez des amis, les Ambler, des collègues de l'Institut pontifiants et insupportables de morosité.

Petite pause. Dorothy et Vivian sont pendues à ses lèvres.

— Il m'a embrassée dans le salon. Délicieux... Tout le monde était couché. J'avais donné la soirée aux domestiques, nous étions seuls. Rien que lui et moi. Et...

— ... et tu as découvert qu'il aimait une autre femme, qu'il avait une maîtresse. La Chinoise ! Donc, tu l'as tué.

Vivian jubile. Comme toujours, elle tire les conclusions avant même d'avoir tous les éléments en main.

— Balivernes !

Ethel est piquée au vif. Même aujourd'hui, elle ne supporte pas l'idée que Steward eût pu s'éprendre d'une autre femme.

— Sottises ! Il n'y a jamais eu de Chinoise ! Non. Nous nous embrassions quand j'ai entendu des pas dans le jardin. J'ai cru que c'était William qui rentrait plus tôt que prévu. Quelle ne fut pas ma frayeur ! J'ai repoussé Steward et tiré sur ma robe. Trop tard. Jasper se tenait là, à quelques mètres, dans la véranda. Nous étions encore enlacés et Steward avait la main sur mes hanches. Mon Dieu ! Le regard de Jasper m'a glacée. Quelle colère ! Mais ciel, qu'il était beau !

Ethel soupire, la gorge renversée, la main gauche crispée sur sa poitrine.

— Mon malheureux Jasper ! Lui qui pensait nous faire plaisir en arrivant à l'improviste ! De passage à Hong Kong pour affaires, il avait sur un coup de tête décidé de prendre le bateau pour Penang avant de rentrer à Londres. Il voulait me dire qu'il m'aimait, qu'il ne pouvait pas vivre sans moi.

Petit silence.

— Tout s'est passé très vite. Steward et Jasper se sont battus. J'ai tendu le revolver à Jasper, qui a tiré.

— Alors le récit du *jaga* était exact ? C'est lui, l'homme blanc qui a traversé le Klang à la nage ?

— Ah ! Elle a trouvé cela, ton Ellen ? Je croyais que son témoignage avait été jugé irrecevable.

— Les tribunaux conservent tout, Mom.

— Oui, nous avons réfléchi très vite. Le temps d'un éclair, nous avons vu notre vie s'effondrer. J'ai décidé de m'accuser du crime, certaine que jamais une cour de justice locale n'oserait condamner une Anglaise pour meurtre. Jasper m'a conseillé de plaider la légitime défense. Il fallait prendre le risque. Soit il croupissait dans une cellule jusqu'à la fin de ses jours, soit je me sacrifiais.

Dans tous les contes, les héros traversent des forêts hantées par les loups. Le Klang et ses sauriens faisaient parfaitement l'affaire. Ethel fixe Vivian droit dans les yeux. Elle a toujours aimé se faire peur et adorait autrefois les histoires de Baba Yaga.

— Quand Jasper a disparu dans l'obscurité, j'ignorais si je le reverrais. Le revolver à la main, je tremblais de tous mes membres. Dieu soit loué, Pa était un bon nageur. Il a eu de la chance, beaucoup de chance ! Une fois sur l'autre rive, il a retrouvé le coolie qui l'avait accompagné au bungalow. Quah. Il le connaissait car il l'avait déjà rencontré la première fois qu'il était venu à Singapour, pour le mariage. Les Chinois sont des êtres cupides. Jasper a acheté son silence. Il lui a donné une bonne somme, de quoi se fournir de l'opium jusqu'à la fin de ses jours, et il est reparti à Hong Kong, puis à Londres, sans que personne ne pense jamais à vérifier le nom des passagers des bateaux. L'inspecteur Wyatt, qui s'est occupé de l'enquête, a pourtant interrogé tous les coolies de Kuala... Personne n'a jamais su que Jasper Proudlock était passé cette nuit-là au bungalow. Nous nous sommes retrouvés à Londres plus tard. Après la grâce du sultan. La suite, vous la connaissez.

Dorothy et Vivian se sont blotties l'une contre l'autre. Ethel, épuisée, regarde droit devant elle.

Fin du troisième acte. Le rideau se ferme sur les trois femmes. Visuellement, la construction est parfaite. Ethel forme le sommet du triangle, Vivian et Dorothy, allongées à ses pieds, la base.

Ethel n'attend pas les applaudissements. Dorothy et Vivian se sont retirées, sous le choc. Cette fois-ci, elles savent que Mom leur a dit la vérité. Elles ont emporté le plateau, les *cupcakes* au citron et les verres dorés, et, sous prétexte de débarrasser, se sont réfugiées dans la cuisine. Vivian pleure. Du bout des doigts, elle émiette les derniers *cupcakes* sur l'assiette. Secouée de tremblements, elle renifle, incapable de comprendre pourquoi elle se sent trahie. Profondément blessée d'avoir tout à coup entrevu l'ampleur de l'amour entre Pa et Mom. Cette passion ne l'émeut pas. Elle la terrifie, la rend curieusement jalouse, comme si Pa, en lui cachant cette part de folie, l'avait elle aussi trompée. Elle l'imagine jeune et hâbleur, portant beau avec sa raie et sa moustache à la Max Linder, faisant la cour à Mom sous les palmes de l'hôtel Raffles. Ce dandy-là, trop fringant, n'a rien de commun avec son Pa à elle.

— Dotty ?

Dorothy se retourne mais ne répond pas. Son visage exprime une curieuse tristesse enfantine. Elle pousse les perles de son collier une à une entre ses doigts, à la manière d'une nonne avec son chapelet.

— Je peux dormir dans ton lit ?

La dernière fois qu'elles ont dormi ensemble, c'était à Swastika, le lendemain de la mort de Bobby. Dorothy ne réagit pas, les perles glissent de plus en plus vite. Dans ses yeux brille cette lueur d'égarement des mauvais jours.

Ethel s'est levée tôt, très tôt pour ne pas avoir à affronter Vivian et Dorothy. Elle a fait chauffer de l'eau mais n'a pas attendu que la bouilloire siffle, de crainte de les réveiller. Elle espère que ses filles ne lui poseront plus de questions, la laisseront en paix, maintenant. L'idée de revenir sur le drame la paralyse. Elle a oublié comment elle s'est endormie, hier. Ce matin, elle était nue dans son lit avec un épouvantable mal de tête qui lui broyait les tempes. Elle voudrait aller au cimetière. Elle ne s'y est pas rendue depuis la mort de Jasper. Elle aimerait se recueillir quelques instants sur sa tombe, face à l'océan, respirer l'air marin, sentir les embruns sur ses lèvres. Mais elle veut y aller seule, sans les filles. Elle prendra le bus de huit heures, celui qui s'arrête au bout de la rue, en face de l'école. L'arrêt de bus a changé de place depuis que les Noirs peuvent aussi fréquenter cette école. Jasper avait applaudi à la décision de la cour fédérale, en mai, de mettre fin à la ségrégation raciale dans les écoles. C'était un mois à peine avant son accident. L'arrêt de bus commun est le symbole de cette nouvelle politique. Jasper est mort trop tôt. Il n'aura pas eu le temps de le voir. Ethel précise dans le petit mot qu'elle griffonne pour ses filles qu'elle sera de retour en début d'après-midi. À moins qu'elle n'en profite pour se promener sur la plage. Elle a une furieuse envie de *crab cakes.* Jasper l'emmenait chaque année manger des fruits de mer au bord de l'eau. Des palourdes frites et des *crab cakes*. Le temps n'avait jamais éteint leur amour et les secrets du passé avaient tissé un lien indéfectible entre leurs deux âmes. Ethel aimait en rire. En 1921, au poste frontière de St Albans, dans le Vermont, alors qu'ils passaient les douanes pour quitter le Canada et entrer aux États-Unis, Ethel n'avait pas résisté à pointer son index dans son dos. « Haut les mains ! » Il avait sursauté. Elle avait éclaté de rire. « Quand je pense que c'est moi qu'ils risquent d'arrêter ! Laisse-moi au moins avoir une bonne raison de me retrouver en prison. »

Ces plaisanteries de collégien mettaient Jasper mal à l'aise. Des années plus tard, lorsque, au printemps 1934, Bonnie Parker et Clyde Barrow avaient été arrêtés et abattus sur une route de Louisiane, il avait paru fort contrarié et lui avait demandé de ne plus jamais évoquer la funeste soirée de Kuala. Ethel s'était rebellée. « Mais c'est idiot, personne ne saura jamais ce qui s'est passé ! » Il avait insisté, plaqué ses lèvres sur les siennes, et, comme Ethel ne savait rien refuser à Jasper, elle avait tenu sa promesse. Jusqu'à hier soir. C'est pour cela qu'aujourd'hui Ethel veut aller au cimetière pour demander pardon à Jasper. Elle lui parlera du nouvel arrêt de bus et lui expliquera qu'elle n'a pas eu d'autre choix que de dire la vérité aux filles. Au fond, c'est bien ainsi.

18

Cruz Chica, Argentine
Octobre 1954

Angelina essuie ses larmes. Ce matin, elle avait préparé des pâtés à la viande pour Mr Proudlock. Ses préférés, avec des petits piments rouges et charnus. Ses doigts sentent l'oignon. Plus elle frotte, plus elle pleure. Elle ne peut pas arrêter de pleurer. En arrivant, elle avait bien remarqué que les volets étaient fermés, mais avec Mr Proudlock, on ne sait jamais. Il a toujours des idées bizarres. Comme casser les assiettes dès qu'elles sont ébréchées. Une simple fêlure pas plus épaisse qu'un cheveu de bébé suffit à le faire sortir de ses gonds. Ou bien entreposer dans un seau toutes les épluchures de la cuisine pour les mettre sur le fumier alors qu'il suffit de garder le contenu des latrines. L'effet est le même : les fleurs et les légumes sont tout aussi beaux et bons. Mais il dit qu'une rose ne peut pas pousser dans la merde.

La porte de devant était cadenassée de l'intérieur, alors Angelina a fait le tour par la terrasse et la cuisine. Le loquet n'était pas fermé mais le vantail était bloqué par ces piles de linges et de journaux que Mr Proudlock s'obstine à placer devant les fenêtres et les ouvertures car il craint les courants d'air. Du moins, c'est ce qu'il lui avait dit, et elle l'avait cru. Quand enfin elle est parvenue à entrer dans l'arrière-cuisine, elle a compris qu'il lui avait menti. Ça l'a un peu peinée. Une drôle d'odeur flottait dans l'air. Là, son sang n'a fait qu'un tour. Angelina sait bien que le gaz, c'est dangereux. Elle connaît les risques d'asphyxie et d'explosion. Dans les familles de mineurs, on apprend tout ça dès le berceau, avant même de savoir marcher. Pedro, lui, il sait depuis longtemps qu'il ne faut pas allumer de feu, pas même une cigarette lorsque l'air sent bizarre. Mais il sait aussi que, parfois, l'air ne sent rien du tout, juste le chaud et le fade. Le gaz tue alors sournoisement, la nuit souvent, quand tout le monde est endormi. On ne sent rien. On ne se réveille pas, c'est tout.

Angelina a aussitôt baissé le levier d'arrivée du gaz, mais un coup de pied dans la bouteille lui a confirmé qu'elle était déjà vide. Elle a ouvert grand la porte pour respirer une goulée d'air frais. C'est elle qui a trouvé Mr Proudlock au salon. De loin, on ne voyait même pas qu'il était mort. Assis dans son fauteuil, comme d'habitude, une main sur la table, prête à saisir son verre. Angelina a voulu appeler à l'aide, mais elle n'a pas trouvé le téléphone. Même pas le cordon. Elle a donc ouvert la porte d'entrée pour créer un courant d'air et hurlé le plus fort qu'elle pouvait.

Depuis, une foule d'inconnus s'agite dans la maison et Angelina ne cesse de pleurer. Un policier lui a interdit d'entrer dans la cuisine. Elle ne comprend pas. C'est bien elle qui a découvert le corps, alors pourquoi ne pourrait-elle plus entrer ? Et puis qui mieux qu'elle connaît cette maison ? Elle a trouvé le petit mot de Mr Proudlock, au-dessus de la paillasse, lui demandant de vider les coquilles d'œuf sur le compost, et elle voudrait le faire puisqu'il le lui a demandé. Obéir aux dernières volontés d'un mort, c'est la moindre des choses. Mais elle ne peut arrêter de pleurer. Les larmes coulent d'elles-mêmes. Elle attend Pedro. Ils veulent l'interroger. Que pourrait-il savoir qu'elle ignore ? S'ils demandent à parler à Pedro, c'est parce que Mr Proudlock a laissé une grosse caisse pour lui au salon, avec des disques, son tourne-disque et deux cahiers d'algèbre. Sur la caisse, il a écrit en grosses lettres : « Pour Pedro, comme promis. » Quand les inspecteurs en auront fini avec Pedro, il faudra qu'Angelina éclaircisse tout cela. Et si elle découvre que Pedro a réclamé le tourne-disque à Mr Proudlock, elle lui chauffera les oreilles et lui passera un savon dont il se souviendra. Car cela ne se fait pas. Il doit se mettre ça dans sa caboche. Quand on est pauvre, on a de l'honneur, on ne quémande pas. Et on n'accepte jamais un cadeau trop important. Un cadeau que même après toute une vie de travail on ne pourrait se payer. Question de fierté. L'inspecteur, le grand, le lieutenant Altamira, a interrogé Angelina tout à l'heure. Il lui a demandé si elle avait reçu de l'argent de Mr Proudlock. Elle lui a dit la vérité : qu'elle lui avait apporté de la confiture de lait et que, pour la remercier, il lui avait glissé quelques billets. Enfin, par l'intermédiaire de Pedro. C'est alors qu'elle a vu son pot presque vide sur le plateau. Ça lui a fait chaud au cœur. Comme si elle l'avait un peu aidé à partir. Angelina se dit que ses derniers instants n'ont pas pu être pénibles puisqu'il avait mangé une tartine de sa confiture de lait. Mais le lieutenant Altamira a paru suspicieux, comme s'il ne la croyait pas. Il a dit qu'il allait faire analyser la confiture. Au cas où elle serait empoisonnée. Angelina a été vexée. Jamais personne n'est mort après avoir mangé sa confiture. Sauf Mr Proudlock, bien sûr, mais il est mort asphyxié. À cause du gaz. Un gamin de quatre ans le comprendrait. On lui a aussi demandé si Mr Proudlock lui avait paru déprimé, ces derniers temps. Elle a répondu que oui. Que, depuis le décès de son frère, il avait changé. Maintenant, elle comprend sa soudaine frénésie de rangement et d'isolation des portes et des fenêtres. Il a même bloqué avec de vieux journaux et une planchette la bouche d'aération de la cuisine par laquelle Kucing se faufilait quand la fenêtre était fermée. Il avait tout préparé avec soin, méticuleusement, comme toujours. Angelina renifle fort et se traite de sotte de ne rien avoir vu venir. Le lieutenant lui a aussi demandé s'il avait de la famille. Quelqu'un à prévenir. Des enfants, une femme, des amis. Mais

Angelina n'en sait rien. Elle connaît la femme du plateau. La femme des initiales, E.C., l'actrice qui l'a quitté pour un autre. C'est tout. Elle a cherché le carnet d'adresses sur lequel il notait tout. Son « agenda », comme il disait. Mais il l'a sans doute brûlé dans la cheminée car on a trouvé dans les cendres des débris de lettres, de photos, et une couverture de cuir noircie marquée « agenda perpétuel » en lettres d'or. Voilà, maintenant Angelina attend Pedro. Elle regarde Kucing qui se lèche le bout des pattes. Pour consoler Pedro, elle lui donnera les pains fourrés à la viande qu'elle avait préparés pour Mr Proudlock. Elle, elle n'a pas faim. Rien qu'envie de pleurer.

C'est Santos, le gardien du collège, qui a donné le numéro de téléphone d'Ethel au lieutenant Altamira. Il l'avait soigneusement recopié sur le registre au cas où Mr Proudlock aurait voulu rappeler la dame qui demandait pardon. Mais, de toute évidence, Mr Proudlock connaissait déjà le numéro et ne le lui avait pas demandé. Le lieutenant Altamira n'a pas souhaité téléphoner lui-même car il ne parle pas anglais. Il a donc demandé au proviseur de se charger de la pénible tâche. Mr Stevenson a paru très affecté par le décès de son enseignant. Il avait une profonde estime pour cet homme discret et dévoué. Un jour, il lui avait montré une photo de lui avec une fillette blonde, à Kuala Lumpur. Il savait donc que William avait une fille, et une recherche rapide dans les papiers de son bureau ont permis d'établir que cette dernière vivait dans le Connecticut avec sa mère Ethel, son beau-père Jasper – le frère de Mr Proudlock, décédé pendant l'été – et une sœur née de cette dernière union, Vivian.

— Une bien triste affaire, avait sobrement commenté Mr Stevenson en apprenant le suicide de Mr Proudlock.

Il avait ensuite réfléchi à la façon de présenter le drame à cette famille dont il ne connaissait rien. Dans le doute, ne sachant pas sur qui il tomberait d'abord, il avait résolu d'évoquer dans un premier temps un « accident ménager ».

La mort dans l'âme, il a fini par composer le numéro que lui a donné Santos et, après s'être présenté le plus brièvement possible, a demandé à parler à Ethel Proudlock. Une voix féminine, légèrement impérieuse et dont il n'aurait su déterminer l'âge, a alors brutalement couvert la précédente voix, féminine aussi, mais plus douce. Et, sans même qu'il eût à élaborer sa version édulcorée, quelqu'un a demandé :

— Il est mort, n'est-ce pas ?

— Oui, Mr Proudlock nous a quittés. Un stupide concours de circonstances, une bouteille de gaz mal fermée…

— Ne vous fatiguez pas, monsieur, a coupé la voix impérieuse, nous sommes déjà au courant. Mr Proudlock nous a envoyé un courrier dans lequel il explique son geste.

— Au nom du corps enseignant et de moimême, nous vous présentons toutes nos condoléances, madame, à vous et vos filles, ou peutêtre à vous, mademoiselle, votre sœur et votre mère... Sachez que nous nous tenons à votre disposition en ce qui concerne les funérailles, et bien sûr ses effets personnels...

Il n'avait même pas terminé sa phrase que la communication avait été interrompue.

Courriers arrivés le 29 octobre 1954 à Whitechapel, Connecticut

À l'attention de Dorothy Proudlock

À Cruz Chica, Argentine
Le 18 octobre 1954

Ma très chère fille,

Ma main tremble car c'est la première et la dernière fois de ma vie que j'écris ces deux mots : « ma fille ». En cet instant, Dorothy, je regrette amèrement les années perdues. Tu m'as confié un jour combien tu avais souffert de ce père absent, nié, rayé de ta vie sans que personne ne t'explique pourquoi. Il t'en a fallu, du courage, pour venir rencontrer au fin fond de l'Argentine ce viejo mato *égoïste et solitaire, cet oncle William que tu voulais tant métamorphoser en père. Je suis honteux de t'avoir si mal accueillie. Aujourd'hui, je te perds et je comprends enfin à quel point tu m'étais précieuse. Je l'ignorais et je t'ai ignorée. À Buenos Aires, tu cherchais l'amour dans mes yeux, je te donnais de l'attention, tu caressais ma main, je la retirais. Nous avons ri tout de même, te souviens-*

tu ? Comme tu étais belle devant la basilique Santo Domingo avec tes boucles dorées, tes yeux couleur du ciel et ton sourire si charmant. Mais je ne le voyais pas. Emmuré dans ma rancœur depuis ce jour où je décidai d'abandonner ma vie à mon frère, j'avais tiré un trait sur toi et mon passé. Décision stupide, je le reconnais volontiers. Pourtant, quand ta mère a fait le choix de suivre ton Pa après la tragédie de Kuala, j'ai accepté de la laisser partir. Par orgueil, peut-être, par lâcheté aussi. Parce que en ce temps-là, je pensais que la raison dominait les sentiments. Puisqu'elle était plus heureuse avec Jasper, je me devais de lui rendre sa liberté. J'ai aimé ta mère au-delà de ce que tu pourrais imaginer. Mais je ne savais pas le lui montrer. Je n'ai pas appris à aimer pendant mon enfance. J'ai reçu de mes parents des valeurs d'honnêteté et de travail. À la maison, l'austérité tenait lieu de sentiments, l'étude de distraction. Je n'ai su retenir ta mère. La glace éteint le feu. Et je t'ai abandonnée avec elle. La conscience tranquille, car je te savais entre les mains du meilleur homme qui soit, le seul qui saurait t'élever avec amour et dignité, mon propre frère. Ton père. Jasper. Ces mots me brûlent. Des braises incandescentes qu'aujourd'hui je ne veux plus ni prononcer ni écrire. Pendant toutes ces années d'absence, une seule chose me retenait sur cette terre, face à l'échec de ma vie : la certitude intense, ancrée au plus profond de moi, que je t'avais engendrée, toi, ma fille, ma chair et mon sang. Toi, ma Dorothy, si blonde et si coléreuse quand tu étais petite, hurlant dans mes bras jusqu'à ce qu'enfin tu t'endormes, les lèvres collées à mon pouce !

Quand tu recevras cette lettre, j'aurai commis l'irréparable. Je m'en vais, Dorothy. Mais en quittant ce monde je te porte un nouveau coup de poignard. Je ne sais pas vivre dans le mensonge, alors je préfère fuir. Je ne suis pas ton père, j'en ai acquis la certitude il y a quelques mois. Des examens médicaux ont confirmé que je ne pouvais pas avoir d'enfants. Une malformation de naissance. J'ai écrit en Angleterre à la sage-femme qui t'avait mise au monde. Cette dernière, bien âgée, a confirmé ta réelle date de naissance, le 27 octobre 1907, que j'ignorais puisque j'étais alors retourné à Kuala. Comment ai-je pu être si aveugle ? me diras-tu. Ta mère était menue. En ce temps-là, les femmes se sanglaient la taille dans des corsets et je n'avais jamais vu de femme enceinte. Je n'ai rien remarqué. Pour moi, tu étais le fruit précoce de cette merveilleuse nuit que je passai avec ta mère, quelque temps avant le mariage.

Secrètement, je souhaite que la douleur qui en cet instant t'étreint soit celle d'une fille pour son père. Impuissant devant les larmes qui inondent tes joues, je t'embrasse bien tendrement, ma Dorothy. Je ne te demande ni de me comprendre ni de me pardonner.

Ton oncle William

P-S : Tu trouveras avec cette lettre les documents qui lèvent toute ambiguïté sur ma paternité.

La déclaration de la sage-femme, Betty Jane Libby, la lettre du Dr Lindon C. Doane, du Mount Auburn Hospital à Boston, qui a procédé aux examens médicaux.

* * *

Betty Jane Libby
Old Harbour Lane, 6
Polperro, Cornwall

À Polperro, le 24 mai 1954

Cher Mr Proudlock,

Votre lettre m'a été transmise par l'hôpital St Joseph de Bedford. J'ai longtemps hésité à vous répondre car je suis, vous le comprendrez, liée par le secret professionnel qui m'interdit de divulguer des informations concernant mes patientes. Mais votre détresse m'a touchée. Après plusieurs nuits blanches, j'ai pris la décision de vous répondre. Les années ont passé, j'ai vieilli et la mémoire me fait parfois défaut. Je n'ai aucun souvenir de cette jeune femme et de son bébé. D'après mes registres retrouvés dans une malle au grenier, j'ai mis au monde plus de trente-quatre enfants pendant la période concernée.

Finalement, en recherchant dans mes cahiers, j'ai retrouvé la trace de votre épouse, Mrs Ethel Mabel Proudlock, née Charter. Elle habitait alors Adelaide Square, au numéro 8, à Bedford, où j'exerçais le métier de sage-femme itinérante. Je vous transmets les indications que j'ai notées à l'époque.

Le 26 octobre 1907, Mrs Proudlock a perdu les eaux à deux heures de l'après-midi. Les contractions se sont déclenchées peu après. Elle m'a fait appeler par l'intermédiaire d'une Mrs Moore, domiciliée au 5 de la même rue. Sa voisine, je pense. Mes notes précisent qu'à quatre heures cinq du matin, le 27 octobre 1907, elle a mis au monde par voie basse une petite fille de trois kilos deux cent cinquante grammes, après quatorze heures de travail. L'enfant née par le siège était en bonne santé. La mère, en dépit d'une constitution faible, a bien supporté l'accouchement et a aussitôt mis l'enfant au sein. Le bébé a reçu les prénoms de Dorothy, Emma, Cassandra. Il est en outre précisé dans la colonne « divers » que le père était à l'étranger, en déplacement professionnel. Je ne peux hélas vous fournir plus de renseignements. J'imagine que l'enfant a été déclarée à la mairie de Bedford que vous pouvez contacter pour de plus amples précisions. Mes honoraires ont été réglés sept jours après l'accouchement, à l'occasion de ma dernière visite auprès de la patiente. Celle-ci, semble-t-il, n'a plus fait appel à mes services par la suite. J'en déduis donc que le retour de couches s'est bien passé.

J'espère que ces détails vous seront utiles.

Avec mes sentiments les plus sincères,
Betty J. Libby

* * *

Mount Auburn Hospital
Mount Auburn Street,
Cambridge, Massachusetts
Le 21 mai 1954

Cher Mr Proudlock,

Après examen attentif des résultats des analyses effectuées sur votre demande le 7 mai dernier, je ne peux que confirmer mon premier diagnostic. Vous souffrez d'azoospermie, une pathologie des organes sexuels due à une malformation congénitale des canaux excréteurs. Il en résulte une absence totale de sperme dans l'éjaculat.

Je suis donc au regret de vous confirmer ce que vous redoutiez : vous souffrez d'une infertilité congénitale irréversible et non traitable.

Je demeure à votre disposition pour tout renseignement complémentaire, aux horaires de consultation. Compte tenu de la distance qui sépare Buenos Aires de Boston, si vous souhaitez me parler directement, veuillez téléphoner en fin de journée après six heures. Ma secrétaire me transmettra l'appel.

Avec mes salutations distinguées,
Dr Lindon C. Doane, chef de clinique
Département d'endocrinologie de la reproduction et infertilité
Mount Auburn Hospital

* * *

À l'attention de Vivian Proudlock

À Cruz Chica, Argentine
Le 18 octobre 1954

Ma très chère nièce,

Nous ne nous connaissons pas et j'en ai bien le regret. Ta sœur t'expliquera les raisons de mon éloignement tout au long de ces années.

Je te demande pardon. Je comprendrai que tu me haïsses et ce sera bien ainsi.

Je te souhaite une vie heureuse et libre.

Avec mes affectueuses pensées,
Ton oncle William

* * *

À l'attention d'Ethel Proudlock

À Cruz Chica, Argentine
Le 18 octobre 1954

Ma chère Ethel,

Il y a quarante-sept ans, je posais mes yeux sur toi, la plus jolie créature que la terre ait jamais portée. Une fleur de jungle exquise et vénéneuse. Aujourd'hui, je vais fermer les yeux et t'oublier à jamais.

Par amour pour toi, je t'ai laissée partir avec

Jasper. Je lui ai pardonné. Je vous ai pardonné. Aujourd'hui, je vais partir à mon tour, et bientôt la vie s'arrêtera pour moi. Je lèverai le levier de l'arrivée de gaz et j'effacerai un demi-siècle de gâchis.

Reprenons, Ethel, veux-tu ? Au lendemain de ce jour de janvier 1912 où je te découvris dans les bras de Jasper, j'ai cru mourir. Alors pour oublier, je me suis noyé. Noyé dans une passion pour une femme, Gladys Miller, une Américaine, danseuse et artiste. Avec elle j'ai tenté de toutes mes forces de t'oublier, et je crois que j'y suis parvenu. Un temps seulement. Nous ne pouvions avoir d'enfant, elle m'a quittée. Le reste ne te concerne pas. Mais venons-en au fait.

Il y a sept mois, j'ai reçu un pli m'informant de son décès à New York. Une lettre administrative, froide et sans âme, provenant d'un cabinet notarial de Manhattan chargé de sa succession (je la joins pour ton information). Quelle ne fut pas ma surprise d'apprendre qu'elle avait cinq fils de l'homme qu'elle avait épousé après notre séparation.

Tout à coup je t'ai revue, seule et misérable sous la lanterne du Spotted Dog. J'ai senti ta peau sous mes lèvres, ta jeunesse que tu m'offrais avec fougue. Et un doute affreux s'est insinué en moi. J'ai procédé aux nécessaires analyses de ma semence dans un hôpital de Cambridge, près de Boston, et écrit à Mrs Libby qui t'aida pour la naissance de Dorothy. Dois-je t'en dire plus ? Tu as déjà compris que ma vie s'est écroulée. J'étais foudroyé. J'avais pardonné à Jasper de me ravir la femme que j'aimais. J'apprenais qu'il m'avait aussi volé ma seule raison de vivre, ma fille Dorothy.

La suite est simple : j'ai pris l'avion pour New York et loué une voiture. J'ai tenté de téléphoner à Jasper car c'est dans l'intention de lui parler, de l'affronter d'homme à homme que j'ai pris la route pour Whitechapel. Je me suis garé en haut de la rue, près de l'école, et j'ai attendu, incapable de trouver le courage d'aller sonner à ta porte. C'est alors que je l'ai vu. Un vieil homme usé. J'ai accéléré…

Je n'ai aucun regret.

Prends soin de mes nièces. Elles n'ont pas mérité cette souffrance.

Ton époux qui n'a jamais cessé de t'aimer,
William

* * *

Étude Lloyd and Rodat
6 West, 32nd Street,
Manhattan, New York

Le 26 février 1954

Cher Mr Proudlock,

Mr Laszlò Miller, frère cadet de Mrs Gladys Slye, née Miller, nous a transmis vos coordonnées. Conformément aux dernières volontés de Mrs Gladys

Slye, née Miller, décédée le 15 février 1954 à New York, votre nom apparaît dans le testament déposé par cette dernière au cabinet Lloyd. Mrs Slye y stipule qu'elle souhaite vous léguer son piano selon les modalités décrites dans le document joint. Dans le cas où vous ne souhaiteriez pas accepter cet héritage, Mrs Slye a prévu de le léguer à l'école de musique et de danse d'Albany.

Vous pouvez, pour tout renseignement complémentaire, contacter l'étude de maître Rodat ou vous adresser directement à l'un des cinq fils de Mrs Slye, héritiers directs de la défunte (adresses jointes en annexe).

John Ronald Coakley,
clerc de notaire auprès de maître Rodat
Étude Lloyd and Rodat

19

Whitechapel, Connecticut
Octobre 1954

La nuit tombe. Ethel ne bouge pas. Droite sous la gouttière, elle regarde la pluie tomber. Elle n'a pas froid. Elle ne sent pas l'eau qui glisse sur ses épaules et plaque sa robe contre sa peau. Elle a plié la lettre de William en éventail. Les gouttes délavent l'écriture régulière et dessinent des larmes d'encre bleue qui coulent sur ses doigts. Collée contre le mur, Ethel se fait plate comme une ombre. Le rideau de pluie effleure son visage, ses pieds s'enfoncent dans le sol mou. Ses mollets sont couverts de boue. L'eau pénètre son corps. Elle voudrait se liquéfier. Là, sur place.

Jasper lui manque. Si terriblement. Elle a faim de lui, de ses mains, de sa voix, du parfum de sa peau dans le cou. De ce carré de peau gros comme un sou dans sa joue où elle appuyait son nez. « Preuve que nous sommes faits l'un pour l'autre. » Elle entend sa voix chaude qui rudoie le serveur tamil du bar du Grand Hôtel, le crissement des cacahuètes entre ses doigts, et soudain, plus rien. Le temps qui s'arrête, un regard, le premier, une poignée de main puissante, et cette sensation que jamais elle n'avait éprouvée d'être au centre du monde, là où bat le cœur de la terre. C'est elle qui avait fait le premier pas. Vaillamment, elle s'était avancée, avait étendu le bras et s'était réjouie d'avoir lâché les points de couture de ses manches. Il avait longtemps serré sa main, paume contre paume. Une interminable caresse plutôt qu'une poignée de main. Puis ils s'étaient présentés. Jasper Proudlock. Ethel Charter. Le temps d'un instant, sans qu'aucun mot fût échangé, ils avaient compris que leur destin venait de se sceller. Ils n'avaient commis aucune faute, rien qu'un banal échange de salutations, et déjà ils se regardaient avec les yeux d'amants après une nuit d'amour.

Avaient-ils pris place autour de la table basse ? Regardé les mille et une lumières des sampans dans la baie ? Ou écouté les vagues qui explosaient contre la jetée en contrebas ? Ethel ne saurait le dire. Elle sait seulement qu'ils avaient quitté le Grand Hôtel en courant et traversé la nuit douce et tiède en rickshaw. « Rien qu'un verre au Raffles et je vous raccompagne. » Elle le savait déjà. Cet homme-là, c'était le sien. Ils s'étaient reconnus comme deux animaux qui se flairent et s'accouplent, le plus simplement du monde.

Ethel avait regagné tard sa chambre au Grand Hôtel, mais fort heureusement tante Annie n'avait pas remarqué son absence. Quand Jasper et Ethel s'étaient revus quelques jours plus tard, à Kuala, en compagnie de William, ils avaient feint la surprise. Ronds de jambe, intérêt poli et exclamations protocolaires. William avait paru satisfait de leur entente. Absorbé dans la préparation de ses cours et ses obligations à la caserne de Selangor, il avait même poussé Ethel à rejoindre Jasper. « Amusez-vous ! Ce pays a tant à offrir ! » Avec l'approbation bienveillante de William, ils avaient enchaîné les parties de tennis, les fox-trot endiablés et les visites de temples. Jasper l'avait emmenée à *pasar burung*, le marché aux oiseaux. À ses côtés, Ethel aimait les épiphytes, les oiseaux, et même les insectes. Le soir, William les rejoignait au Spotted Dog ou au Teutonia Club, près de Tanglin Road, à Singapour. Les soirées s'écoulaient en rires, champagne et musique. Une parade nuptiale à rebours, tissée de frôlements et de frémissements, de caresses volées et de brefs extases.

Un matin, des nausées avaient alerté Ethel et brutalement mis fin à ces quelques semaines hors du temps. Elle était enceinte. D'humeur belliqueuse depuis que son père lui avait annoncé qu'il n'assisterait pas à la cérémonie à St Mary, elle n'avait eu aucun mal à claquer la porte de Bluff Road. Soudain héroïne de sa propre vie, elle avait dévalé les marches et s'était dit que son écharpe qui volait au vent devait être du plus bel effet. Elle avait ensuite, résolument et sans états d'âme, successivement feint la détresse, la colère et la timidité, et elle s'était offerte à William. En se levant le lendemain matin, elle l'avait observé à son insu, nu, les jambes écartées, le sexe en berne. Il dormait. Elle avait alors rongé ses ongles puis essuyé son doigt sur le drap. Satisfaite de la petite trace rouge, preuve de sa virginité perdue, elle avait en silence savouré cet extraordinaire sentiment de force que donne le pouvoir de séduction.

Neuf mois plus tard, elle mettait au monde Dorothy. Seule à Bedford. La sage-femme, une gourde au groin humide de pourceau, avait pesé sur son ventre, malaxé ses chairs et plongé ses paluches de paysanne entre ses jambes sans plus de délicatesse que si elle avait accouché une vache. Après un après-midi et une nuit de souffrances, Dorothy était enfin née. Une larve bruyante et sale qui avait d'abord dédaigné son sein et plissé les lèvres de dégoût. Ethel, en la voyant pour la première fois, n'avait rien éprouvé. L'amour maternel est spontané, lui avait-on dit. Eh bien non. L'être sur son ventre exhalait une odeur fade, mélange de merde et de sang. Lui eût-on posé un lapin fraîchement dépiauté sur la peau qu'elle aurait éprouvé le même sentiment de profond écœurement. Et puis le miracle s'était produit. Dorothy avait tiré sur son sein et serré son poing autour de son doigt. Le lait avait jailli. Ethel était devenue mère malgré elle.

Jasper était arrivé de Londres le lendemain en compagnie de Margaret, sa sœur aînée, propriétaire de la maison. Une visite de courtoisie pendant laquelle ils n'avaient pu échanger autre chose qu'une furtive caresse sur le dos de la main et quelques mots volés à l'attention de la brave Margaret. Jasper avait longtemps tenu Dorothy dans ses bras. Il l'avait même langée sous le regard réprobateur de Margaret. « Et pourquoi pas ? s'était-il amusé. Ce bébé n'est-il pas ma nièce ? » Des larmes embuaient ses yeux. Margaret n'avait rien vu. Avec autorité, elle avait saisi le lange et serré les pointes jusqu'à ce que Dorothy, rouge comme une tomate, s'époumone. « Il faut serrer, maintenir les membres fermement. » Puis elle s'était retournée vers Ethel. « Les hommes, ma chère, tu le verras, ne sont que des bons à rien ! Dis-toi bien que tu es mieux ici entre mes mains qu'avec William ! » Margaret, qu'Ethel avait jugée austère au début, se révélait une gentille femme, sans fantaisie ni autre attrait qu'une inépuisable bonté. La nuit, c'est elle qui se levait pour prendre Dorothy dans ses bras quand elle pleurait, c'est elle qui la changeait, la langeait avec dévotion, ravie d'accomplir tous ces gestes que jamais elle ne ferait plus. Le jour, elle préparait des pâtés aux poires et du *lemon curd*, brodait des bonnets et tricotait des chaussons. Choyée et entourée, Ethel s'était promptement rétablie. Jasper venait régulièrement de Londres. Mais la présence de Margaret compliquait leurs rencontres, et la perspective de retourner à Kuala assombrissait Ethel de jour en jour. Elle savait qu'elle ne pouvait indéfiniment rester à Bedford. Au printemps, il faudrait bien qu'elle prenne le bateau pour la Malaisie avec Dorothy et qu'elle reprenne sa place auprès de William. Il lui avait envoyé une lettre si touchante quand il avait appris la naissance de Dorothy « en décembre »... Ethel avait longtemps attendu avant de déclarer Dorothy, incapable d'aller signer les registres à la mairie. Cinq mois d'illusions durant lesquels cette enfant qu'elle allaitait avec délices avait encore eu son vrai père, Jasper. Que pouvait-elle espérer ? À cette époque-là, on ne divorçait pas. Fin mars, à contrecœur, elle s'était présentée au bureau d'état civil et, d'une main tremblante, avait inscrit devant « nom du père » : William J. Proudlock.

Ethel frissonne. Le froid a atteint ses hanches et envahi son ventre. Elle serre ses bras contre sa poitrine et écoute, attentive, les tremblements qui secouent son corps. Dans sa main, la lettre de William n'est plus que papier mâché. Elle la roule en boule entre ses doigts et regarde la fenêtre de la cuisine allumée. Dorothy s'est murée dans le silence. Elle ne mange plus et se balance d'avant en arrière, les yeux dans le vague. Vivian rumine sa colère. Elle voit et revoit comme un film ce moment où la Chevy de William a heurté Pa. Elle entend le bruit mat de l'impact. Les crissements des pneus sur le bitume. Et voit le visage de Pa sans ses lunettes au funérarium. Elle se fait des reproches inutiles. Regrette d'avoir insisté pour que Pa prenne l'air et se promène à son habitude ce jour-là alors qu'il souhaitait rester à la maison pour réparer les moustiquaires. Ethel se redresse sous la gouttière. L'eau ruisselle sur son corps. Elle ne veut pas tousser de peur d'alerter les filles. Elle rentrera tout à l'heure. Plus tard. Mais le vent s'est levé, qui chasse les nuages et éclaire le chemin d'une lumière blafarde. Glacée, Ethel se glisse dans le sous-sol entrouvert et écoute les bruits dans l'escalier au-dessus d'elle. À l'abri de la pluie, elle sent le froid qui lui transperce les os. Ses doigts engourdis ont pris une curieuse teinte bleue. Assise contre l'établi, elle caresse négligemment les bouteilles que Vivian a déplacées à l'occasion d'une de ses fouilles méthodiques de la maison. Vivian la traque depuis deux ans. Elle fait une encoche du bout de l'ongle sur les étiquettes des bouteilles de vin pour contrôler sa consommation quotidienne et la regarde avec des yeux suspicieux dès qu'elle se lave les dents ou mâche un chewing-gum. Pourtant, depuis la mort de Pa, étrangement, Ethel boit moins. Rien que du champagne ou un verre de porto de temps en temps. Juste de quoi l'aider à s'endormir quand les pensées qui tournent dans sa tête comme un essaim d'abeilles l'empêchent de trouver le sommeil.

Ethel a roulé la lettre de William dans sa paume. Du bout des doigts, elle confectionne de petites boulettes, comme pour une sarbacane, et les pousse avec rage dans le goulot de la bouteille vide. Ethel a détesté lire que William avait essayé de l'oublier avec une autre femme. Elle a beau se raisonner, se dire que c'est absurde, le goût amer qui envahit sa bouche à l'idée qu'il ait posé ses lèvres sur une autre lui tord le cœur. William ne connaissait pas la jalousie. Elle n'a jamais compris comment il avait pu la laisser partir avec son propre frère. Elle s'en était réjouie bien sûr, pourtant, dans cette noblesse d'âme, elle ne voyait autre chose que de la faiblesse, pire, de l'indifférence. Et ce jour de décembre, à son retour de Malaisie où il avait fait irruption à l'improviste, en pleine journée, dans son appartement de Brandon Street, à Londres ? Elle portait un simple déshabillé. Comment n'avait-il pas remarqué que ce n'était pas à lui qu'elle ouvrait la porte mais à Jasper, qui s'était absenté pour acheter le journal ? Il n'avait rien vu. Rien senti. Ni sa peau encore chaude d'avoir été trop étreinte, ni son sexe brûlant de trop de caresses. L'air empestait le tabac, l'amour et l'alcool. Les draps étaient froissés, le lit retourné. William avait simplement repoussé la porte et ils avaient fait l'amour dans le vestibule. Ethel s'était laissé faire, docile et lascive, attentive aux bruits du corridor. Les pas de Jasper qui grimpe l'escalier quatre à quatre, puis une légère hésitation, un bruit de clés. Puis plus rien. Ses gémissements sonores et les pots d'orchidées sur le paillasson l'avaient alerté à temps. Jasper était reparti. Quelques semaines plus tard, William les surprenait et la quittait pour toujours.

Jasper… Ethel murmure son prénom. Il fait si froid. Elle se hisse sur l'établi et attrape sur la patère de bois ce gros manteau qu'il mettait l'hiver pour jardiner et bricoler. Jamais lavé, il sent l'essence, le terreau et la transpiration. Ethel enfouit son nez dans le col de laine et inspire longuement. Dans la poche, elle retrouve un vieux mouchoir, un petit crayon taillé des deux côtés et une flasque d'argent qu'elle lui avait offerte. Il reste encore un ou deux centimètres de whisky. Ethel n'aime pas le whisky. Ce n'est pas l'alcool que cherche avidement sa bouche, mais le goût des lèvres de Jasper. Son homme. Le sien.

20

New Haven, Connecticut
Juillet 1969

Vivian est seule à la maison. Burt a emmené John et Mike à Boston, au stade de Fenway Park, pour assister au match des Red Sox contre les Orioles. John, à quatorze ans, rêve de voir son joueur préféré, Carl Yastrzemski. Il collectionne les fanions du club et, sur l'étagère au-dessus de son lit, a aligné dix balles signées de ses lanceurs favoris. Mike, lui, voulait rester à la maison à New Haven, car pour rien au monde il ne raterait le lancement d'Apollo 11 à la télévision. Mais Vivian avait envie d'être seule, de profiter de quelques jours sans enfants, alors Burt s'est dévoué et a promis à Mike qu'il se débrouillerait pour trouver un téléviseur à Boston afin de regarder le départ de la fusée. Burt est correspondant régulier pour un journal de New Haven, mais il ne chante plus, sauf pour Vivian. Parfois, aussi, il prête sa voix au pasteur à l'église. Avec les combats qui font rage au Vietnam, le comité de quartier organise des veillées plusieurs fois par semaine. Burt chante les cantiques, et quand il chante, il pense qu'il n'a toujours pas dit à Vivian qu'il a reçu une lettre du bureau régional de conscription. Il ne se résout pas à lui annoncer qu'en septembre il partira pour Saigon rejoindre le quinzième régiment d'infanterie du VIe bataillon. Il redoute la colère de Vivian, qui menacera d'entamer une grève de la faim. Elle déteste la guerre. En avril, elle a hurlé sa fureur avec des milliers de manifestants dans les rues de New York. Vivian pleurera et lui en voudra de sa faiblesse. Mais il partira parce qu'il n'a jamais rien réussi dans sa vie, sauf peut-être décider il y a quatorze ans d'arrêter de boire pour épouser cette femme qui fumait et jurait comme un homme. Au début, il l'avait à peine remarquée. Une maîtresse parmi tant d'autres, la dernière en date d'une vie d'errances, et puis un matin, en se réveillant à ses côtés, il avait soudain compris que celle-là, il ne pouvait pas la laisser partir. Si elle s'échappait, il sombrerait. Quand il lui avait demandé si elle accepterait de le prendre pour époux, elle n'avait pas paru étonnée. Elle avait posé son hamburger sur le plateau, sucé ses doigts et terminé son verre de Coca. « D'abord, tu arrêtes de boire, ensuite nous irons à Miami. Et pourquoi pas à Hollywood, Los Angeles ? Mais je veux partir d'ici. » Finalement, Burt avait cessé de fréquenter les bars et les clubs, et à défaut de Miami ou de la Californie, ils avaient emménagé à New Haven quelques semaines après le passage des ouragans Diane et Connie. Les rues avaient été transformées en torrents d'eau, charriant des planches, des chaises, des morceaux de vie. Une insupportable odeur de moisi et de putréfaction avait envahi l'air. Les habitants erraient, hagards, au milieu des débris, fouillant les décombres, le visage vide de ne pas même avoir eu le temps de pleurer. John était né à l'automne, très vite suivi de Mike. Maintenant, Burt allait quitter la femme qu'il aimait et ses deux fils pour une guerre qu'il ne comprenait pas.

Vivian aspire le coin de sa bouche. Elle a pris ce vilain tic à la mort de Mom, il y a deux ans. Depuis, elle n'arrive plus à contrôler sa fatigue et sa nervosité. L'épuisement la gagne. Sa vie a soudain basculé. Jusqu'ici, son intarissable énergie lui avait donné des ailes. Elle aurait combattu les armées du monde à mains nues. Aujourd'hui, il lui semble qu'elle est assise en haut d'un toboggan et qu'elle glisse doucement, inexorablement, vers... Elle ne sait pas vers quoi car il lui reste encore un peu de colère tapie en elle, juste assez pour rire avec John et Mike, les emmener à leurs matchs de base-ball et parfois se laisser aller dans les bras de Burt. Elle n'aime pas faire l'amour avec Burt. Le goût acide que sa peau pâle et blonde laisse dans sa bouche la révulse, mais elle fait semblant, rien que pour ces quelques minutes après l'étreinte, blottie contre lui, avec ce sentiment que, dans ses bras, elle sera toujours protégée. À la mort de Mom, Burt s'est occupé de tout. Il a vu le notaire pour la succession et s'est chargé avec Jack de la mise en vente de la maison. Les deux hommes ont entassé dans des caisses tous les souvenirs du passé, les livres, les photos, les bibelots et les cartons à dessin. Ils ont ensuite donné les vieilles fripes de Mom, ses chapeaux et ses chaussures minuscules, et se sont débarrassés des meubles. Jack s'est marié il y a quatre ans. Jane, sa jeune épouse, porte leur second bébé qui devrait naître à l'automne. Le jeune couple vit avec peu de moyens dans la maison de Marge : le salaire de mécanicien de Jack ne leur permet pas toujours de boucler les fins de mois. Vivian habitant trop loin pour s'occuper des menus détails du quotidien, ce sont eux qui ont veillé sur Mom pendant les derniers mois. Jack passait tous les jours, il lui lisait les journaux, coupait l'herbe dans le jardin, taillait les haies, et Jane entretenait la maison.

Vivian faisait un aller-retour New Haven-Whitechapel une fois par semaine, le samedi. Elle a su que Mom allait mourir ce jour de mai, quand il lui a soudain semblé qu'elle rajeunissait. Un matin, Mom l'avait accueillie dans le salon, les traits reposés. Elle s'était maquillée et avait torsadé sa crinière blanche en un joli chignon sur la nuque, retenu par un crayon Ticonderoga jaune, comme elle le faisait autrefois. « Je vais rejoindre Pa et je me prépare. » Elle avait lâché les pinces de sa robe chinoise bleu pétrole de New Haven pour accommoder sa taille et ses formes floues de vieille femme. « Je veux porter cette robe pour mes funérailles, tu n'oublieras pas, n'est-ce pas ? » Elle semblait apaisée, et profondément heureuse. Non, plutôt impatiente. Ce rendez-vous, elle l'attendait. C'est Jack qui l'avait trouvée une semaine plus tard, assise dans son lit, la tête couchée sur son poudrier d'argent. Dans sa main droite, elle tenait encore son bâton de rouge.

Pour remercier Jack, Vivian lui a proposé de choisir parmi les meubles ceux qu'ils désiraient. Les jeunes ménages ont toujours besoin de meubles. Jack a donc récupéré la chambre à coucher, le lit, l'armoire, la commode et la table de nuit, le poste de télévision, une Westinghouse que Pa avait achetée à Mom un an avant sa mort, et les fauteuils du salon. Jane a vidé les armoires, emporté les draps et les serviettes de toilette. Les rideaux du vestibule aussi, en chintz noir et brillant, imprimés de boutons de rose. « Cela fait chic », a dit Jane, qui, ravie, les a accrochés dans sa chambre. La maison est restée vide plusieurs mois, avec pour seuls habitants les âmes de Mom et de Pa. Et puis, un jour, Vivian n'a plus vu l'ombre de Mom en vigie devant la porte de sa chambre. Celle de Pa avait aussi disparu. Débarrassée des esprits de ses anciens occupants, la maison s'est finalement vendue. « Fort correctement », ont commenté Jack et Burt. Mais Vivian n'a pas souhaité rencontrer les nouveaux propriétaires.

Vivian déteste conduire jusqu'à Hartford. Elle connaît la route par cœur. Depuis six ans, elle s'y rend deux fois par semaine. Même le jour où Mike s'est fait une vilaine fracture à la jambe en descendant de sa trottinette et a dû être hospitalisé une semaine entière, elle s'est débrouillée pour trouver le temps. Aujourd'hui, ses mains tremblaient quand elle a préparé le sac pour Dorothy. Des cookies aux canneberges et le livre de souvenirs de Coretta Scott qui vient de paraître : *Ma vie avec Martin Luther King*. Dorothy ne sera sans doute pas capable de le lire, mais au moins, si la conversation tarit brutalement, Vivian aura de quoi s'occuper.

Après le suicide d'oncle Will, les crises de Dorothy s'étaient multipliées. Accompagnées de trémulations des mains et de battements de paupières incessants. C'est Judy qui, un jour, avait téléphoné à Vivian pour lui dire, embarrassée, qu'elle devait se séparer de Dorothy, devenue incohérente et incapable de remplir ses fonctions à la bibliothèque. À son retour de Hartford, Dorothy s'était installée avec Mom. Mais en quelques semaines, sa jolie peau s'était flétrie et l'éclat dans ses yeux s'était terni, comme si Mom avait aspiré sa jeunesse et sa beauté. Mom, de son côté, s'activait, bougeait, cuisinait, lisait et ne ratait pas une de ces réunions de quartier qu'elle avait toujours détestées. Jour après jour, Dorothy s'était vidée de sa vie. Elle ne lisait plus et regardait désormais avec indifférence les branches desséchées de sa misère retomber du pot. En quatre mois à peine, Dorothy n'était plus que l'ombre d'elle-même. Une ombre triste et folle.

Dorothy avait été internée le 18 janvier 1957 à l'« institut de vie » de Hartford. L'un des plus anciens hôpitaux psychiatriques du Connecticut, sis dans un immense parc planté d'espèces magnifiques. Dorothy, depuis, y passe de longues heures, assise sur un banc. Sa douceur et son extrême méticulosité avaient été très vite remarquées par les médecins. Dans les premiers mois de son internement, on lui avait même confié un petit travail à la lingerie. Le sourire aux lèvres et les yeux vagues, elle pliait du matin au soir les tenues des malades, les draps et le linge de l'hôpital. Mais cela, c'était avant que ses crises ne reprennent avec une violence plus soudaine encore qu'autrefois.

Un simple ballon de foot qui roulait dans une allée avait mis fin à ce privilège. À sa vue, Dorothy avait renversé les étagères dans la lingerie et fracassé les chaises contre les murs. Alertées par le bruit, les infirmières étaient accourues pour trouver Dorothy en larmes, prostrée sous des piles de linge souillé, le regard fou, la bave aux lèvres. Elles avaient dû appeler l'ambulancier pour la maîtriser. Elle était restée enfermée dans sa chambre pendant plusieurs mois. « Pour sa propre sécurité tout autant que celle des autres patients », avait-on expliqué à Vivian. Ses doses de calmants avaient été augmentées et Dorothy ne sortait plus dans le parc qu'aux horaires de promenade autorisés pour les malades. Généralement, elle s'asseyait sur « son » banc et regardait le ciel. Souvent, aussi, elle dessinait une marelle dans la terre sableuse de l'allée et empilait des feuilles et des cailloux dans les cases qu'elle gardait jalousement, la lippe retroussée, prête à mordre celui qui traverserait la frontière invisible.

Vivian a garé sa voiture sous un arbre. Légèrement en retrait de l'allée, elle voit le haut bâtiment principal de briques rouges et la double volée de marches blanches qui s'enroulent élégamment de chaque côté de la porte centrale. Un immense oiseau rouge échoué qui, sans plus de force pour s'envoler, aurait replié ses ailes sur son flan. Vivian cherche des yeux Dorothy, mais ne la voit pas. Un soleil doux filtre à travers les nuages. Dans les allées inondées de lumière, des files de patients avancent lentement. Par petits groupes. Solitaires le plus souvent. Ils marchent, s'arrêtent soudain puis reprennent leur chemin, parfois en sens inverse. Ils peuvent tourner vingt, trente fois autour du parterre central avec la même obstination.

Les jours de visite, Dorothy l'attend avec l'impatience d'une écolière. Elle se place en haut de l'escalier et guette les véhicules qui passent les grilles. Les malades n'ont pas le droit de rester sur le perron, mais pour Dorothy les infirmières ferment les yeux. Peut-être aussi parce que Vivian leur apporte souvent de menus cadeaux, des gâteaux ou de la limonade fraîche dans une thermos. Quand un médecin apparaît, Dorothy se fait toute petite ou se retourne comme un enfant qui joue à cache-cache en couvrant ses yeux et croit qu'on ne le voit pas puisqu'il ne voit pas les autres.

Vivian attend, assise dans la voiture. Ses mains tremblent. Elle n'est pas allée tout de suite à Whitechapel quand Jack lui a téléphoné pour lui dire qu'il avait retrouvé des papiers dans le pied de cuivre de la lampe de chevet de Mom. C'est Jane, sa femme, qui a découvert le carnet. Elle voulait changer l'abat-jour poussiéreux et en avait fabriqué un nouveau en macramé orange et marron, « plus moderne ». Elle avait frotté le pied torsadé pour lui redonner un peu de son lustre d'antan, et la plaque de feutrine verte, que Pa avait collée sous le socle pour éviter de rayer le dessus de la marqueterie de la table de nuit, était tombée. Et avec elle plusieurs plaquettes de médicaments et un de ces petits carnets de dessins animés que Pa leur confectionnait quand elles étaient petites. Trois cents pages de papier bible découpées au massicot et soigneusement reliées entre elles par un fil de coton ciré. Les coins étaient encore plats et parfaitement alignés, comme si le carnet n'avait jamais été feuilleté, à l'exception de quelques pages un peu gondolées vers la fin.

Ces carnets, Vivian en possède déjà une dizaine, plus joliment illustrés les uns que les autres. *La Petite Fille aux allumettes*, *Le Bal des douze princesses*, et même *La Case de l'oncle Tom*, en un seul volume malgré sa longueur. Pa, économe, avait peint sur les deux angles opposés, au milieu de l'histoire, il suffisait de retourner le carnet. Petite, elle les feuilletait des heures durant sous la couette, collée contre Dorothy, et elle rêvait devant les petits personnages qui, sous la simple pression de son doigt, s'animaient, couraient d'une page à l'autre. Il suffisait de ralentir le rythme de défilement des pages pour que les mouvements s'éternisent. On pouvait aussi prendre le carnet à l'envers, ce qui était très drôle. Le chat bondissait en arrière, la souris sortait de sa gueule et échappait aux griffes. La dernière allumette de la petite fille aux allumettes ne s'éteignait jamais.

Vivian a coupé le moteur. Elle regarde attentivement le dos du carnet, car c'est là que se trouve le titre, puisque les pages défilent de droite à gauche, comme dans les livres japonais. Pa y a peint une magnifique fleur de cinabre piquetée de blanc. Entre les cinq pétales on reconnaît les yeux sombres de Mom, mais une Mom que Vivian n'a jamais vue, dont les sourcils fournis se rejoignent au-dessus du nez comme une princesse indienne, avec un petit point carmin entre les yeux. En dessous, en minuscules lettres penchées de botaniste, une simple notice :

Rafflesia : *rafflesia arnoldii*, du nom du savant Joseph Arnold qui la découvrit en 1818 dans les forêts de Bornéo. Nommée rafflesia en l'honneur de sir Thomas Stamford Raffles, qui dirigea l'expédition. Fleur parasite de la famille des *rafflesiaceae*, endoparasite des *tetrastigma* de la forêt vierge. Extrêmement rare, car elle n'apparaît que cinq jours par an. Elle est à ce jour considérée comme la plus grande fleur du monde. Son diamètre peut atteindre un mètre et son poids dix kilogrammes. La rafflesia ne possède ni racines ni feuilles. Elle dégage une odeur pestilentielle de pourriture qui attire les insectes pollinisateurs. Fleur carnivore appelée lotus ogre, *padma raksasa*, par les indigènes pour l'insoutenable odeur de cadavre qu'elle dégage. La présence fréquente de petits mammifères et d'oiseaux morts dans sa cavité centrale est à l'origine des légendes qui l'entourent. Habitat : sous-bois des forêts vierges de l'Insulinde.

Vivian tord légèrement le paquet de feuilles dans sa paume, comme Pa le lui a montré, « sans casser la reliure, ni corner les pages ». L'histoire se déroule sous ses yeux. Son cœur se serre quand elle reconnaît la petite maison du Canada, ses marches de bois englouties sous la neige et la silhouette de Mom qui avance dans la bise, le dos courbé, vers le poulailler. Dans la maison, deux fillettes jouent aux osselets puis font chauffer du lait sur la cuisinière. Vivian voit Dorothy avec ses rubans bleus dans les cheveux monter marche après marche l'escalier pour ne pas renverser le verre de lait qu'elle tient à la main. Puis le décor change. Deux corps s'enlacent à la lueur d'une petite lampe. La chambre de Mom et Pa. Facile à reconnaître avec son immense miroir ovale. Le corps nu de Mom se fond dans celui de Pa. Mom rayonne d'une expression gourmande que Vivian ne lui connaissait pas, cambre les reins, s'abandonne sous les baisers. Gros plan sur le visage soudain excédé de Mom, qui gesticule, regarde vers le plafond, puis vers la porte. Les mains de Pa s'attardent sur ses seins, enserrent sa taille fine qui ploie sous la passion. Il la retient. Auréolée de lumière, Mom est si belle ! Mais, tout à coup, les deux amants se séparent. Mom tournoie, enfile un peignoir grenat et quitte la chambre. Vivian retourne le carnet. On retrouve Mom penchée au-dessus du lit de Bobby qui s'époumone, rouge de colère. Des larmes coulent sur ses joues. Mom le prend dans les bras, le berce, lui murmure quelque chose à l'oreille. Et disparaît un verre vide à la main pour revenir avec un verre plein de lait qu'elle remue avec une cuillère. Elle pousse le verre contre les lèvres de l'enfant qui pleure, se débat et fait la grimace. Les dessins suivants sont moins nets. La peinture a bavé et les couleurs se noient dans des traces humides, comme une aquarelle.

Vivian pleure. Mais les traces de larmes sur les pages sont anciennes. Pa savait. Il avait toujours su. Le papier plus rigide se déroule lentement. Les saynètes se succèdent péniblement. Certaines pages collées entre elles cassent le rythme. Mom referme la porte de la chambre sur Bobby, maintenant paisiblement endormi. Splendide, elle descend l'escalier et rejoint Pa, nu sur le lit. Sur le dernier dessin, on ne voit que le peignoir de Mom debout devant Pa, à genoux. Elle écarte ses bras et, en transparence, on devine l'ombre chinoise de son corps. Vivian, du bout du pouce, accélère le rythme, au risque de tordre la reliure. Les deux corps disparaissent sous la marée de tissu de satin rouge. Les dernières pages sont rouges. Rien que des reflets de moire qui bougent sur les amants enlacés. Rouges.

Vivian referme le carnet. Appuyée à la portière de la voiture, elle respire l'air frais. Puis, d'un pas décidé, elle avance vers l'Institut. Elle dira à Dorothy que ce n'est pas elle qui a tué Bobby, que Pa et Mom l'ont immolée sur l'autel de leur passion, que Bobby a sans doute rejoint oncle William, qu'il est bien avec lui. Elle lui dira qu'il faut vivre désormais, qu'il n'est jamais trop tard. Elle ira voir le directeur de l'hôpital et lui expliquera que tout cela n'est qu'un malentendu, que Dorothy n'est plus malade, que tout est clair maintenant. Dorothy reviendra à la maison et tout sera comme avant.

Dorothy attend Vivian, assise sur un banc. La tête légèrement inclinée, elle se balance doucement de droite à gauche. Elle berce un baigneur en celluloïd et approche sa bouche du visage inexpressif. Un seul œil resté ouvert sur une pupille bleu faïence fixe le ciel. Du bout des lèvres, Dorothy dépose un baiser sur la paupière récalcitrante qui se ferme enfin avec un petit clac. Avec douceur, elle éloigne son visage du poupon endormi et sourit.

— Ne fais pas de bruit, Vivian, Bobby est revenu. Regarde, il dort.

Vivian s'approche doucement et regarde le baigneur emmailloté.

Le visage de Dorothy est serein. Il rayonne de ce bonheur immatériel qui illumine le visage des nonnes dans les couvents.

— Tu as apporté la boîte de lait pour bébé ?

Dorothy désigne du doigt le paquet que Vivian tient sous le bras. Vivian hoche la tête.

— Je t'ai apporté des cookies aux canneberges. Tes préférés, et le livre de...

— Ne t'inquiète pas, Vivian, j'écraserai les biscuits avec le dos de la cuillère dans un peu de lait et je les ferai tremper. Bobby adore les cookies.

Les lèvres de Dorothy continuent de bouger, forment des mots, des phrases, mais aucun son ne sort. Elle a posé le poupon sur son épaule et tapote doucement le haut de son dos.

— Tu m'as apporté le livre de Coretta Scott ?

Le temps d'un instant, Dorothy semble avoir retrouvé sa lucidité d'antan.

— Il faut le couvrir avant de le mettre en circulation, préparer les étiquettes et faire une fiche. En attendant, tu le mettras sur mon bureau. Il est en bon état, j'espère ?

Dorothy n'attend pas de réponse. Elle passe les doigts dans une mèche « queue de vache », aurait dit Mom.

— Ils ont coupé mes cheveux.

— Pourquoi ?

— Ils s'emmêlaient. Trop de bourres. Ils disent qu'un malade, c'est pas propre, la nuit. L'hygiène, tu comprends ? C'est une question d'hygiène.

Vivian s'est assise sur le banc et a posé le carnet sur les lattes de bois, à gauche de Dorothy. Elle sait que Dorothy reconnaîtra aussitôt le carnet de Pa, mais elle ne veut pas la brusquer, provoquer une crise. Vivian le pousse du bout des doigts. Dorothy a remarqué le manège.

— Un autre livre ? Comme c'est gentil !

Dorothy a saisi le carnet et observe la couverture blanche. Elle tire sur le lien de coton ciré, qui ne cède pas. « Du beau travail. Mais quelle idée, ils l'ont relié à l'envers ! Faut leur dire. » Dorothy repose le carnet sur le banc, entre elle et Vivian. Au milieu exactement. Pas facile de mesurer un banc quand on n'a pas de mètre à ruban. Du plat de la main, elle mesure le milieu. Une main et demie jusqu'à sa robe, une main et demie jusqu'à la jupe de Vivian. Puis aligne la tranche avec le rebord du banc. Parallèle. La tranche doit être parallèle au bord. C'est important, une tranche parallèle. Dommage que le livre soit gondolé. Il faut le mettre sous presse. Deux cailloux. Elle sort deux cailloux de sa poche. Les plus beaux, gorge-de-pigeon, ceux qu'elle voulait poser dans la case « ciel » de sa marelle. Mais pour Vivian, elle peut bien faire cela, lui donner deux cailloux. Surtout si beaux. Elle a aussi des feuilles, mais elles sentent le pipi de chat. Et Dorothy n'aime plus les chats depuis que son chat préféré s'est fait écraser par une voiture. Les voitures, ça démarre, et pof, l'accident arrive sans crier gare. On l'a retrouvé sur le bord de la route. Pas la moindre blessure, juste un filet rouge le long de ses babines grises. Elle aime les chats gris mais elle n'a pas de chance avec les chats. Non, des feuilles qui sentent le pipi de chat, ça ne convient pas. Ou alors il faut en cueillir des belles et les faire sécher. Doucement, il faut faire doucement pour ne pas réveiller Bobby qui dort. Tout à l'heure, au réfectoire, quand la dame de la bibliothèque sera partie, elle partagera son plateau avec Bobby. Il n'aime pas la soupe mais elle a la boîte de cookies aux canneberges. Dorothy ne dit pas à la dame de la bibliothèque que ça l'énerve parfois, quand elle se montre trop familière. Pour ne pas lui faire de peine, elle ne lui dit pas non plus qu'elle préfère quand elle lui apporte des gâteaux plutôt que des livres. Et puis la botanique, ça ne l'intéresse pas. D'ailleurs, la cloche du réfectoire va sonner. Les infirmières vont faire signe à la dame qu'il est l'heure de partir. Maintenant, Dorothy doit rentrer et coucher Bobby. Sinon il ne fera pas sa nuit.

La nuit, les infirmières lui retirent Bobby. Alors Dorothy s'enroule sur elle-même. Les genoux repliés contre la poitrine, elle attend le lendemain…

Achevé d'imprimer par N.I.I.A.G.
en avril 2012
pour le compte de France Loisirs, Paris

N° d'éditeur : 67835
Dépôt légal : Mai 2012
Imprimé en Italie